En we vergeten
omdat het moet

Van Maggie O'Farrell verscheen eveneens bij uitgeverij Artemis

Het verdwenen leven van Esme Lennox

MAGGIE O'FARRELL

En we vergeten omdat het moet

Vertaald door
Ernst de Boer en
Ankie Klootwijk

Artemis & co

Mixed Sources
Productgroep uit goed beheerde bossen
en andere gecontroleerde bronnen.
www.fsc.org Cert no. SCS-COC-001256
© 1996 Forest Stewardship Council

ISBN 978 90 472 0122 9
© 2010 Maggie O'Farrell
© 2010 Nederlandse vertaling Artemis & co, Amsterdam,
Ernst de Boer en Ankie Klootwijk
Oorspronkelijke titel *The Hand That First Held Mine*
Oorspronkelijke uitgever Headline Review
Omslagontwerp Janine Jansen
Omslagillustratie © Chiara Fersini/Trevillion Images

Verspreiding voor België:
Veen Bosch & Keuning uitgevers n.v., Wommelgem

voor IZ
voor SS
voor WD

En we vergeten omdat we moeten

   – Matthew Arnold

DEEL EEN

Luister. De bomen in dit verhaal beven, sidderen en komen dan weer tot rust. Vanaf zee komt met vlagen een bries aanwaaien en het lijkt wel alsof de bomen in hun rusteloosheid, in hun hoofdschuddende ongeduld, weten dat er iets staat te gebeuren. De tuin is leeg, het terras verlaten op een paar potten met geraniums en ridderspoor na, die trillen in de wind. Op het grasveld staat een bank met twee stoelen die hem beleefd de rug hebben toegekeerd. Tegen het huis staat een fiets, maar de pedalen staan stil, in de geoliede fietsketting zit geen beweging. Een baby is buiten in een kinderwagen te slapen gelegd en ligt in zijn stijve cocon van dekentjes, met de oogjes gehoorzaam stevig toegeknepen. Een meeuw hangt roerloos in de lucht daarboven en zelfs hij zwijgt, met zijn snavel gesloten, de vleugels uitgestrekt om de thermiekbellen te benutten.

Het huis staat een eindje van het dorp achter een dichte haag, op de top van een klif. Dit is de grens tussen Devon en Cornwall, waar de twee county's op hun hurken zitten en elkaar begluren. Het is een gebied waar veel strijd over is gevoerd. Het geeft geen pas om hier al te lang naar de bodem te kijken, die ongetwijfeld is doordrenkt van het bloed van Kelten, Angelsaksen en Romeinen, en vol zit met de overblijfselen van hun botten.

Maar dit vindt plaats in een betrekkelijk vreedzame tijd voor Engeland: in een nazomer halverwege de jaren vijftig. Een grindpad loopt in een boog naar de voorkant van het huis. Aan de waslijn hangen petticoats en flanelletjes, sokken en korsetten, luiers en zakdoeken in de wind te wapperen en te flapperen. Ergens klinkt het geluid van een radio, misschien uit een van de naburige huizen, en de gedempte klap van een bijl die op hout neerkomt. De tuin wacht. De bomen wachten. De meeuw wacht, balancerend in de lucht boven het wasgoed. En dan, alsof dit een toneeldecor is, met een publiek dat vanuit de gedempte duisternis toekijkt, klinken er stemmen. Lawaai achter de coulissen. Iemand krijst, iemand anders gilt, er wordt iets zwaars op de grond gegooid. De achterdeur van het huis wordt opengesmeten. 'Ik ben het zat! Echt, ik heb het helemaal gehad!' schreeuwt die iemand. De achterdeur wordt met veel lawaai dichtgeklapt, en er verschijnt een jonge vrouw.

Ze is eenentwintig en wordt binnenkort tweeëntwintig. Ze draagt een blauwe katoenen jurk met rode knopen. Ze heeft haar haar naar achteren gebonden met een gele sjaal. Ze loopt met grote passen over het terras en heeft een boek in haar hand. Op haar blote voeten stampt ze de treden af en loopt het grasveld over. Ze heeft geen oog voor de meeuw, die zich in de lucht heeft omgedraaid om naar haar te kijken, ze heeft geen oog voor de bomen die met hun takken zwaaien om haar komst aan te kondigen, ze heeft zelfs geen oog voor de baby als ze langs de kinderwagen beent op weg naar een boomstronk achter in de tuin.

Ze gaat op die boomstronk zitten en in een poging om de woede die door haar aderen raast te negeren, legt ze het boek zorgvuldig op haar schoot en begint te lezen. *Dood wees niet trots*, staat er, *hoewel sommigen u machtig en angstaanjagend hebben genoemd.*

Ze buigt zich intens geconcentreerd over de bladzijde, zucht en rekt haar schouders. Dan laat ze, onverwacht, opeens een grom ontsnappen en gooit het boek van zich af. Het belandt met een doffe klap in het gras, de bladzijden fladderen dicht. Daar ligt het, omringd door gras.

Ze komt overeind. Dat doet ze niet zoals andere mensen het zouden doen: in een vloeiende beweging van zitten naar staan. Ze springt op, schiet naar voren, stuitert omhoog, ze lijkt op de grond te stampen terwijl ze opstaat alsof ze die, net als Repelsteeltje, wil opensplijten.

Eenmaal opgestaan wordt ze meteen geconfronteerd met de aanblik van een boer op het landweggetje die met een twijg in de hand een kudde schapen voortdrijft, terwijl een hond om hem heen dartelt. Die schapen symboliseren wat zij haat aan haar huis: hun gerafelde, smerige achterwerk, hun stompzinnigheid, hun stupide geblaat. Ze zou ze het liefst allemaal in een dorsmachine duwen, over het klif jagen, of wat dan ook, om dat beeld maar niet te hoeven zien.

Ze wendt zich van de schapen en van het huis af. Ze houdt alleen de zee in haar gezichtsveld. Ze wordt de laatste tijd door het angstige gevoel bekropen dat wat ze het liefst wil – dat haar leven gaat beginnen, dat het betekenis krijgt, dat het van wazig zwart-wit overgaat in stralend technicolor – haar zal overslaan. Dat ze het niet herkent als het op haar weg komt, dat ze het niet zal kunnen grijpen.

Ze sluit haar ogen voor de zee, voor de aanwezigheid van het opzij gesmeten boek, als ze het gedempte geluid van voeten in het gras hoort en een stem die zegt: 'Sandra?'

Ze kijkt met een ruk op alsof ze een elektrische schok heeft gekregen.

'*Alex*andra!' corrigeert ze. Dit is de naam die haar bij haar geboorte is gegeven, maar later besloot haar moeder dat ze het geen mooie naam vond en kortte ze hem af tot die laatste lettergrepen.

'Alexandra,' herhaalt het kind gehoorzaam. 'Moeder vraagt wat je aan het doen bent en dat je binnen moet komen en…'

'Opduvelen!' gilt Alexandra. 'Duvel op!' En ze loopt chagrijnig terug naar haar boomstronk, naar het boek, naar haar analyse van de Dood en zijn nodeloze trots.

Precies op dat moment gaat Innes Kent – vierendertig jaar, kunsthandelaar, journalist, recensent, zelfverklaard hedonist – vijfhonderd meter verderop op zijn knieën zitten om de onderkant van zijn auto te inspecteren. Hij heeft geen flauw idee waar hij naar zoekt, maar hij vindt dat hij toch wel even moet kijken. Hij is een onverbeterlijke optimist. De auto is een zilver met ijsblauwe MG; Innes is dol op zijn auto en die is zojuist langs deze landweg tot stilstand gekomen. Hij komt overeind. En hij doet wat hij meestal doet in situaties waar hij gefrustreerd van raakt: hij steekt een sigaret op. Hij geeft een onderzoekende schop tegen het wiel en heeft daar meteen spijt van.

Innes is in St. Ives geweest, en heeft daar een bezoek gebracht aan het atelier van een kunstenaar van wie hij een werk hoopte te kopen. Hij trof de kunstenaar nogal dronken aan en het werk bleek nog lang niet af. Het hele uitstapje is één grote ramp geweest. En nu dit nog. Hij trapt zijn sigaret uit in de aarde en begint dan het weggetje af te lopen. In de verte ziet hij een groepje huizen, en de rond lopende muur van een haventje, die de zee in steekt. Iemand zal toch wel weten of er ergens een garage is, als ze in dit godverlaten oord al garages hebben.

Alexandra weet niet – kán niet weten – dat Innes Kent vlak in de buurt is. Ze beseft niet dat hij eraan komt, dat hij met de seconde dichterbij komt op zijn handgemaakte schoenen over de wegen die hen scheiden, dat de afstand tussen hen met iedere fraai geschoeide stap kleiner wordt. Het leven zoals zij dat zal kennen staat op het punt te beginnen, maar ze gaat eindelijk volledig op in haar boek, in de worsteling van een lang geleden overleden man met zijn sterfelijkheid.

Als Innes Kent de weg inslaat waar zij woont, richt Alexandra haar hoofd op. Ze legt het boek weer op de grond, dit keer wat voorzichtiger, en rekt zich uit met de armen boven het hoofd. Ze draait een plukje haar tussen haar duim en wijsvinger, klemt een madeliefje tussen haar tenen en plukt het af – ze heeft altijd al lenige gewrichten gehad en daar is ze nogal trots op. Ze gaat ermee door tot er in alle acht spleetjes tussen haar tenen een onschuldig, geel hartje van een madeliefje zit.

Innes blijft stilstaan naast een gat in een dikke haag. Hij tuurt erdoorheen. Een fraai landhuis met struikjes, een grasveld, bloemen, dat soort dingen – een tuin, veronderstelt hij. Dan ziet hij, vlakbij, onder een boom een vrouw zitten. Innes' belangstelling wordt onveranderlijk geprikkeld als er een vrouw in de buurt is.

Dit exemplaar is blootsvoets, haar haar wordt omhoog gehouden door een gele sjaal. Hij gaat op zijn tenen staan om beter te kunnen kijken. Een werkelijk schitterende halslijn, oordeelt hij. Als hij een beschrijving zou moeten geven, zou hij zich gedwongen zien een woord als 'gebeeldhouwd' en misschien zelfs 'albast' te gebruiken, wat woorden zijn die hij niet lichtvaardig zou bezigen. Innes heeft een achtergrond in de kunst. Of misschien is voorgrond een beter woord. Kunst is geen achtergrond voor Innes. Hij ademt kunst, dankzij de kunst gaat het leven verder; als hij kijkt, ziet hij geen boom, auto of straat, maar een potentieel stilleven, ziet hij een wisselwerking van licht, schaduw en kleur, ziet hij een doelbewuste ordening van uitgekozen voorwerpen.

En als hij naar Alexandra kijkt met haar gele sjaal en haar blauwe jurk, ziet hij een tafereel in een fresco. Innes is ervan overtuigd dat hij een volmaakte, arcadische madonna aanschouwt, en profil, gehuld in een fantastische – vindt hij – nauwsluitende blauwe japon, met haar baby die op een paar passen van haar vandaan ligt te sluimeren. Hij knijpt één oog dicht en bekijkt het tafereel eerst met zijn ene oog en daarna met zijn andere oog. Het is werkelijk een schitterende compositie, met de boom boven haar hoofd contrasterend met het vlakke grasveld en de kaarsrecht zittende vrouw en haar hals. Hij had dit graag geschilderd zien worden door een Italiaanse meester, door Piero della Francesco of Andrea del Sarto misschien. Ze kan zelfs bloemen plukken met haar tenen! Wat een schepsel!

Innes glimlacht in zichzelf en probeert het nog eens met beide ogen als het tafereel aan diggelen wordt geslagen door de madonna die op heldere toon vraagt: 'Weet je niet dat het heel onbeleefd is om mensen te bespioneren?'

Hij is zo overdonderd dat hij even sprakeloos staat (wat hem niet vaak overkomt) en hij kijkt gefascineerd toe hoe de vrouw opstaat van haar boomstronk. Voor zijn ogen vloeit de madonna van della Francesca over in een versie van Marcel Duchamps *Naakte vrouw die een trap afdaalt*. Wat een beeld! De vrouw die over het glooiende gazon op hem af komt lopen is een volmaakte weergave van het schilderij van Duchamp! Het lijkt alsof haar boosheid de lucht ter plekke doorboort!

Innes heeft zich de laatste tijd verdiept in de dada-beweging, en dat ging zo ver dat hij twee nachten geleden een droom had die zich helemaal in een van hun schilderijen afspeelde. Hij rekent hem tot 'mijn op een na favoriete droom'. (De eerste is te realistisch om te vertellen.)

'Bovendien is het,' de madonna komt met opgeheven kin op hem af gebeend, de handen in de heupen, en hij moet bekennen dat hij eigenlijk wel blij is dat die heg tussen hen in staat, 'tegen de wet. Ik heb alle recht om de politie erbij te halen.'

'Neem me niet kwalijk,' weet hij uit te brengen. 'Mijn auto. Die lijkt het niet meer te doen. Ik ben op zoek naar een garage.'

'Ziet dit eruit als een garage?' Haar stem klinkt niet, zoals hij zou verwachten, vloeiend met de zachte brouw-r van Devon, maar als een scherp geslepen diamant.

'Eh. Nee. Het ziet er niet uit als een garage.'

'Nou,' ze komt nog dichter naar haar kant van de heg toe gelopen, 'tot ziens dan.'

Terwijl ze dat zegt, kan Alexandra voor het eerst een goede blik op de gluurder werpen. Hij draagt zijn haar een stuk langer dan ze ooit bij andere mannen heeft gezien. Zijn overhemd heeft een ongebruikelijk hoog boord en is narcisgeel. Het pak dat hij draagt is van lichtgrijs fijn ribfluweel en heeft geen kraag; zijn stropdas heeft de kleur van eendeneieren. Alexandra doet twee stappen naar voren. Narcissen, herhaalt ze in gedachten, eendeneieren.

'Ik was niet aan het gluren,' protesteert de man, 'echt niet. Ik zoek hulp. Ik zit in de penarie. Mijn auto doet het niet. Weet je of er hier in de buurt een garage is? Ik wil je niet weg sleuren van je baby, maar ik moet à la minute weer terug naar Londen, want ik heb een deadline. De ene nachtmerrie na de andere. Als je me daarbij behulpzaam wilt zijn, ben ik je dankbare slaaf.'

Ze knippert met haar ogen. Ze heeft nooit eerder iemand zo horen spreken. *À la minute, penarie, deadline, de ene nachtmerrie na de andere, dankbare slaaf.* Ze zou het het liefst willen vragen of hij het allemaal nog eens wil herhalen. Dan dringt een deel van wat hij zegt tot haar door.

'Dat is mijn kind niet,' snauwt ze. 'Ik heb er niets mee te maken. Het is mijn moeders kind.'

'O.' De man houdt zijn hoofd schuin. 'Ik geloof niet dat ik dat zou bestempelen als iets wat niets met jou te maken heeft.'

'O nee?'

'Nee. Het zou toch op zijn minst erkend moeten worden als je broertje of zusje.'

Er valt een korte stilte. Alexandra probeert, zonder succes, niet opnieuw zijn kleren te bestuderen. Het overhemd, die das. Narcissen en eieren.

'Kom je soms uit Londen?' vraagt ze.

'Inderdaad.'

Ze snuift. Ze trekt de sjaal over haar voorhoofd recht. Ze bestudeert de stoppels op de kin van de man en vraagt zich af wanneer hij zich voor het laatst geschoren heeft en waaróm hij zich niet geschoren heeft. En dan kristalliseert een vaag plan van haar zich op een raadselachtige manier uit tot een definitieve wens. 'Ik ben zelf ook van plan,' zegt ze, 'om in Londen te gaan wonen.'

'O ja?' De man begint energiek in zijn zakken te zoeken. Hij haalt een geëmailleerde groene sigarettenkoker tevoorschijn, pakt er twee sigaretten uit en biedt haar er een aan. Ze moet zich over de heg buigen om hem aan te nemen.

'Dank je,' zegt ze, en ze trekt de sjaal nog eens recht. Hij geeft haar een vuurtje, waarbij hij de lucifer in het kommetje van zijn hand houdt en zijn eigen sigaret met dezelfde lucifer aansteekt. Van dichtbij, denkt ze, ruikt hij naar haarolie, aftershave en nog iets anders. Maar hij doet alweer een stap terug voordat ze het precies kan vaststellen.

'Bedankt,' zegt ze weer, gebaart naar de sigaret en inhaleert.

'En wat,' zegt de man terwijl hij de lucifer uit wappert en hem weggooit, 'houdt je tegen als ik vragen mag?'

Ze denkt daar over na. 'Niets,' antwoordt ze en lacht dan. Omdat het waar is. Niets staat haar in de weg. Ze knikt met haar hoofd naar het huis. 'Ze weten het alleen nog niet. En ze zullen er op tegen zijn. Maar ze kunnen me niet tegenhouden.'

'Zo mag ik het horen,' zegt hij, terwijl er rook uit zijn mond kringelt. 'Dus je loopt van huis weg naar de hoofdstad?'

'Ik loop niet weg,' antwoordt Alexandra en ze richt zich in haar volle lengte op, 'maar ik gá weg. Je kunt niet van huis weglopen als je al uit huis bent. Ik heb op de universiteit gezeten.' Ze neemt een trek van haar sigaret, werpt een blik op het huis en kijkt dan weer naar de man. 'Om precies te zijn ben ik weggestuurd, en...'

'Van de universiteit?' onderbreekt de man haar, met de sigaret halverwege zijn mond.

'Ja.'

'Zo, dat klinkt spannend. Wat heb je misdaan?'

'Ik heb niets misdaan,' antwoordt ze, op een iets heftiger toon dan nodig omdat de onrechtvaardigheid ervan haar nog steeds grieft. 'Ik liep de examenzaal uit en nam een deur die voor mannen is bestemd. En nu mag ik niet afstuderen tenzij ik mijn excuses maak. Zij,' ze knikt weer naar het huis, 'wilden om te beginnen al niet dat ik ging studeren maar nu praten ze niet tegen me tot ik terugga en mijn excuses maak.'

De man kijkt haar aan alsof hij haar in zijn geheugen wil opslaan. Het stiksel op de manchetten en het boord van zijn overhemd is van blauw katoen, ziet ze. 'En ga je je excuses maken?'

Ze tikt de as van haar sigaret af, schudt haar hoofd. 'Ik zou niet weten waarom. Ik wist niet eens dat die deur alleen voor mannen was bestemd. Er stond geen bordje. En ik zei tegen ze: oké, waar is de deur voor vrouwen dan, en ze zeiden dat die er niet was. Dus waarom zou ik dan sorry zeggen?'

'Gelijk heb je. Nooit sorry zeggen tenzij je het ook meent.' Ze nemen weer een trek van hun sigaret zonder elkaar aan te kijken. 'Zo,' zegt de man uiteindelijk, 'en wat ga je in Londen doen?'

Alexandra haalt haar schouders op. 'Ik ga zelf de kost verdienen. Hoewel ik misschien niet eens een baan vind,' zegt ze opeens vertwijfeld. 'Iemand zei tegen me dat je voor secretariaatswerk zestig woorden per minuut moet kunnen typen, en ik zit op dit moment op drie.'

Hij glimlacht. 'En waar ga je wonen?'

'Je stelt wel veel vragen.'

'Macht der gewoonte,' hij haalt zijn schouders op zonder zich te verontschuldigen. 'Ik ben journalist, onder andere. Dus. Je kamer. Waar ga je zitten?'

'Ik weet niet of ik jou dat wil vertellen.'

'Waarom niet? Ik vertel het aan niemand door. Ik kan heel goed geheimen bewaren.'

Ze smijt haar sigarettenpeuk in de heg waardoor de blaadjes van de struiken omkrullen. 'Nou, een vriendin van me heeft me het adres van een huis voor ongehuwde dames in Kentish Town gegeven. Ze zei…'

Zijn gezicht verraadt heel even iets van geamuseerdheid. 'Een huis voor ongehuwde dames?'

'Ja. Wat is daar grappig aan?'

'Niets. Helemaal niets. Het klinkt...' hij gebaart weer, '... fantastisch. Kentish Town. Dan worden we praktisch buren. Ik woon aan Haverstock Hill. Je moet maar eens langskomen als je naar buiten mag.'

Alexandra trekt haar wenkbrauwen op en doet alsof ze erover nadenkt. Een deel van haar wil niet zwichten voor deze man. Hij straalt uit dat hij gewend is zijn zin te krijgen. Om een of andere reden denkt ze dat het hem zal leren als ze tegen hem ingaat. 'Dat zou kunnen. Ik weet het nog niet. Misschien...'

Ongelukkigerwijs, voor iedereen, kiest Alexandra's moeder Dorothy dat moment uit om haar entree te maken. Een signaal op haar moederlijke radar heeft haar alert gemaakt op een mannelijk roofdier in de buurt van haar oudste dochter.

'Kan ik u helpen?' roept ze op een toon die in tegenspraak is met de zin zelf.

Alexandra draait zich razendsnel om en ziet haar moeder over het grasveld aankomen, met de babyfles als een pistool naar voren gestoken. Ze ziet hoe haar moeder de man opneemt, van top tot teen, van zijn lichtgrijze schoenen tot zijn kraagloze kostuum. Aan het zure trekje dat om haar mond verschijnt, ziet Alexandra meteen dat het haar niet bevalt wat ze ziet.

De man werpt Dorothy een verblindende glimlach toe en zijn tanden steken spierwit af tegen zijn gebruinde huid. 'Dank u, maar deze dame,' hij gebaart naar Alexandra, 'was me al aan het helpen.'

'Mijn dóchter,' Dorothy legt de nadruk op dat woord, 'heeft het nogal druk vanochtend. Sandra, ik dacht dat je een oogje op de baby zou houden. Goed, wat kunnen we voor...'

'Alexandra!' schreeuwt Alexandra tegen haar moeder. 'Ik heet Alexandra!' Ze realiseert zich dat ze zich als een boos kind gedraagt, maar ze kan de gedachte niet verdragen dat deze man zou denken dat ze Sandra heet.

Maar haar moeder is in twee dingen heel goed: in het negeren van haar dochters woede-uitbarstingen en in het snel informatie van mensen loskrijgen. Dorothy hoort het verhaal over de defecte auto aan en binnen enkele seconden heeft ze de man de weg af gestuurd met instructies waar hij een monteur kan vinden. Hij kijkt nog een keer om, steekt zijn hand op en zwaait.

Alexandra voelt iets wat in de buurt komt van razernij, van smart, terwijl ze de voetstappen van de man hoort wegsterven op de weg naar het dorp. Het idee dat ze eventjes zo dicht bij iemand als hij is geweest en dat hij vervolgens van haar wordt weggerukt. Ze geeft een schop tegen de boomstronk en daarna tegen het wiel van de kinderwagen. Het is een bepaald soort woede, die specifiek is voor de jeugd – dat verstikkende, benauwende gevoel dat je ouders je wegspelen.

'Wat héb jij in godsnaam?' sist Dorothy, en ze beweegt de beugel van de kinderwagen zachtjes op en neer omdat de baby wakker is geworden en nu begint te krijsen en te protesteren. 'Ik kom hier aan en ik zie dat je over de heg staat te flirten met een of andere… zigeuner. Op klaarlichte dag! Zodat iedereen het kan zien. Heb je dan geen gevoel voor fatsoen? Wat voor voorbeeld ben jij nou voor je broers en zusters?'

'Als we het toch over hen hebben,' Alexandra zwijgt heel even voordat ze eraan toevoegt: 'over hen allemáál, hoe staat het eigenlijk met jouw gevoel voor fatsoen?' Ze loopt de tuin in, ze kan haar moeders nabijheid geen seconde langer velen.

Dorothy stopt met het schommelen van de kinderwagen en staart haar met open mond aan. 'Waar heb je het over?' schreeuwt ze, en heel even vergeet ze de nabijheid van de buren. 'Hoe durf je? Hoe durf je zo'n toon tegen me aan te slaan? Ik ga hier met je vader over spreken, dat ga ik zeker doen, zodra hij…'

'Doe maar! Spreek maar een eind weg!' gilt Alexandra over haar schouder terwijl ze door de tuin rent en het huis binnenstormt en daarbij haar vaders patiënte verrast die in de gang zit te wachten.

Als ze bij haar slaapkamer is die ze moet delen met haar drie jongere zusjes, hoort ze haar moeders stem nog steeds vanuit de tuin krijsen:

'Ben ik de enige in dit huis die zich om normen en waarden bekommert? Waar denk jij heen te gaan? Je moet me vandaag helpen. Je moet op de baby passen. Het zilverwerk moet gepoetst worden en het porselein moet worden afgestoft. Wie denk je dat dat gaat doen? De kaboutertjes?'

Elina schiet wakker. Ze wordt in verwarring gebracht door het duister, door het snelle kloppen van haar hart in haar borst. Het lijkt alsof ze staat, alsof ze tegen een verrassend zachte muur leunt. Haar voeten voelen heel ver weg. Haar mond is droog, haar tong kleeft tegen haar gehemelte. Ze kan zich absoluut niet herinneren wat ze hier doet, staand in het donker, zo sluimerend tegen een muur. Haar geest is leeg als een riem onbeschreven papier. Ze draait haar hoofd om en plotseling draait alles in één grote kantel-beweging om zijn as omdat ze het raam ziet, ze ziet Ted naast zich, ze ziet dat ze in feite niet staat. Ze ligt. Op haar rug, met haar handen ineengevouwen op haar borst, een stenen vrouw op een graf-tombe.

De kamer is gevuld met het geluid van ademhaling. Ergens in huis siddert een leiding en valt dan stil. Op de dakpannen boven haar hoofd is een licht gekras hoorbaar, als de klauwtjes van een vogel.

Waarschijnlijk is ze wakker geworden van de baby, die binnen in haar een andere opgekrulde houding aanneemt, zich misschien verroert na een lange slaap, een beentje dat een schopbeweging maakt, een handje dat tegen huid aan slaat. Dat gebeurt de laatste tijd heel vaak.

Elina draait haar hoofd om en kijkt rond in de verduisterde kamer. De meubels die zwartig in de hoeken gehurkt zitten, de jaloezieën voor het raam die net zo'n akelige oranje gloed verspreiden als de straatlantaarns. Ted naast haar, ineengedoken onder het dekbed. Op Teds nachtkastje ligt een stapeltje boeken, zijn mobieltje gloeit groenig op in het duister. Op haar nachtkastje ligt iets wat in het donker op een stapel bovenmaatse zakdoeken lijkt.

Er is nog een ander geluid dat van ergens naast Elina's hoofd komt, een schril, snerpend klinkend *eh-eh*-geluidje, alsof iemand zijn keel schraapt.

Ze begint zich om te draaien in bed, naar Ted toe, maar voelt dan een verzengende pijn in haar buik alsof haar huid in tweeën splijt, alsof iemand een snijbrander tegen haar aan houdt. Ze snakt naar adem en laat haar hand naar beneden glijden om te voelen, om zichzelf gerust te stellen met het gevoel van haar strakgespannen huid, de zwelling waar de baby zit. Maar er is niets. Haar handen stuiten alleen maar op ruimte. Geen bolling. Geen baby. Ze grijpt haar buik vast en voelt een leeggelopen, losse huid.

Elina komt moeizaam overeind – opnieuw die brandende pijn – en slaakt een merkwaardige hese kreet en pakt Ted bij zijn schouder vast.

'Ted,' zegt ze.

Hij gromt iets en begraaft zijn gezicht in het kussen.

Ze schudt hem heen en weer. 'Ted, Ted, de baby is weg – hij is weg.'

Hij springt uit bed en staat midden in de kamer, slechts in zijn onderbroek, zijn haar rechtovereind, zijn gezicht in het halfduister vertrokken van angst. Dan laat hij zijn schouders hangen. 'Waar heb je het over?' zegt hij. 'Hij ligt gewoon hier.'

'Waar?'

Hij wijst weer. 'Daar. Kijk maar.'

Elina kijkt. Er ligt inderdaad iets op de grond naast haar. In het halfduister lijkt het op een bedje waarop een hond zou kunnen slapen, een ovale mand. Alleen heeft deze mand handvaten en ligt er iets in wat in het wit is gewikkeld.

'O,' zegt ze. Ze reikt naar het lichtknopje, doet het aan en onmiddellijk wordt de kamer overspoeld met een helder geel licht. 'O,' zegt ze weer. Ze kijkt naar de lege huid van haar buik en kijkt dan naar de baby. Ze draait zich om naar Ted die zich weer op het bed heeft laten vallen en moppert dat ze hem de stuipen op het lijf heeft gejaagd.

'Heb ik de baby al gekregen?' vraagt ze.

Ted, die net zijn kussen aan het opschudden is, stopt daarmee, draait zich naar haar om en kijkt haar aan. Er verschijnt een onzekere, bange blik op zijn gezicht. Niet bang zijn, wil ze zeggen, het is goed. Maar in plaats daarvan zegt ze: 'Heb ik hem al gekregen?' omdat ze dat wil vaststellen, ze moet het vragen, het hardop uitspreken, het gevraagd horen worden.

'Elina… maak je nou een geintje?' Hij laat een nerveus laag lachje horen. 'Niet doen. Het is niet grappig. Misschien… Heb je gedroomd, misschien? Je hebt vast gedroomd. Waarom ga je niet…' Teds stem sterft weg. Hij legt een hand op haar schouder en een minuut lang lijkt hij niet te weten wat hij moet zeggen. Hij staart haar aan en zij staart terug. Ze laat de gedachte toe: er is een baby bij ons in de kamer. Hij is hier. Ze wil zich omdraaien en weer naar hem kijken, maar Ted omklemt haar schouder nu en schraapt zijn keel.

'Je hebt de baby gekregen,' zegt hij langzaam. 'Het was… in het ziekenhuis. Weet je nog?'

Ze draait zich om en kijkt naar de baby. 'Wanneer?' vraagt ze. 'Wanneer heb ik hem gekregen?'

'Jezus, El, ben je dat…' Hij stopt, wrijft met zijn hand over zijn gezicht en zegt dan op een meer neutrale toon: 'Vier dagen geleden. De bevalling duurde drie dagen en toen… en toen is hij geboren. Gisteravond ben je uit het ziekenhuis gekomen. Je wilde zelf naar huis.'

Er valt een stilte. Elina denkt na over wat Ted heeft gezegd. In gedachten legt ze de feiten die hij haar heeft verschaft naast elkaar. Ziekenhuis, baby, naar huis, bevalling van drie dagen. Ze overpeinst het idee van drie dagen en ze denkt aan de pijn in haar buik, maar besluit daar nu niets over te zeggen.

'Elina?'

'Ja?'

Hij staart haar aan. Hij strijkt het haar weg van haar voorhoofd en laat zijn hand dan op haar schouder rusten. 'Je bent waarschijnlijk… je zult wel doodmoe zijn en… waarom ga je niet lekker terug in bed?'

Ze geeft geen antwoord. Ze wurmt zich onder zijn aanraking uit en schuift over het matras. Ondertussen grijpt ze haar buik vast en bijt op haar lip. Daar beneden voelt het alsof er ieder moment iets naar buiten zou kunnen stromen, tenzij ze het binnen weet te houden. Ze gaat op haar hurken bij de baby zitten en kijkt aandachtig naar beneden. Hij, zei Ted. Een jongen dus. Hij is wakker, met zijn oogjes wijd open en alert. Vanuit zijn rieten mand kijkt hij naar haar op met een vorsende, onderzoekende blik. Hij is als een cadeautje in een wit dekentje gewikkeld en zijn handjes zijn in witte wanten gehuld. Elina reikt naar beneden en trekt ze uit – piepklein zijn ze, licht als vederwolken. Zijn handjes bewegen, gaan open en dicht om lege lucht.

'Ah,' zegt hij. Een merkwaardig volwassen geluid. Heel ferm, heel weloverwogen.

Elina steekt haar hand uit en raakt de klamme warmte van zijn voorhoofd aan, het kleine op en neer gaande vogelborstje, de ronding van zijn wang, de omgekrulde huid van zijn oor. Hij knippert met zijn ogen als haar vingers zijn gezichtsveld kruisen, zijn mondje gaat open en dicht als iemand die niets weet uit te brengen.

Ze schuift haar handpalmen onder hem en tilt hem op. Per slot van rekening is hij haar baby; dat mag ze doen. Ze legt hem tegen zich aan, met zijn hoofd onder haar schouder, zijn voeten in de kromming van haar elleboog. Er is, voelt ze, iets vertrouwds aan zijn gewicht, de manier waarop hij ligt. Hij draait zijn hoofd naar haar toe, dan van haar weg, naar haar toe, van haar weg, en staart dan strak naar het bandje van haar T-shirt.

'Je herinnert het je toch wel?' zegt Ted weer vanuit het bed.

Elina vertrekt haar gezicht tot een glimlach. 'Natuurlijk,' zegt ze.

Als ze heel lang daarna weer in bed komt liggen – ze heeft naar de baby zitten staren, zijn mutsje afgezet, naar zijn haar gekeken, naar het verrassende diepwaterblauw van zijn ogen, haar vinger in zijn handpalm gelegd en in reactie daarop zijn omklemming gevoeld – ligt Ted te slapen met zijn hoofd op zijn arm. Ze weet zeker dat ze niet meer in slaap zal raken, hoe zou ze dat kunnen nu ze het zo koud heeft gekregen, nu ze zo'n pijn heeft, nu ze een baby lijkt te hebben gekregen? Ze schuift zo dicht als ze durft naar Ted toe, wiens lichaamswarmte naar haar lijkt uit te stralen. Elina stopt haar hoofd onder het dekbed waar het donker en warm is. Ze zal niet meer in slaap komen.

Maar toch moet ze geslapen hebben, omdat ze voor haar gevoel minuten later wakker wordt in een slaapkamer waarin zo'n helder en verblindend licht schijnt dat ze haar hand voor haar gezicht moet houden, en Ted is aangekleed en zegt net dat hij ervandoor moet en neemt met een kus afscheid van haar.

'Waar ga je heen?' zegt ze en ze komt met moeite overeind, steunend op haar elleboog.

Zijn gezicht betrekt. 'Werken,' zegt hij. 'Geen keus,' zegt hij. 'Sorry,' zegt hij. 'De film,' zegt hij. 'Achter met de montage,' zegt hij. 'Ik neem een tijdje vrij na afloop van de opnamen,' zegt hij. 'Hoop ik,' zegt hij.

Hierop volgt een korte woordenwisseling, want Ted wil zijn moeder bellen om te vragen of ze komt helpen. Elina hoort zichzelf nee zeggen, voelt dat ze haar hoofd schudt. Hij zegt vervolgens dat ze niet alleen kan blijven, dat hij haar vriendin Suki belt, maar de gedachte dat er iemand in huis is, vervult haar met afschuw. Elina kan niet bedenken hoe ze tegen deze mensen zou moeten praten; ze kan zich niet voorstellen wat ze zou moeten zeggen. Nee, zegt ze, nee en nog eens nee.

En ze krijgt haar zin, want Ted krabt op zijn hoofd, friemelt wat aan zijn tas en kust haar gedag, en dan hoort ze hem de trap aflopen en de voordeur dichtslaan, en daarna is het stil in huis.

Meer dan wat dan ook verlangt ze ernaar in de vergetelheid van de slaap weg te zinken, haar wang in het kussen te duwen, de valhekken van haar oogleden over haar ogen te laten zakken. Ze voelt de nabijheid van een slaap die zo diep is dat ze hem kan proeven. Maar naast haar worden blazende, pruttelende zoogdiergeluidjes voortgebracht.

Ze werpt een blik over de rand van het bed en daar is hij weer. De baby.

'*Hei*,' zegt Elina, en ze hoort zichzelf tot haar verrassing Fins spreken.

De baby geeft geen antwoord. Hij is volkomen gericht op zijn eigen strijd met iets onzichtbaars: zijn armen maaien door de lucht, hij maakt kleine, korzelige grommende geluidjes. En dan, alsof er een schakelaar is omgezet, slaakt hij een kreet, een lange verbazingwekkend luide kreet van smart.

Elina deinst achteruit alsof ze een klap heeft gekregen. Dan beseft ze dat ze op moet staan. Ze moet deze situatie het hoofd bieden. Zij moet het doen. Er is niemand anders. De baby haalt diep adem en laat dan weer een kreet ontsnappen. Ze buigt zich voorover, ineenkrimpend van de pijn, en pakt hem op. Ze houdt zijn stijve, boze lijfje vast. Wat zou er met hem aan de hand zijn? Ze probeert zich de adviezen in de babyboeken die ze heeft gelezen voor de geest te halen, maar kan zich niets herinneren. Ze loopt naar het raam en weer terug.

'Het is goed, het is goed,' probeert ze. 'Rustig maar.'

Maar de baby krijst en kromt zijn rug, zijn gezicht een en al mond, zijn huid donkerroze.

'Rustig maar,' zegt ze weer en dan ziet ze dat hij zijn hoofd omdraait, zijn mond wijd openspert, als een borstcrawler die naar lucht hapt. Hongerig. Dat betekent dat hij honger heeft – natuurlijk. Waarom heeft ze daar niet eerder aan gedacht?

Ze gaat in de stoel zitten, net op tijd want haar benen voelen merkwaardig bibberig aan, en schuift haar T-shirt omhoog, aarzelend, probeert zich de onbegrijpelijke borstvoedingsschema's te herinneren. De baby aanleggen en in de juiste positie. Veelvoorkomende problemen bij het voeden. Maar ze had zich geen zorgen hoeven maken. De baby lijkt precies te weten wat hij moet doen. Hij schiet op de borst af als een hond die een bot krijgt voorgehouden en begint een paar seconden gretig te zuigen, vervolgens wat langzamer, daarna weer gretig. Elina staart naar hem, verbijsterd over zijn kalmte, zijn efficiëntie. Voor Elina voelt het alsof ze daar ongelooflijk lang blijven zitten. Is dat normaal? Een halfuur, drie kwartier, meer dan een uur zo te zitten? Buiten op straat gaat de ochtend voorbij: mensen lopen de ene kant op naar de Heath, mensen lopen de andere kant op naar de bushalte. De vlekken zonlicht kruipen heel langzaam over het tapijt naar Elina's voeten en de baby is nog steeds aan het drinken.

Elina denkt dat ze misschien in slaap is gevallen, want als ze wakker wordt baadt haar hele lichaam in het zonlicht en ligt de baby op haar schoot, een beetje als een kat, en staart nu naar haar horloge.

Ze test zichzelf, speurt haar geest af. Herinnert ze zich iets? Is het allemaal weer teruggekomen terwijl ze lag te slapen? De geboorte, de geboorte, de geboorte, herhaalt ze op zangerige toon voor zichzelf, je moet het je herinneren, je moet het je herinneren. Maar nee. Ze kan zich wel herinneren dat ze zwanger was. Ze ziet de baby hier op haar schoot liggen. Maar hoe hij daar gekomen is, blijft een mysterie.

Ze legt haar beide handen op haar gezicht en wrijft over haar huid, schuurt hem met haar handpalmen in een poging zichzelf wakker te schudden.

'Zo,' zegt ze in de stilte met enigszins trillende stem. Waarom is het huis zo stil, zo stil als iemand die een antwoord verwacht? 'Daar zijn we dan.' Ze merkt dat ze weer Fins tegen hem spreekt. 'Wat zou je nu willen doen?' vraagt ze de baby, alsof hij een gast is die ze maar heel oppervlakkig kent.

Ze staat langzaam, heel langzaam op, klemt zijn lijfje tegen zich aan en sleept zich de trap af, op de tast, haar ogen laten de baby geen seconde los. Haar zoon. Hij is uit haar gekomen. Dat weet ze omdat Ted het heeft gezegd en omdat iets aan de ronding van het voorhoofd van de baby, de vleug van zijn haartjes, haar aan haar vader doet denken. Ze loopt langs de openstaande badkamerdeur terwijl ze de trap af zweeft en ziet daar op de grond een rood gestreept aankleedkussen liggen en ze herinnert zich, ze herinnert zich zowaar dat ze dat heeft gekocht. Ze herinnert zich dat ze die dingen er zo vreselijk uit vond zien – met hele ritsen aanstellerige beertjes, breed grijnzende mensachtige vissen, eendjes met lange wimpers en zwartomrande ogen. Rond het kussen zijn een paar luiers gelegd, een pakje babydoekjes, een stoffen octopus, en een pot crème. Wie heeft die dingen hier neergelegd? Heeft zij dat gedaan? En wanneer?

Onder aan de trap staat een kinderwagen en die herinnert ze zich ook. Die heeft hun vriend Simmy voor hen gekocht. Hij kwam er op een avond mee aanzetten, hem voortduwend. Dat was daarvoor. Toen ze nog zwanger was. Het is een vreemd geval, met zilverkleurige wielen, een marineblauwe harmonicakap, en een mooie, glanzende rem voor de wielen. Er liggen lakentjes in de kinderwagen, ziet ze, en een dekentje. Ze staat even te aarzelen naast de wagen. Dan laat ze de baby erin zakken, alleen maar om te kijken wat er gebeurt. De baby ligt daar, onaangedaan, alsof hij aan dat soort dingen gewend is. Hij maakt een vage schopbeweging met zijn beentjes. Hij staart naar de kap, hij staart langs haar heen, hij staart naar de klinknagel waarmee de kap aan de zijkant van de kinderwagen is vastgezet. Hij sluit zijn ogen en valt in slaap. Elina staat daar en slaat hem een tijdje gade. Dan loopt ze naar de keuken.

Op een of andere manier komt ze bij de deuren naar de tuin terecht. Twee deuren, enorme ruiten van gehard glas. Voor de veiligheid, had Ted gezegd toen ze vroeg waarom het glas zo dik, zo massief was. Ze ziet dat ze nog steeds een beker en een opgevouwen krant vasthoudt. Ze bukt zich om ze op de grond neer te zetten, en terwijl ze dat doet, knapt er iets in haar buik, waardoor ze in elkaar krimpt van de pijn en ze de beker en de krant uit haar handen laat vallen. Ze grijpt zich aan de vensterbank vast om niet te vallen, leunt met haar voorhoofd tegen het glas, drukt haar hand tegen de plek. Ze vloekt in een heleboel talen, keer op keer.

Als ze haar ogen weer opendoet is alles weer net zo stil als het was. De keuken achter haar. De tuin voor haar. Het is heel eenvoudig, zegt ze tegen zichzelf. Je was zwanger en nu heb je een baby. Maar waarom kan ze zich de bevalling niet herinneren?

Achter in de tuin staat een houten huisje, een kamer. Elina's atelier dat Ted voor haar gebouwd heeft. Of liever gezegd, Ted heeft twee Polen betaald om het voor haar te bouwen. Het is opgetrokken uit essenhout, asfaltpapier, glaswolisolatie en roestvrij staal – ze had hun de woorden gevraagd en zij hadden ze in een Pools woordenboek moeten opzoeken om het Engelse woord te vinden zodat zij dat in haar hoofd naast het Finse woord kon leggen. Ze hadden er allemaal om moeten lachen. Een van hen had gevraagd of ze Finland miste en ze had nee gezegd, en daarna ja, soms. Maar ze was al heel lang uit Finland weg. En misten zij Polen, had ze hun gevraagd. Ze hadden allebei stil geknikt. We gaan terug, had een van hen gezegd, over twee jaar.

Wat betekent dat ze ondertussen al terug zijn in Polen. Elina kijkt door de tuin naar het atelier dat ze voor haar gebouwd hebben, naar de rechte zijwanden bekleed met essenhout, het dak van asfaltpapier. In haar paspoort, op haar belastingaangifte, op formulieren die ze moet invullen staat dat ze kunstenaar is. Maar ze weet niet wat dat betekent. Ze kan zich niet herinneren wanneer ze voor het laatst in haar atelier is geweest, ze kan zich niet herinneren hoe je een kunstenaar bent, wat je doet, hoe je je tijd doorbrengt. Haar leven in dat kleine houten gebouwtje, al die uren die ze daarin heeft doorgebracht, lijken net zo ver van haar af te liggen als haar tijd op de kleuterschool.

Ze zou – dat kan ze doen – daar vandaag naartoe kunnen gaan. Ze zou de sleutel kunnen pakken die naast de koelkast hangt, voorzichtig over het natte gras kunnen lopen terwijl ze de baby voortduwt in zijn piepende kinderwagen, de deur open kunnen doen en naar binnen gaan. Ze zou kunnen kijken naar wat er aan de muur is geprikt, naar eventuele doeken die ze tegen de kastjes aan heeft laten staan, ze zou kunnen proberen opnieuw aansluiting te vinden met wat ze daarvóór heeft gedaan. Ze weet dat ze niet geacht wordt te werken. Maar ze zou in haar atelier kunnen lezen, ze zou er kunnen gaan zitten en naar het licht kunnen kijken dat door het dakraam naar binnen valt. Er staat een stoel die ze zelf opnieuw heeft bekleed met groene wollen stof, naast een raam. Dat zou misschien een goede plek zijn om te proberen of ze zich dingen kan herinneren.

Ze denkt daarover na, bijtend op haar lip, overweegt het, als ze zich bewust wordt van een geur, een lucht in haar neus die daar al de hele ochtend zit. Een ietwat zoetige muskusgeur. Als kleren die niet gelucht zijn. Als nat papier. Als melk.

Elina draait zich om. Ze snuift de lucht op. Niets behalve de enigszins scherpe geur van wasmiddel. Ze ruikt aan haar pyjamajasje, dan aan haar haar, de huid op haar pols, de holte van haar elleboog, de muis van haar hand.

Zij is het. Ze is stomverbaasd. Een nieuwe geur. Ze ruikt niet zoals ze vroeger rook, zoals ze haar hele leven heeft geroken. Zij is het.

Ted rukt zijn stoel naar achteren en ploft erop neer, en smijt zijn tas op de bank achter hem. Hij zet de beeldschermen aan en terwijl hij wacht tot ze flikkerend tot leven komen, glijdt hij in zijn stoel door de montagekamer naar het postbakje. Telefonische boodschappen, een paar brieven, een verzoek om een referentie, een kattebelletje van een producer die vraagt om een werkversie van een film die Ted onlangs heeft afgerond. Hij schuift zijn stoel naar de telefoon en wil net de hoorn oppakken als hij stopt.

Hij draait een pen om en om tussen zijn duim en vingers. Hij trekt de dop eraf en zet hem er weer op. Hij legt beide handen op de rond lopende rand van het bureau. Hij kijkt naar de schermen voor hem, waarvan er een een foutmelding laat zien, iets over een ontbrekend bestand. Hij kijkt weg, naar zijn schoenen, en ziet dat de veters van één schoen los zitten, naar de telefoon waarop een rood lichtje aan en uit flitst, naar het onpeilbare zwarte gezicht van de speakers, naar de stapel spullen op de bank. Fruitmanden, bossen in cellofaan gewikkelde bloemen, een babydekentje met een lint eromheen gebonden, een afschuwelijk lelijk satijnen hondje dat je op een stompzinnige manier vrolijk aankijkt. Op zijn bureau, vlak naast zijn elleboog, staat een goudkleurige draagtas. Zo'n stijf, kartonnen geval dat ze alleen in de duurste winkels meegeven, met een blauw lintje door het hengsel aan de bovenkant getrokken. De receptioniste van het filmmontagebedrijf had hem die gegeven toen hij binnenkwam. 'Gefeliciteerd,' had ze gezegd, 'een jongetje!' En ze had hem omhelsd en Ted had de rits van haar broek in het vlees van zijn heup voelen duwen, het koude metaal van haar armbanden in zijn nek. 'Dank je,' had hij gezegd toen hij de tas aannam en hij had tegen alle mensen geknikt die om hem heen waren komen staan – de bureauchef, het meisje dat de koffie rondbrengt, een actrice die hij vagelijk herkende, een paar andere editors – 'dat is heel aardig van jullie. Het is echt…' En toen had hij moeten stoppen omdat hij zich tot zijn afschuw realiseerde dat als hij die zin zou afmaken, hij in tranen zou uitbarsten. Sinds zijn kinderjaren had hij niet meer gehuild, en niet één keer in zijn puberteit, zelfs niet toen hij op zijn zeventiende in Griekenland met een scooter was gevallen en zijn been had gebroken. Maar hij kon de tranen daar voelen zitten, als een golf die in zijn borstkas omhoog rees. Goeie genade, wat was er met hem aan de hand?

Ted reikt weer naar de telefoon en trekt zijn hand dan terug en gebruikt hem in plaats daarvan om de huid van zijn voorhoofd stevig te masseren. Hij staat zichzelf de gedachte toe: wat doe je hier? Dit is gekkenwerk, hij hoort thuis te zijn, hij hoort bij Elina te zijn, bij de baby, niet hier, wat aanrommelen met de rushes van een film die hem niet interesseert – hoeveel klungelig in elkaar gedraaide kraakfilms had de wereld nog nodig? Waarom is hij hier?

Het verbaast hem, als hij het bureau overziet, dat alles er hier zo precies hetzelfde uitziet. De dvd's op een rijtje op de plank, de pennen in hun koker, de beeldschermen naast elkaar opgesteld, de muis die zijn riem achter zich aan trekt, zijn polssteun (een vergeefse poging om zijn rsi te verlichten), de ansichtkaart van een van Elina's schilderijen aan de muur.

Hij staart naar de ansichtkaart, naar de rode lijn die de blauwe driehoek in tweeën deelt, en boven de zwarte gedaante uittorent die in de hoek zit gehurkt. Hij had het schilderij op het doek zien ontstaan. Hij had het eigenlijk niet mogen zien – ze hield er niet van als mensen haar werk zagen voordat zij vond dat het klaar was – maar hij had door het raam van haar atelier naar binnen gegluurd toen ze even niet keek. Dat was zijn manier om voeling te houden met wat er in haar hoofd omging. Hij had het aan de muur van haar galerie zien hangen, hij had gezien hoe de rode stip er tijdens de besloten expositie naast werd geplakt en hij had de stralende uitdrukking op haar gezicht gezien toen ze dat zag. En nu hing het in het huis van een muziekproducent en Ted vroeg zich vaak af of de muziekproducent er wel zo dol op was als hij zou moeten zijn, of hij er wel zo vaak naar keek als hij zou moeten doen, of het wel goed was opgehangen, in het juiste licht.

Vier dagen geleden was ze bijna doodgegaan.

Die gedachte heeft een lichamelijke uitwerking op hem: van desoriëntatie en misselijkheid, net als zeeziek worden of vanaf een hoog gebouw naar beneden kijken. Hij moet met zijn hoofd op zijn handen steunen en diep ademhalen, en hij voelt de tranen van daarnet zich in zijn keel verdringen.

Ze was bijna doodgegaan, daar voor het oog van iedereen. Hij had de dood gevoeld in die kamer, als een wolk die zich ergens in de buurt van het plafond had samengetrokken, en diens aanwezigheid had op een merkwaardige manier vertrouwd aangevoeld alsof hij hem op een of andere manier verwacht had, alsof een deel van hem al die tijd al had geweten dat het zo zou kunnen eindigen. *Niet kijken*, had de zuster tegen hem gezegd, *niet kijken*. En had aan zijn mouw getrokken. Maar hoe kon hij niet kijken? Hoe kon hij zich afwenden zoals de zuster wilde, als het Elina was die daar lag, als zij zijn liefde was, als het om te beginnen zijn schuld was dat ze zwanger was geraakt; hij had het gedaan, hij was degene geweest die die keer in dat hotel in Madrid gefluisterd had: Zullen we het voor één keer laten zitten? De zuster had toen zijn arm vastgepakt. *Kom mee*, had ze op een strengere toon gezegd. *U moet niet kijken.*

Maar hij kon niet niet kijken. Hij had zich vastgehouden aan de metalen rand van een brancard en de zuster van zich afgeschud. Mensen renden heen en weer en waren tegen elkaar aan het schreeuwen en in het midden van de ruimte lag Elina en de bovenste helft van haar lichaam oogde heel sereen. Wit en onbeweeglijk, haar gezicht uitdrukkingloos, met haar ogen half gesloten, haar handen op haar borst gevouwen leek ze op een middeleeuwse heilige in een schilderij. De onderste helft van haar lichaam – Ted had nog nooit zoiets gezien. En op datzelfde moment leek hij het niet meer te zien. Hij leek helemaal niets meer te zien. Behalve een horizon die mogelijk de zee was, een loodkleurige zee die omhoog rees en weer daalde, een uitgestrekte, saaie watervlakte, en het was de eindeloosheid ervan die hem een onpasselijk gevoel gaf, de reflecterende huid ervan die de bewolkte lucht weerspiegelde. *Waar is ze*, hoorde hij een stem zeggen, *waar is ze?*

Ted duwt zijn stoel met zoveel kracht van het bureau weg dat hij tegen de rand van de glazen koffietafel achter hem klapt. Hij staat op, hij loopt naar het ronde raam in de deur en weer terug. Hij gaat in zijn stoel zitten. Hij staat weer op. Hij beent naar het raam en trekt met een ruk de jaloezieën naar beneden. Hij duwt de muis de ene kant op, en dan de andere kant. Dan pakt hij de telefoon op, belt de receptie en zegt dat ze de regisseur van de kraakfilm meteen door moeten sturen als hij er is.

Elina ervaart steeds van die gekke sprongetjes. Gaten in de tijd noemt ze ze in gedachten. Dat moet ze aan Ted vertellen. Het is net als de naald van de platenspeler die ze vroeger thuis hadden. Zij en haar broertje zetten dan een van de oude Beatlesplaten van hun ouders op en stampten om de beurt op de grond. De naald sprong dan van het ene liedje naar het andere. Wat een lol, en zo onvoorspelbaar! Zo zat je midden in 'Lucy in the Sky with Diamonds', en dan zong John opeens: *there will be a show tonight on trampoline.* En dan ging het weer verder met Paul die zei: *I'm fixing a hole where the rain gets in.*

Maar er moet een soort karmische straf bestaan voor het beschadigen van lp's, omdat dit ook in Elina's leven lijkt te gebeuren. Misschien is sprongetjes niet het goede woord. Misschien kende haar leven ook vierduizend gaten, net als de wegen in Blackburn, Lancashire. Want het ene moment was het nog vroeg in de ochtend en ontdekte ze die nieuwe geur en het volgende moment ligt ze plotseling op de vloer van de woonkamer en gaat de telefoon.

Elina komt voorzichtig overeind. De baby ligt op een kleedje naast haar met zijn armpjes in de lucht te zwaaien alsof hij het verkeer aan het regelen is. Ze voelt dat haar haar aan een kant omhoog staat, een beetje punkachtig zoals ze er probeerde uit te zien toen ze nog een tiener was. Ze tuurt even naar de telefoon voordat ze hem opneemt. Ze is zo moe dat de vloer lijkt te hellen als ze te snel loopt. Ze laat haar handpalm op de leuning van de bank rusten om steun te vinden, en realiseert zich dan dat ze deze zelfde handeling eerder op de dag ook al heeft verricht, dat ze steun zocht voordat ze de telefoon beantwoordde, en ze weet bijna zeker dat ze vandaag op een of ander moment met haar moeder heeft gesproken maar ze kan zich niet herinneren waar ze het over gehad hebben. Misschien is zij het weer.

'Hallo?' zegt ze.

'Hoi.' Teds stem klinkt in haar oor. Hij komt ergens vandaan waar veel lawaai is. Ze hoort mensen schreeuwen, mensen lopen, een ritselend geluid, een dreun. Het is niet de rustige respectvolle stilte van de montagekamer. Hij staat waarschijnlijk op de set. 'Hoe voel je je?' zegt zijn stem boven het kabaal uit. 'Alles goed met je? Hoe gaat het?'

Elina heeft geen idee hoe ze zich voelt, hoe het gaat. Maar ze zegt: 'Prima.'

'Wat heb je allemaal gedaan?'

'Eh...' Elina kijkt de kamer rond en ziet de wasmand vol natte was. 'Ik heb de was gedaan. En ik heb mijn moeder gesproken.'

'Oké. Wat nog meer?'

'Niets.'

'O.'

Er valt een stilte. Ze denkt erover hem te vertellen over de sprongetjes, de gaten. Hoe zou ze beginnen? Met het verhaal over de platenspeler? Of zou ze gewoon zeggen: Ted, ik heb van die momenten waarop het leven in een gat lijkt te verdwijnen en ik me niet kan herinneren wat daarin gebeurt. Ik kan me bijvoorbeeld niet het triviale feit herinneren dat ik een baby heb gekregen.

'Ik... eh...' begint ze, maar Ted onderbreekt haar.

'Heb je iets gegeten?'

Daar denkt ze over na. Heeft ze gegeten? Het zou kunnen. 'Ik kan het me niet herinneren,' zegt ze.

'Dat herinner je je niet?' herhaalt Ted en in zijn stem klinkt afschuw door. Iemand vlak bij hem in de buurt is luid aan het schreeuwen over de cateringwagen. Elina probeert haar haar plat te kammen met haar vingers en terwijl ze dat doet valt haar oog op een geel foldertje naast de telefoon, getiteld: 'Wat te doen na bloedverlies'. Ze pakt het op. Ze houdt het voor haar gezicht en kijkt naar de gedrukte letters.

'Elina?' Ze schrikt op van Teds stem.

'Ja,' zegt ze. Ze laat de folder vallen. Hij zweeft weg en glijdt onder een stoel. Ze zal hem straks wel pakken.

'Je moet eten. Dat heeft de vroedvrouw gezegd. Heb je iets gegeten? Kun je je herinneren of je iets hebt gegeten?'

'Dat kan ik,' zegt ze snel en laat een lachje horen. 'Ik bedoel, dat heb ik ook gedaan. Ik bedoel dat ik niet meer weet wat ik voor de lunch zou gaan eten.'

Maar ze heeft het nog steeds niet goed. 'Lunch?' zegt Ted. 'El, het is halfvier.'

Ze is oprecht verbaasd. 'Echt waar?'

'Heb je geslapen?'

Ze kijkt de kamer weer rond, naar de plek waar ze op het vloerkleed lag voordat hij belde. Op de dikke pool van het kleed is de indruk van een lichaam zichtbaar, als een moordscène. 'Misschien. Ja. Ik denk het wel.'

'Heb je je pijnstillers genomen?'

'Eh…' Ze laat haar blik weer door de kamer gaan. Wat zou hier het juiste antwoord zijn? 'Ja,' zegt ze.

'Hoor eens, ik moet weer verder.' Er valt een korte stilte. 'Ik denk dat ik mijn moeder maar ga bellen.'

'Nee,' zegt Elina snel. 'Het is goed, ik red het wel, echt.'

'Weet je het zeker?'

'Ja.'

'Je hebt haar nummer, hè? Voor het geval dat. Ik ben rond een uur of zes thuis, denk ik. We zijn hier wel zo'n beetje klaar.' Zijn stem klinkt nu sussend, behoedzaam. 'Dan kook ik iets lekkers voor ons. Maar nu moet je iets eten, goed?'

'Oké.'

'Beloofd?'

'Ik beloof het.'

Ze zit in een stoel bij de achterdeur, en kijkt weer naar haar atelier als de deurbel gaat. Elina verstijft, en heeft haar ene hand tegen het raam gedrukt. Ze wacht. Teds moeder? Heeft hij haar toch gebeld? Ze blijft gewoon hier zitten in de keuken. Wie het ook is zal denken dat er niemand thuis is en weer weggaan. Ze kijkt weer naar de tuin. Weer snerpt de bel, dit keer langer. Elina negeert het geluid. Opnieuw wordt er gebeld, en nu nóg langer. Nog steeds bij het raam gezeten begint Elina zich een scenario voor te stellen waarin Teds moeder hem belt om te zeggen dat Elina de deur niet opendoet. En dan maakt Ted zich zorgen dat er iets is gebeurd en moet hij van zijn werk weg en naar huis komen. Elina komt voorzichtig, heel voorzichtig overeind en loopt naar de gang, steun zoekend tegen de muur. De baby, ziet ze, ligt weer in zijn kinderwagen en slaapt.

Als ze de deur opendoet, wacht de persoon die op de stoep staat – niet Teds moeder, maar een vrouw met warrig geel haar, met haar grote lijf in een blauwe legging geperst – niet tot ze binnen wordt gevraagd. Ze wacht zelfs niet eens tot Elina iets zegt. Ze wurmt zich langs Elina heen, mompelt iets over de regen, beent de gang door en gaat op Elina's bank zitten, en gaat druk in de weer met papieren, dossiers en doppen van pennen.

Elina loopt achter haar aan en gaat verbaasd voor haar staan. Ze wil zeggen: wie bent u, wat komt u hier doen, wie heeft u gestuurd, maar iets aan de dossiers en papieren doet haar zwijgen. Ze wacht om te zien wat er nu gaat gebeuren.

'Zo,' zucht de vrouw en ze verschuift haar blauwe achterwerk over het leer van de bank. 'Jij bent Natalie.'

Het is geen vraag en Elina moet daar even over nadenken. Is zij Natalie? Ze gelooft van niet. 'Nee,' zegt ze.

De vrouw fronst haar wenkbrauwen. Ze krabt met de punt van de pen op haar hoofd. 'Jij bent niet Natalie?'

Elina schudt resoluut haar hoofd.

De vrouw draait een vel papier om, knijpt haar ogen tot spleetjes en zegt 'O.' Het is een geluid vervuld van teleurstelling, vermoeidheid, en Elina wil sorry zeggen, ze wil zich verontschuldigen omdat ze Natalie niet is. Ze wil zeggen dat ze haar misschien wel zou kunnen zijn.

'Jij bent Elina,' zegt de vrouw met een zucht.

'Ja.'

'Hoe voelen we ons vandaag, Elina?'

Elina vindt dat uitwisselbare gebruik van het meervoud in het Engels verwarrend. Ze is één persoon, slechts één. Hoe kan ze dan een 'wij' zijn?

'Goed,' antwoordt ze in de hoop dat de vrouw weg zal gaan.

Maar de vrouw heeft nog een lijst met andere vragen. Ze wil weten wat Elina eet en hoe vaak. Ze wil weten of Elina buiten komt, hoelang ze slaapt, of ze zich bij een groep heeft aangesloten, of ze van plan is zich bij een groep aan te sluiten, of ze haar pillen neemt, of ze hulp krijgt.

'Hulp?' herhaalt Elina.

De vrouw werpt haar een scherpe blik toe vanonder haar gele pony. Dan kijkt ze de kamer rond. Daarna kijkt ze naar Elina's pyjama waar melkvlekken op zitten. 'Woon je alleen?' vraagt ze.

'Nee. Mijn vriend woont hier ook, maar…'

'Maar wat?'

'Hij zit op zijn werk. Dat wilde hij eigenlijk niet. Ik bedoel, hij was van plan om vrij te nemen. Maar toen zat hij met die filmopnamen die zijn uitgelopen en… nou ja… u kent het wel.'

Dat geeft aanleiding tot druk gekrabbel in het dossier. Deze vrouw met haar mappen en vragen maakt Elina moe. Als ze hier niet was zou Elina languit op het vloerkleed kunnen gaan liggen, haar hoofd op haar arm leggen en in slaap vallen.

'En hoe geneest het allemaal?' vraagt de vrouw, turend naar iets in haar dossier.

'Genezen?'

'Het litteken.'

'Welk litteken?'

De vrouw werpt haar weer een scherpe blik toe. 'De sectio.' Heel even glijdt er een uitdrukking van twijfel over haar gezicht. 'Je hebt toch een sectio gehad?'

'Een sectio?' Elina omcirkelt het woord behoedzaam. Het betekent, dat weet ze zeker, een deel van iets of een stuk van iets. Een partje. Ze legt haar hand op haar buik en denkt aan de brandende, schroeiende pijn daar. 'Een sectio,' mompelt ze weer.

De vrouw kijkt weer naar haar aantekeningen, ze tilt een blad in haar dossier op, ze laat het weer vallen. 'Hier staat… eens even kijken… niet vorderende uitdrijving, complicaties en – ja – spoedoperatie, bloedverlies.'

Elina staart haar aan. Ze zou zich graag willen bukken, de tas van de vrouw oppakken bij zijn hengels en hem door het raam naar buiten smijten. Ze stelt zich het tinkelende geluid van verbrijzelend glas voor, het uiteenspatten van iets wat zo volmaakt, zo helder is, en de tevreden stemmende doffe bons als de tas het trottoir raakt.

De vrouw kijkt dreigend terug, haar wenkbrauwen zakken, haar mond opent zich een beetje.

'Ik zou graag willen,' zegt Elina, en ze articuleert ieder woord heel langzaam, 'dat u vertrekt. Alstublieft. Ik heb het heel druk. Ik moet… ik moet… ergens heen. Als u het niet erg vindt. Misschien kunnen we dit een andere keer doen.' Ze zorgt ervoor beleefd te klinken. Ze heeft geen idee wie deze vrouw is, maar dat is geen reden om onbeleefd te doen. Ze leidt de vrouw door de gang, naar de voordeur. 'Heel erg bedankt,' zegt ze terwijl ze de deur dichtdoet. 'Tot ziens.'

Alexandra sluit zichzelf voor de rest van de dag op in haar kamer en schuift een stoel onder de klink om haar broers en zussen buiten te houden. Ze staan aan de andere kant te kwetteren en te jeremiëren maar ze geeft niet toe. Ze tuurt op een plattegrond van Londen, ze haalt een koffer uit haar kleerkast, schudt het stof uit de paarse satijnen voering, schuift haar kleerhangers een voor een opzij en besluit wat ze mee zal nemen voor haar nieuwe leven en wat ze hier achterlaat. De kleinere broers en zusjes, die dat dramatische gedoe allemaal prachtig vinden, beginnen briefjes en koekjes en, onbegrijpelijk, een haarband onder de deur door te schuiven.

'Misschien moet je tegen de universiteit zeggen dat het je spijt,' raadt een van hen haar aan door het sleutelgat, 'en dan nemen ze je misschien terug.'

'Maar ik heb geen spijt!' roept Alexandra. 'Ik heb helemaal geen spijt.'

'Maar je kunt het gewoon zeggen,' zegt het verstandige kind, 'je hoeft het niet te menen.'

Maar Alexandra loopt door de kamer te ijsberen. Ze eet een paar koekjes, ze leest twee hoofdstukken in een boek, ze steekt haar haar op, ze laat het weer loshangen, ze steekt het opnieuw op in een wrong. Ze schrijft een paar woedende, kliederige bladzijden in haar dagboek. Ze doet een handstand tegen de spiegel.

Als de schemering invalt en de familie beneden zit te eten, leunt de in zelf verkozen opsluiting verkerende Alexandra zo ver uit het raam als ze kan zonder naar buiten te vallen, en probeert zich in evenwicht te houden met haar armen en benen in de lucht.

Ze heeft zojuist het draaipunt van haar gewicht gevonden – bijna, bijna, met haar voeten van de grond en haar handen in de lucht, een zwevende meisjesengel – als ze beneden op de weg het geluid van een motor hoort. Ze tilt haar hoofd op: het draaipunt is meteen weg, haar voeten klappen op de vloer en ze schuurt met haar bovenlijf over de vensterbank. Ze tuurt het donker in.

Daar! Over de weg komt een auto, licht van kleur, met een open kap, met grote snelheid de bocht om rijden, de bochten scherp afsnijdend, het geluid van de motor gaat omhoog en omlaag. De persoon achter het stuur is onherkenbaar – de haren wild wapperend in de wind, de schouders gebogen – maar ze weet zeker dat hij het is. Alexandra gaat op haar tenen staan en maakt een enkel, een-zaam, onzichtbaar wuifgebaar.

En net als ze dat doet, hoort ze het geluid van piepende remmen en zwenkt de auto opzij. De motor blijft draaien en de persoon – lang, gekleed in een lichtgekleurd pak – springt uit de auto. Alexandra ziet de flits van iets wits in zijn hand. Hij lijkt daar even te weifelen. Kijkt hij naar het huis? Waarom, vraagt ze zich woest af, heeft ze het licht niet aangedaan? Dan had hij haar zien staan, dan had hij haar misschien zien staan bij het bovenste raam. Ze overweegt heel even om naar de muur te rennen en het aan te doen, maar ze durft hem niet uit het oog te verliezen.

Ze ziet hem het witte ding in de heg stoppen. Ze is er zeker van. En dan stapt hij weer in zijn auto en een seconde later verdwijnt hij om de bocht.

Alexandra spurt de trap af, de keuken door waar haar familie zit te eten, blijft alleen even staan om een zaklamp van een haak te grissen, en stormt door de achterdeur naar buiten. Haar voeten zijn bloot terwijl ze over het natte gras rent, de bomen en de struiken vormen zwarte uitgeknipte plaatjes tegen de lucht.

Ze loopt snel in de wetenschap dat ze misschien niet veel tijd heeft als haar moeder achter haar aan komt. In haar haast ziet ze bijna het briefje over het hoofd dat in de heg zit verstopt, maar de lichtbundel van haar zaklamp vindt het.

Alexandra, staat er in tamelijk onregelmatige zwarte letters, *Hier heb je mijn kaartje. Kom een keer langs als je in Londen bent. Dan neem ik je mee uit lunchen. Groeten, Innes Kent.*

En er zit een merkwaardig PS bij: *Ik heb net als jij een hekel aan het afkorten van namen, maar ik moet zeggen dat ik er niet zeker van ben of 'Alexandra' wel echt een geschikte naam voor je is. Volgens mij heb je een wat pittiger naam nodig. Ik zie jou eerder als een 'Lexie'. Wat vind jij?*

Ze leest het briefje twee keer en het PS drie keer. Ze vouwt het op en stopt het in de zak van haar blauwe jurk. Ze gaat in het donker op de boomstronk zitten. Ze heet Lexie. Ze gaat naar Londen. Ze gaat lunchen met mannen met stropdassen in de kleur van eendeneieren.

'Herinner jij je nog...' zegt Elina, en Ted houdt zijn ogen strak gericht op de tv omdat er geen vier andere woorden bestaan die hem zo'n ongemakkelijk gevoel geven, '... dat hotel waar we heen gingen met die douche die was gemaakt van...' Ze stopt even omdat ze overvallen wordt door een enorme geeuw, haar kaakgewricht kraakt ervan en er verschijnen tranen in haar ogen, '... van...' Haar stem klinkt slaperig, vaag, alsof hij het domein van het bewustzijn elk moment kan verlaten, '... een tuinslang?'

'Een tuinslang?' herhaalt hij perplex.

'Ja. Die had een... je kent het wel.' Ze laat zich weer gapend tegen hem aan vallen, vouwt zichzelf als een ligstoel op en legt haar hoofd in zijn schoot. 'Een hoe noem je dat?'

'En. Geen idee.'

'Zeepbakje,' mompelt ze met haar ogen dicht. 'Gemaakt van een conservenblikje.'

Ted graaft in zijn geheugen. Hij gelooft niet dat hij ooit ergens is geweest wa~ ze een tuinslang als douche hadden. Dan probeert hij zich de pl~ ~n voor de geest te halen waar ze samen zijn geweest en re~ ~eer ~ich dat hij zich er geen een kan herinneren. Rome? Of was dat met Yvette? Rome: Elina of Yvette? Of was het met dat blonde meisje vóór Yvette? Hoe heette ze ook alweer? Rome was met Yvette – hij herinnert zich dat ze een woede-uitbarsting kreeg over een zonnebrandcrème op de Campo dei Fiori. Hij voelt een golf van opluchting door zich heen gaan dat hij niet *Rome* heeft gezegd, dat hij zichzelf net op tijd heeft ingehouden. Elina en hij zijn een keer naar Norfolk geweest, naar een hotel in een vuurtoren, maar dat had toch een behoorlijke douche?

'... geit buiten,' mompelt ze, 'met een babygeitje – hoe noem je dat? – dat spierwit was. Weet je nog? Je zei nog dat dat het enige schone was dat we zagen op onze hele reis.'

En opeens weet hij het weer. Het beeld verschijnt in zijn hoofd, hij haalt het net zo haarscherp voor de geest als op de computerschermen op zijn werk. Een klein babygeitje op dunne pootjes, met verrassend witte haren en fondantroze lippen. 'In India?' zegt hij.

'Hmm,' knikt ze, haar hoofd beweegt op en neer in zijn schoot.

'Kerala,' zegt hij, en hij geeft een klap op de leuning van de bank, verrukt omdat hij door een reeks herinneringen wordt overspoeld: Elina voor een winkel in specerijen, met zijn tweeën wandelend door een eucalyptusbos, het pas geboren witte babygeitje waar ze iedere ochtend langsliepen, de moeder die aan een paal stond vastgebonden, zijn hoge, schelle geblaat, de treinreis die ze 's nachts hadden gemaakt en hoe hij wakker werd gehouden door mensen die voortdurend de gang op en neer liepen, het zoemende geluid van het blauwe licht. 'Kerala,' zegt hij weer, 'ja. We hebben ergens foto's liggen, toch? Ik weet zeker dat ik een paar foto's heb genomen. Ik kan ze even pakken.'

Hij kijkt op haar neer als er geen antwoord komt. Ze is in slaap gevallen, met haar hand tussen haar wang en zijn dijbeen geklemd, haar mond halfopen. Hij voelt zich gedwarsboomd, wrevelig, het verlangen om herinneringen op te halen aan hun reis naar India is gewekt, maar niet vervuld. Het gebeurt niet vaak dat hij dit soort gesprekken kan voeren en als hij dan een keer in staat is om te reageren, valt ze in slaap. Hij voelt de impuls opkomen om hardop 'Kerala' te zeggen, of iets bruusker te gaan verzitten dan nodig is, alleen maar om te zien of ze wakker wordt om te horen wat hij zich van India herinnert, maar dan schaamt hij zich. Natuurlijk moet hij haar niet wakker maken. Wat voor mens is hij om zulke dingen te denken?

Hij laat zijn hand zachtjes op haar zij vallen, waar hij op de groene wol van haar gebreide vest blijft liggen. Hij reikt achter zich naar de deken die ze op de bank hebben liggen en legt die over haar heen. Dan kijkt hij naar het nauwelijks zichtbare kloppen van haar hartslag in haar hals en stelt zich de ader voor, diep onder de huid, die uitzet en samentrekt, uitzet en samentrekt met het hete dikke bloed dat vanuit het hart wordt voortgestuwd. De gespierde elasticiteit ervan, iedere driekwart seconde.

Hij kijkt naar de delta van aderen op haar pols, de dunne paarse patronen op haar oogleden, de vage blauwe lijn die over haar wang loopt, het web van bloedvaten op haar wreef. Voor het eerst vraagt hij zich af of ze het bloed van slechts één persoon hebben gebruikt om haar weer tot leven te brengen, of dat het het bloed van allerlei verschillende mensen was. En of zij nog steeds Elina is, of het bloed dat in haar lichaam wordt rondgepompt wel van haar is? Op welk moment word je iemand anders?

Hij wenst dat hij kon vergeten wat er is gebeurd, zoals hij zoveel andere dingen vergeet. Hij wenst dat hij een doek kon pakken en het weg kon poetsen, hij wenst dat hij er een scherm of een jaloezie overheen kon trekken, hij wenst dat hij niet telkens als hij naar haar kijkt haar dunne huid, de onverdraaglijke teerheid van haar aderen zou zien, hoe gemakkelijk je die zou kunnen lekprikken. Het meest van al wenst hij dat het nooit gebeurd was. Hij wenst dat ze nog steeds zwanger zou zijn, dat de baby nog steeds in haar zat, dat ze allebei veilig waren en zij nog heel, dat er geen dokter was geweest die een gat in haar had gehakt waar haar leven bijna door was weggestroomd.

Ted slikt om die gedachte uit te bannen. Hij schraapt zijn keel, beweegt zijn schouders om de stijfheid uit zijn nek te verdrijven. Aan de rand van zijn gezichtsveld begint hij weer die vlakke, uitgestrekte zee te zien, voelt hij weer de misselijkmakende deining ervan. Hij pakt de afstandsbediening en zapt naar een ander kanaal, een, twee, drie, vier keer. Een spelletjesprogramma, een reclamespot, een vrouw die in een tuin staat, een man met een geweer, een opname van een leeuw die in elkaar gedoken in het hoge gras zit. Ted gooit de afstandsbediening weer neer.

Hij heeft altijd een slecht geheugen gehad. Meer dan slecht. Hele brokken van zijn leven zijn in een nevelig miasma verloren gegaan. Ted is er vrij zeker van dat hij zich niets herinnert van voor hij een jaar of negen was, toen hij in de tuin bij een vriendje uit een boom viel en zijn schouder uit de kom schoot. Hij herinnert zich dat de vader van zijn vriendje hem naar de spoedeisende hulp bracht, het warme gipsverband dat daarna afkoelde, de verpleegster die hem het woord 'gipskruid' leerde, en hoe hij zich schaamde toen hij zijn moeder met wapperende jas over de eerste hulp aan zag komen rennen, gillend: 'Waar is mijn zoon?' Maar de rest is een aangenaam dof gedruis, als het lawaai van een slecht afgestelde radio.

Zijn moeder legt juist een groot enthousiasme aan de dag voor herinneringen: 'Herinner je je nog die vakantie toen je op een ezel hebt gereden?' zegt ze dan. 'Daar was een hond met drie poten. En je had een ijsje dat op de grond viel. Herinner je je nog dat je zo ontzettend moest huilen? Herinner je je nog dat ik met je terugging naar de winkel om een nieuw ijsje te kopen? Herinner je je dat nog?' Dan knikt hij, maar hij herinnert zich van het voorval niet meer dan beelden als vakantiefoto's die zij hem aanreikt, die ze zo vaak voor zijn ogen heen en weer beweegt dat ze op de herinneringen zelf zijn gaan lijken of daarvoor in de plaats zijn gekomen. Ze heeft een hele verzameling van dit soort verhalen over hem en hij kent ze allemaal: die keer dat er een hoedendoos uit een kast ... ven op zijn hoofd viel en hij een lelijke snee op zijn neus opliep waardoor ze zich schaamde om met hem buiten te komen; die keer dat hij een goudvis op een kermis had gewonnen maar hem op de parkeerplaats had laten vallen en zij zijn gezicht tegen haar jurk had gedrukt tot het beest ophield met in het stof te flapperen en te kronkelen; die keer dat hij aan een kale man had gevraagd waar al zijn haar was gebleven; die keer dat hij een liedje voor zijn nichtje had gezongen omdat ze gevallen was en haar knie had geschaafd. Omdat zij ze steeds opnieuw vertelt komen die verhalen hem zo vertrouwd voor dat hij ze uit zijn hoofd kent. Maar op een of andere manier lijken ze niets met hem te maken te hebben.

Terwijl Ted op de bank zit met het hoofd van zijn tot leven ge-wekte vriendin in zijn schoot en zijn zoontje aan de andere kant van de kamer ligt te slapen, komt voor het eerst de gedachte bij hem op dat dit mogelijk komt omdat geen van die verhalen over-eenkomen met zijn eigen wazige indrukken van zijn kindertijd. Zijn moeders versie, een carrousel van lekkernijen, ezels, kermis-sen, liedjes en zomervakanties, strookt niet met wat hij zich zelf herinnert. Hij herinnert zich de bittere kou in hun huis waarvan alleen de benedenverdieping werd verwarmd door een recalci-trante olie zuipende kachel in het souterrain. Op winterse ochten-den voelden de verschoten gele gordijnen in zijn slaapkamer voch-tig van het ijs. Hij herinnert zich dat hij vaak alleen speelde. Hij, het enige kind in een huis vol volwassenen, dat op eindeloos lange zondagmiddagen keer op keer langs de trapleuning naar beneden gleed. Lange nutteloze uren in de achtertuin terwijl hij de kat van de buren probeerde over te halen om van de muur te springen. Hij herinnert zich een reeks elkaar opvolgende au pairs, die tot taak hadden hem naar school te brengen, met hem naar het park te gaan, hem in de ondergrondse te vergezellen naar het British Mu-seum en zijn vieruurtje voor hem te maken. Hij herinnert zich met name een Française – haar naam is hem ontschoten – die hem niet de gebruikelijke boterhammen met jam voorschotelde maar voor hem alleen een mini *tarte tatin* bakte. Hij kan zich nog steeds herinneren hoe ze die uit de pan haalde en omgekeerd op zijn bord legde, de kruimelige, zoete warmte van het deeg gecombineerd met de gekaramelliseerde peer, de naar suiker ruikende damp die ervan af kwam. Hij was er zo door verrast dat hij in tranen was uitgebarsten en het Franse meisje had hem tegen haar angoratrui gekoesterd. Maar ze was niet lang gebleven en was vervangen door, als hij het zich goed herinnerde, een Nederlands meisje dat hem volkorencrackers te eten gaf.

Als hij de verhalen hoort over Elina's jeugd, dat ze in het bos kampeerden, boottochten maakten naar onbewoonde eilandjes, op kerstavond over de archipel schaatsten, op het dak gingen zitten om de aurora borealis te zien, staat hij versteld. Meer, wil hij dan zeggen, vertel me nog meer, maar hij doet het niet omdat hij voor zijn gevoel daar niets tegenover kan stellen. Wat zou hij haar kunnen vertellen in ruil voor een verhaal over hoe haar broertje en zij, toen ze acht en tien waren, besloten van huis weg te lopen en twee dagen lang in een hol woonden dat ze in het bos hadden gemaakt, voordat haar moeder hen kwam ophalen? Dat zijn au pair hem meenam naar John Lewis om nieuwe schoenen te kopen? Of dat verhaal van Elina over die keer dat ze een vreugdevuur aanlegde zo hoog als de schuur waardoor, toen ze het vuur aanstak, de schuur zelf tot de grond toe afbrandde? Of die keer toen ze van een heuvel af sleede die zo steil was dat ze helemaal doorgleed naar een dichtgevroren meer en daar bleef zitten tot ze gevoelloos was geworden van de kou omdat het geluid van het krakende ijs zo fantastisch klonk dat ze niet op wilde staan? Hij zou haar kunnen vertellen dat zijn vader hem meenam naar de dierentuin en dat hij voortdurend op zijn horloge keek en voorstelde om ergens te gaan lunchen. Of dat hij, als hij aan zijn jeugd terugdenkt, zich vooral herinnert dat hij het gevoel had dat het leven ergens anders plaatsvond, zonder hem. Zijn vader die weg was voor zijn werk. Zijn moeder die aan haar cilinderbureau bezig was met haar correspondentie – 'Nu niet, schatje, over een minuutje, mammie is druk bezig' – de au pairs die naar hun Engelse les gingen en weer thuiskwamen, de mevrouw die de koperen traplopers kwam poetsen en die op een meeslepende manier over haar problemen 'daar beneden' vertelde.

Ted kijkt naar Elina. Hij stopt de deken wat steviger rond haar in. Hij kijkt naar de mand waarin de slapende, ingepakte gedaante van zijn zoon ligt. Zíjn zoon. Hij moet nog steeds wennen aan die woorden. Ted wil dat zijn zoon kan sleetje rijden, hij wil een hol voor hem en een kermis en een vreugdevuur dat per ongeluk een vuurzee veroorzaakt. Hij wil hem meenemen naar de dierentuin en dan zal hij geen moment op zijn horloge kijken. Hij gaat leren hoe hij een tarte tatin moet bakken en die zal hij dan iedere week of iedere dag voor hem klaarmaken, als hij dat wil. Het kind hoeft niet na de lunch een uur lang op zijn kamer te zitten voor 'het rustuurtje'. Hij zal niet meegenomen worden door tieners die nauwelijks Engels spreken om schoenen voor school te kopen of om naar Egyptische mummies in glazen vitrines te kijken. Hij hoeft geen middagen in zijn eentje in een ijzige tuin door te brengen. Hij krijgt centrale verwarming op zijn kamer. Hij wordt niet één keer per maand meegenomen naar de kapper. Hij krijgt toestemming – wordt zelfs aangemoedigd – om zijn schoenen uit te trekken in de zandbak van de speeltuin. Hij mag de kerstboom zelf optuigen en voor de kerstballen alle kleuren nemen die hij mooi vindt.

Ted trommelt met zijn vingers op de leuning van de bank. Hij zou het liefst op willen staan. Hij zou deze dingen graag op willen schrijven. Hij zou zich graag over zijn slapende zoon willen buigen en dat tegen hem zeggen, als een soort plechtige belofte. Maar hij wil Elina niet wakker maken. Hij pakt de afstandbediening en zapt langs de kanalen tot hij een voetbalwedstrijd tegenkomt die hij vergeten was.

In de droom – en het is zo'n merkwaardige toestand tussen slapen en waken, waarin je droomt en op een of andere manier weet dat je droomt – moet Elina een kussensloop vasthouden. Iemand heeft de kussensloop volgepropt met breekbare voorwerpen. Een wekker, een glazen tumbler, een asbak, een bol met daarin een boslandschapje in de dwarrelende sneeuw met een meisje en een wolf. Ze staat op een koude stenen vloer en de kussensloop zit te vol. Ze heeft er geen greep op, dus probeert ze hem uit alle macht vast te houden, probeert ze alle voorwerpen die tegen elkaar aan stoten en wegglijden in die sloop te houden. Als ze vallen, zullen ze aan stukken breken. Ze mag ze niet laten vallen.

De droom wordt verstoord door een geluid. Het is iemand die 'Au' zegt. Een stem die ze kent. Ted. Elina doet haar ogen open. De wekker, het sneeuwtafereel, de tumbler, de stenen vloer vallen uiteen. Ze ligt tussen Ted en de armleuning van de bank in geklemd, met haar hoofd op zijn dijbeen.

'Waarom zei je "au"?' vraagt ze aan zijn onderkaak. Hij zit tv te kijken, zo te horen naar een voetbalwedstrijd – dat eigenaardige gegons en gemurmel, afgewisseld met juichkreten. Hij heeft zich al een tijdje niet meer geschoren. Zijn kin en zijn keel zijn bedekt met zwarte haartjes. Ze steekt haar vinger uit om ze aan te raken, duwt ze eerst de ene kant op en dan de andere kant.

'Je sloeg me,' zegt hij zonder zijn ogen van het scherm te halen.

'Echt waar?' Elina krabbelt moeizaam overeind.

'Je lag te slapen en je begon wild om je heen te zwaaien en…' Opeens zwelt het lawaai aan op de televisie, er klinkt een ongelooflijk gebrul, een steeds luider wordend geloei en zonder enige waarschuwing brengt Ted een enthousiast onverstaanbaar gebrabbel voort, Elina kan de woorden niet verstaan. Sommige zijn JA en andere GOD en weer andere zijn krachttermen.

Ze ziet hem wild gebaren, met de televisie ruziën. Dan klinkt er vanuit de keukenhoek een ander geluid. Een gedempt, bijna onhoorbaar gepiep, als van een vogel of een jong katje. Elina draait met een ruk haar hoofd om. De baby. Daar is het weer. Een zacht 'ieuw' geluidje.

'Ted,' zegt ze, 'niet doen. Je maakt de baby wakker.'

Op de televisie klinkt nog steeds gebrul, maar Ted praat nu zachter en zegt dat het toch niet te geloven is. Ze luistert ingespannen maar er komt geen geluid meer uit de rieten mand. Over de rand verschijnt een armpje dat een langzame boog door de lucht beschrijft, alsof hij tai chi doet. Maar daarna blijft hij stil. Ze gaat weer op de bank zitten.

'Hoe noem je die dingen met water en nepsneeuw erin?' vraagt ze hem.

Ted zit naar voren gebogen, zijn lichaam is gespannen. 'Hmm?'

'Je kent ze wel, kinderen spelen ermee. Je moet ze schudden en dan begint er sneeuw in rond te dwarrelen.'

'Ik weet niet wat…' begint hij te zeggen, maar dan gebeurt er iets op het scherm en sist hij: 'Nee!' en laat zich diep ongelukkig weer in de kussens vallen.

Elina pakt iets op wat naast haar op de bank ligt. Het is een paletmes met een soepel, buigzaam lemmet dat ze tussen haar vingers eerst de ene kant, en dan de andere kant op buigt. Dan houdt ze het dicht bij haar gezicht en bekijkt het zoals een historicus een artefact uit een ander tijdperk zou bestuderen. De ingedroogde verfresten op de plek waar het lemmet met het heft verbonden is – ze ziet rood, groen, een spikkeltje geel – het barstje in het parelmoerkleurige plastic van het heft, de sporen van roest op het uiteinde van het lemmet. Mes is helemaal het verkeerde woord ervoor, bedenkt ze. Je kunt hier niets mee snijden. Het gaat nergens doorheen, je kunt er niet mee houwen, kerven of zagen of andere dingen die je met messen kunt doen, omdat echte messen…

'Wat ben je aan het doen?'

Elina draait zich om. Ted kijkt haar, ziet ze tot haar verbazing, recht aan.

'Niets,' zegt ze en ze laat het paletmes in haar schoot zakken.

'Wat is dat?' zegt hij op een toon die impliceert dat ze evengoed zou kunnen antwoorden: *gewoon een handgranaat, schat.*

'Niets,' zegt ze weer en terwijl ze dat zegt herinnert ze zich wat dat paletmes hier doet op de bank in plaats van in haar atelier. Ze had het hier gebruikt om wat gebrand gips op de salontafel te mengen, wat ze normaal gesproken nooit zou doen. Het huis is om in te wonen, het atelier is om in te werken. Maar het was warm geweest en het kleine eindje door de tuin had heel lang geleden.

Ze beseft dat Ted haar nog steeds aankijkt, en nu met een uitdrukking op zijn gezicht die dicht tegen afgrijzen aan zit.

'Wat is er?' zegt ze.

Hij geeft geen antwoord. Hij lijkt in een soort trance te verkeren en staart haar behoedzaam aan, met een bangige geboeide blik in zijn ogen.

'Waarom kijk je me zo aan?' Ze ziet dat hij naar haar hals staart. Ze brengt haar hand omhoog naar die plek en voelt haar hartslag onder haar aanraking een sprongetje maken. 'Wat is er aan de hand?'

'Huh?' zegt hij, en hij lijkt dan terug te keren van waar hij ook geweest mag zijn. 'Wat zei je?'

'Ik zei: waarom staar je me zo aan?'

Hij kijkt van haar weg, speelt wat met de afstandsbediening. 'Sorry,' mompelt hij en zegt daarna opeens op een defensieve toon: 'Hoe dan?'

'Alsof ik een gedrocht ben.'

Hij gaat verzitten. 'Doe niet zo raar. Dat deed ik niet. Natuurlijk deed ik dat niet.'

Elina duwt zichzelf naar voren en probeert met veel moeite op te staan van de bank. Het lawaai van de voetbalwedstrijd wordt haar plotseling te veel. Heel even denkt ze dat het haar niet gaat lukken om overeind te komen, dat ze haar benen niet zal kunnen strekken, dat ze onder haar dubbel zullen klappen en dat wat binnen in haar zit eruit zal vallen. Maar ze grijpt de armleuning van de bank vast en Ted schiet naar voren en pakt haar pols, en samen hijsen ze haar omhoog en ze loopt de kamer door, lichtjes voorovergebogen bij haar middel.

Ze wordt overmand door een verlangen om naar de baby te kijken. Dat moet ze op regelmatige tijdstippen doen, heeft ze gemerkt. Om te controleren of hij er is, of ze het niet allemaal gedroomd heeft, of hij nog ademhaalt, of hij nog steeds zo mooi is als ze zich hem herinnert, nog steeds zo verbazingwekkend volmaakt. Ze strompelt naar de rieten mand – het wordt zeker weer tijd om zo'n pijnstiller te nemen – en kijkt erin. Daar ligt hij, gewikkeld in een dekentje, met zijn gebalde vuistjes naast zijn oren, zijn ogen stijf dichtgeknepen, zijn getuite lippen stevig op elkaar geperst alsof hij het gedoe met dat slapen met alle ernst en concentratie aanpakt die het verdient. Ze legt een hand op zijn borst en hoewel ze weet hij oké is, ze kan zien dat alles goed is, wordt ze overspoeld door een golf van opluchting. Hij ademt, zegt ze tegen zichzelf, hij leeft, hij is er nog.

Ze loopt naar de keuken waar ze zich vasthoudt aan het fornuis en zichzelf streng toespreekt. Waarom is ze constant bang dat hij dood zal gaan? Dat hij van haar weg zal glippen, weg uit dit leven? Het is hysterisch, zegt ze tegen zichzelf terwijl ze op de planken naar de theepot zoekt, en belachelijk.

De volgende ochtend ligt het paletmes naast de bank op de grond. Elina gaat op haar knieën zitten om het te pakken. En als ze daar zit, werpt ze een blik onder de doorhangende onderkant van de bank. Ze ziet er andere dingen onder liggen: een paar muntstukken, een veiligheidsspeld, een klosje garen, een haarspeld die een oude van haar zou kunnen zijn van voordat ze haar haar heeft laten knippen. Ze overweegt even een liniaal of een pollepel te pakken en al die dingen eronderuit te vissen – dat zou ze doen als ze het echt belangrijk vond om een net huis te hebben. Maar dat vindt ze niet. Je kunt je leven wel nuttiger besteden. Als ze zich nou maar kon herinneren waaraan.

Ze staat op, en ze wordt zich weer bewust van die scherpe schroeiende pijn in haar onderbuik. Ze vraagt zich af of nu het moment is aangebroken om Ted te bellen, te zeggen: Ted, wat doet dat litteken daar, wat is er gebeurd, vertel me wat er is gebeurd want ik kan het me niet herinneren.

Maar nu zou het geen goed moment zijn. Hij zit in de montage-kamer – in zijn hol, zoals Elina het in gedachten noemt – de slechte stukken uit films te snijden en naadloze lassen te maken om ervoor te zorgen dat het er allemaal voortreffelijk en foutloos uitziet, alsof het nooit anders is geweest. En ach, misschien komt het allemaal weer bij haar terug, gaat ze het zich vanzelf weer herinneren. Hij heeft het de laatste tijd zwaar gehad sinds die film uitliep, sinds de baby is geboren, en hij loopt met dat afgetobde, bleke gezicht rond dat hij krijgt als hij gestrest is of zich niet lekker voelt. Ze moet hem daar niet mee lastig vallen.

In plaats daarvan loopt ze naar het raam. Het weer is nog steeds hetzelfde. Het regent al dagenlang, de lucht hangt laag en is zwaar-bewolkt, de tuin is kleddernat. Om haar heen tikt het huis op het ritme van het water: op dakpannen, op goten, langs pijpen.

Daarvoor, toen ze nog zwanger was, was het zonnig geweest. Weken aan een stuk. Elina zat dan vaak in de schaduw van haar atelier met haar voeten in een emmer koud water. Daar deed ze 's morgens haar yoga-oefeningen als het gras nog koel aanvoelde van de dauw. Ze at grapefruits, soms wel drie op een dag, ze maakte wat schetsen van mieren, maar heel loom, zonder echt een plan in haar hoofd te hebben, ze keek hoe de huid op haar buik rimpelde, bewoog, als water in afwachting van een storm. Ze las boeken over natuurlijke bevallingen. Ze schreef lijstjes met namen in houts-kool op de muren van haar atelier.

Elina staat bij het raam naar de regen te kijken. De man van een eindje verderop loopt over het trottoir naar de Heath, met zijn hond achter hem aan. Ze kan niet doorgronden, niet bevatten wat

er met die persoon is gebeurd, met die Elina van de lijstjes in houts-
kool, de mierenschetsen, de natuurlijke bevallingen, de emmers
koud water in de schaduw. Hoe is zij zo geworden – een vrouw die
in een pyjama vol vlekken bij het raam staat te huilen, een vrouw
die vaak wordt bevangen door de impuls om over straat te rennen
en te schreeuwen: wil iemand me alsjeblieft helpen?

Elina Vilkuna, zegt ze tegen zichzelf, is je naam. Zo heet je. Ze
heeft het gevoel dat ze zichzelf moet beperken tot de feiten, tot
dingen die ze weet. Dan zal alles misschien op zijn plaats vallen.
Zij is er en de baby is er en Ted is er. Of zo noemt iedereen hem
tenminste – hij heeft nog een andere, langere naam maar die gebruikt hij nooit. Elina weet alles van Ted. Aan iedereen die het
zou vragen kan ze zijn leven opdreunen. Ze zou een examen over
Ted kunnen afleggen en met vlag en wimpel slagen. Hij is haar
partner, vriend, andere helft, betere helft, geliefde, kameraad. Als
hij van huis gaat, gaat hij naar zijn werk. In Soho. Hij pakt de ondergrondse en soms neemt hij de fiets. Hij is vijfendertig, precies
vier jaar ouder dan zij. Zijn haar heeft de kleur van kastanjes, hij
heeft schoenmaat vierenveertig en is dol op kip Madras. Zijn ene
duim is platter en langer dan de andere, het gevolg van duimen
tijdens zijn kinderjaren, zegt hij. Hij heeft drie vullingen in zijn
kiezen, een wit litteken op zijn buik waar zijn blindedarm is weggehaald, een paarse plek op zijn linkerenkel van een kwallenbeet
in de Indische Oceaan jaren geleden. Hij heeft een hekel aan jazz,
megabioscopen, zwemmen, honden en auto's – weigert er een te
nemen. Hij is allergisch voor paardenhaar en gedroogde mango.
Dat zijn de feiten.

Ze komt tot de ontdekking dat ze op de trap zit, alsof ze op iets
of iemand zit te wachten. Het lijkt veel later te zijn geworden. Ergens in huis hoort ze de telefoon overgaan, het antwoordapparaat
inschakelen en een vriendin in de stilte spreken. Elina zal haar terugbellen. Later. Morgen. Een keer. Op dit moment leunt ze met
haar hoofd tegen de muur, de baby zit op haar knie en naast haar

op de trap ligt een lap blauwe stof. Zachte, fleeceachtige stof. Er zijn zilverkleurige sterren op geborduurd.

Ze wordt overvallen door een vreemd gevoel als ze naar die sterren kijkt. Ze weet zeker dat ze ze nog nooit eerder heeft gezien en tegelijkertijd ziet ze zichzelf die sterren borduren, de naald waar een zilveren draad doorheen is gestoken, de glinsterende draad die door de stof wordt geleid. Ze kent het gevoel van de fleece, weet dat een van de sterren bij de zoom enigszins is samengetrokken, en toch, en toch heeft ze de stof nooit eerder gezien. Of wel? Terwijl ze kijkt is ze er opeens zeker van dat ze dat borduurwerk in het ziekenhuis heeft gedaan, tussendoor…

Ze kijkt naar beneden de gang in. Zonlicht gloeit door de dubbele glazen panelen in de voordeur. Ze gaat staan, pakt de baby op en de met sterren bezaaide lap stof of deken, of wat het ook is, het is eigenlijk te klein voor een deken, en loopt de trap af. Het licht dat door de deur naar binnen schijnt is verblindend en haar hart maakt een sprongetje als ze zich realiseert dat het waarschijnlijk is opgehouden met regenen.

Ze zou, beseft Elina, naar buiten kunnen gaan. Wat een gedachte. Naar buiten, de straat op, waar de regen op de weg hier en daar al aan het opdrogen is en waar de bladeren afdrukken op het trottoir hebben nagelaten. Buiten, waar auto's gas geven en keren, waar honden zich krabben en aan de voet van lantaarnpalen snuffelen, waar mensen lopen, praten, hun leven leiden. Zij, Elina, zou naar het eind van de straat kunnen lopen. Ze zou een krant, een fles melk, een stuk chocola, een sinaasappel of wat peren kunnen kopen.

Ze kan het zich zo levendig voorstellen, alsof het nog maar een week of twee geleden is sinds ze buiten is geweest, in de buitenwereld. Hoe lang is het geleden? Hoe lang sinds…

Het probleem is dat ze aan zoveel dingen moet denken. Ze heeft, eens even kijken, haar portemonnee nodig, haar sleutels. Wat nog meer? Elina ziet een bedrukte katoenen tas op de grond in de gang liggen en propt het dekentje met de blauwe sterren erin, en dan nog een paar luiers en babydoekjes. Dat zal toch wel genoeg zijn?

Maar er is nog iets anders. Er is iets wat hardnekkig aan haar trekt, iets waarvan ze weet dat ze het vergeten is. Elina staat even na te denken. Ze heeft de baby, ze heeft de kinderwagen, ze heeft de tas. Ze kijkt de trap op, ze kijkt naar de ruitjes van licht in de voordeur, ze kijkt naar beneden naar zichzelf. Ze heeft de baby in haar ene arm en de tas over haar schouder gehangen, over haar lichaam, over haar pyjama.

Kleren. Ze moet iets hebben om aan te trekken.

In de slaapkamer inspecteert ze de stapel kleren die op haar stoel ligt. Ze pakt ze met haar vrije hand op en laat ze op de grond vallen. Een spijkerbroek met een enorme tailleband, een paar overalls, een grijze joggingbroek, een sweatshirt dat met een bloemrank is bedrukt. Ze vindt iets groens dat in de knoop zit met iets roods en ze kan ze niet met één hand van elkaar losmaken, dus maakt ze een schudbeweging, wappert ermee door de lucht, en een rode sjaal slingert omhoog en vliegt de kamer door. Elina kijkt hoe hij in een bevallige boog van haar weg zweeft en op de grond terechtkomt. Ze staat ernaar te kijken, naar het rood dat afsteekt tegen het witte tapijt. Ze houdt haar hoofd schuin, eerst naar de ene kant, dan naar de andere kant, en denkt erover na. Ze kijkt weer naar de baby die zijn mond beweegt alsof hij haar iets wil meedelen. Ze kijkt niet meer naar de sjaal maar denkt erover na, over de manier waarop hij zo de lucht in schoot. Ze bedenkt dat het haar op een of andere manier doet denken aan iets wat ze pasgeleden heeft gezien. En dan weet ze het weer. Stralen bloed. Prachtig, op hun manier. De zuivere, granaatrode helderheid ervan in het geboende wit van de kamer. Hoe ze voortsnelden en al rondvliegend in druppels uiteenvielen voordat ze zich vastberaden en resoluut met veel kracht tegen de schorten van de artsen en verpleegsters aan slingerden. De manier waarop ze zoveel aandacht opeisten, de manier waarop ze iedereen aan het rennen zetten.

Elina laat het groene jak op de grond vallen en gaat snel zitten. Ze zorgt ervoor dat ze de baby stevig vasthoudt, haar zoon, en naar hem blijft kijken, naar niets anders, en ze ziet dat hij nog steeds zijn lippen geluidloos beweegt en geheimen tegen haar murmelt, alsof hij het antwoord weet op alles wat ze wil weten.

Lexie staat bij het raam met een sigaret in haar hand naar de straat beneden haar te kijken. De bejaarde vrouw van het appartement onder hen begint aan haar dagelijkse wandelingetje. Met de hondenriem in de ene hand, de boodschappentas in de andere, haar rug tot een komma gebogen onder haar jas, steekt de vrouw voetje voor voetje de straat over zonder links of rechts te kijken.

'Vroeg of laat komt ze nog eens onder een auto,' mompelt Lexie.

'Wie?' zegt Innes van de andere kant van de kamer, en hij richt zijn hoofd op van het matras.

Lexie wijst met het uiteinde van haar sigaret. 'Je buurvrouw. Die met die bochel. En waarschijnlijk onder de jouwe.'

Ze ziet er anders uit dan het meisje dat op een boomstronk zat te lezen. Om te beginnen is ze naakt en draagt ze alleen een openhangend overhemd met zuurstokstrepen van Innes. Ten tweede is haar haar geknipt tot schuin aflopende zijdezachte gordijnen rond haar gezicht.

Innes gaapt, rekt zich uit en gaat op zijn buik liggen. 'Waarom zou ik mijn buurvrouw willen overrijden? En als je die ouwe dragonder van beneden bedoelt, dat is geen bochel, dat heet gibbus. In de medische wereld heet zoiets osteoporose van de borstwervels. Veroorzaakt door…'

'Ach, hou toch je mond,' zegt Lexie. 'Hoe weet je al die dingen trouwens?'

Innes richt zich op zijn elleboog op. 'Een vergooide jeugd,' zegt hij, 'jaren verspild aan boeken in plaats van aan vrouwen als jij.'

Ze glimlacht en blaast een wolk rook uit, en kijkt hoe de vrouw en haar hond het trottoir aan de overkant bereiken. Het is een drukkende, benauwde dag in oktober. De lucht hangt laag en dreigt met bliksemflitsen, maar de vrouw is zoals altijd gehuld in een dikke wollen mantel. 'Nou,' zegt Lexie, 'dat heb je dan wel ingehaald.'

'Nu we het er toch over hebben,' Innes slaat een stukje van de beddensprei terug, 'kom hier. Breng me je sigaret en je lichaam.'

Ze komt niet in beweging. 'In die volgorde?'

'In welke volgorde je maar wilt. Kom!' Hij geeft een klap op het matras.

Lexie neemt nog een trek van haar sigaret. Ze wrijft met haar blote voet over de wreef van haar andere voet. Ze werpt een laatste blik op de straat, die leeg is, en komt dan op het bed af gerend. Halverwege de kamer zet ze zich af en maakt een balletachtige sprong. Innes zegt: 'Jezus, mens,' het gestreepte overhemd fladdert als een stel vleugels achter haar aan, van de sigaret dwarrelt witte as naar beneden, het enige wat ze weet is dat ze voor de tweede keer die dag de liefde zal bedrijven. Ze heeft er geen idee van dat ze jong zal sterven, dat ze niet zoveel tijd heeft als ze denkt. Voorlopig heeft ze zojuist de liefde van haar leven ontmoet en met de dood houdt ze zich totaal niet bezig.

Ze landt met een klap op het bed. De beddensprei vliegt omhoog en de kussens vallen van het bed, Innes grijpt haar bij haar pols, haar arm, haar middel. 'Dit hebben we niet nodig,' zegt hij terwijl hij het overhemd uittrekt, terwijl hij het op de grond gooit, terwijl hij haar op het bed legt, terwijl hij zich tussen de V van haar benen nestelt. Hij neemt even de tijd om de sigaret uit haar vingers te plukken, neemt een trekje en drukt hem dan uit in de asbak op het nachtkastje.

'Goed,' zegt hij terwijl hij zich weer naar haar toekeert.

Maar we lopen op de zaken vooruit. De film moet een stukje worden teruggespoeld. Kijk. Innes pakt een sigarettenpeuk uit de asbak, zuigt een wolk rook naar binnen, hij lijkt Lexie in een overhemd te verpakken en haar van zich af te duwen, de kussens springen weer op het bed, Lexie zoeft achteruit naar het raam. Dan liggen ze weer op bed en ze zijn allebei naakt en, het is niet te geloven, seks ziet er in omgekeerde volgorde vreemd genoeg hetzelfde uit, alleen kleden ze elkaar nu liefdevol aan, kledingstuk voor kledingstuk, daarna vliegen ze achteruit de deur uit, rennen achterstevoren naar beneden, Innes trekt de sleutel uit de voordeur. De film gaat nu sneller. Daar heb je Innes en Lexie in zijn auto, terwijl ze over een weg achteruit racen, Lexie met een sjaal om haar hoofd. Daar vorken ze eten uit hun mond in een restaurant en leggen het op de borden neer; hier liggen ze weer in bed en dan komen hun kleren op hen afgevlogen. Hier loopt een vrouw met een plat, rond, rood hoedje op haar hoofd achteruit weg van Lexie. Hier is Lexie weer die omhoog kijkt naar een gebouw in Soho, daarna loopt ze er met schokkerige passen achteruit vandaan. Lexie loopt achteruit een lange, schaars verlichte trap op. De film gaat steeds sneller. Een trein vertrekt van een groot, in rookwolken gehuld station, ratelt achteruit door het landschap; bij een klein stationnetje zien we dat Lexie uitstapt en haar koffer neerzet. En daarmee eindigt de film. We zijn weer keurig terug bij waar we gebleven waren.

Lexies moeder gaf haar twee adviezen toen ze naar Londen vertrok: 1. Neem een secretaressebaan bij een groot, succesvol bedrijf omdat je daar 'het juiste soort man zult tegenkomen'. 2. Zorg ervoor dat je nooit samen in dezelfde kamer bent met een man en een bed.

Haar vader zei: verspil geen tijd meer aan studie, want daar worden vrouwen altijd onaangenaam van.

Haar jongere broertjes en zusjes zeiden: vergeet niet bij de koningin op bezoek te gaan.

Haar tante die in de jaren twintig enige tijd in Londen had gewoond zei dat ze nooit de ondergrondse moest nemen (die was vies en zat vol ongure types), nooit een koffiebar binnen moest gaan (die zaten vol bacteriën), altijd een korset moest dragen en een paraplu bij zich moest hebben, en nooit naar Soho moest gaan.

Onnodig te zeggen dat Lexie ze allemaal naast zich neerlegde.

Lexie stond in de deuropening met haar koffer in de hand. De zitslaapkamer lag op de zolderetage van een hoog, smal rijtjeshuis; het plafond, zag ze, liep onder vijf verschillende hoeken in een punt toe. De deur, de deurpost, de plinten, de dichtgetimmerde open haard, de kast onder het raam waren allemaal geel geverfd. Geen helder, levendig geel – narcissengeel, als je wilt – maar een ziekelijk, bleek, vuil geel. Het geel van oude tanden, van de plafonds in een pub. Op sommige plaatsen was het afgebladderd en zag je er een somber bruin doorheen schemeren. Vreemd genoeg raakte Lexie daarvan opgemonterd, van de gedachte dat iemand hier had moeten wonen omringd door een nog lelijker kleur dan zij.

Ze deed een stap de kamer in en zette haar koffer op de grond. Het bed was smal en doorgezakt, de plank aan het hoofdeinde helde naar een kant over. Er lag een donzen dekbed op met een dessin van verschoten paarse krulletjes. Toen Lexie het terugsloeg zag ze dat het matras grauw en gevlekt was, met een kuil in het midden. Ze sloeg het dekbed weer snel dicht. Ze trok haar jas uit en keek om zich heen of ze een kapstok zag om hem aan op te hangen. Geen kapstok. Ze legde hem over de rugleuning van de stoel die lang geleden eveneens lichtgeel was geschilderd, maar in een iets andere tint dan de plinten. Wat had haar hospita met die kleur?

De hospita, mevrouw Collins, had haar bij de deur opgewacht.

Ze was een magere vrouw in een dichtgeritste ochtendjas en met halvemaantjes van helblauwe oogschaduw, en haar eerste vraag was geweest: 'Je bent toch geen Italiaanse, hè?'

Lexie, een tikkeltje overdonderd, had nee geantwoord. Toen had ze mevrouw Collins gevraagd wat ze tegen Italianen had.

'Kan ze niet uitstaan,' bromde ze terwijl ze naar de voorkamer verdween en Lexie in de gang liet staan, starend naar het bruine, loslatende behang, de telefoon aan de muur, een lijst met huisregels. 'Het zijn smerige je-weet-wels. Hier zijn je sleutels,' mevrouw Collins verscheen weer in de gang en gaf haar twee huissleutels, 'een voor de voordeur, een voor je kamer. Hier gelden de gebruikelijke regels,' ze gebaarde naar de lijst op het prikbord. 'Geen mannen, geen huisdieren, altijd een asbak gebruiken, je kamer schoonhouden, niet meer dan twee bezoekers tegelijk, elke avond om elf uur binnen zijn anders is de deur op slot.' Ze boog zich naar voren en bestudeerde Lexie aandachtig, zwaar ademend. 'Je ziet er dan wel uit als een aardig, keurig meisje, maar je hoort tot het slag dat een ommezwaai kan maken. Zo zie je er wel uit.'

'O ja?' zei Lexie, terwijl ze de sleutels in haar tas stopte en hem dicht deed. Ze bukte zich om haar koffer op te pakken. 'Op de bovenste etage, zei u?'

'Helemaal boven,' knikte mevrouw Collins, 'aan de linkerkant.'

Lexie trok de sleutels uit het slot van de deur waar ze ze in had laten zitten en legde ze op de schoorsteenmantel. Toen liet ze zich op het bed zakken. Ze veroorloofde zich de gedachte: zo, het is gebeurd, ik ben er. Ze streek haar haar glad en gleed met haar hand over de paarse krullen van het dekbed. Daarna draaide ze zich om, ging op haar knieën zitten en leunde over de vensterbank om naar buiten te kijken. Diep onder haar was een miezerig rechthoekig gazonnetje dat aan alle kanten werd ingesloten door met klimop begroeide muren. Ze keek de rij tuinen af. In sommige stonden rijen bonen, sla, een enkele rozen- of jasmijnstruik; in andere tuinen was nog steeds de bolle vorm van een schuilkelder zichtbaar die verborgen ging onder gras of aarde of brokken steen. In één tuin, een eindje verder, stond een schommel. Ze was blij om een reusachtige kastanje te zien waarvan de bladeren heen en weer zwaaiden en omlaag doken. En aan de overkant stond net zo'n huis als het hare – met van die grijsbruine Londense bakstenen, zigzaggende regenpijpen, ongelijke, schots en scheef staande ramen, waarvan sommige openstonden en er een was afgeplakt met karton. Ze zag twee vrouwen die waarschijnlijk uit een raam waren geklauterd op een plat dak liggen zonnebaden, met hun schoenen uitgeschopt, en hun omhoog gesjorde rokken opbollend en leeglopend in de wind. Onder hen, buiten hun gezichtsveld, rende een kind in steeds kleinere cirkels met een rood lint in de hand in zijn tuin rond. Een paar deuren verder was een vrouw bezig de was op te hangen; haar echtgenoot leunde met over elkaar geslagen armen in de deuropening.

Lexie voelde zich licht in haar hoofd, een beetje onwerkelijk. Het was vreemd om achterom het halfduister van haar kamer in te kijken en dan weer naar buiten, naar het tafereel buiten het raam. Gedurende een lang, duizeligmakend moment voelden zij en haar kamer niet echt of bezield. Het leek alsof ze in een luchtbel zat en van daaruit naar het Leven keek dat z'n gangetje ging: mensen die lachten en praatten en leefden en doodgingen en verliefd werden en werkten en aten en bij elkaar kwamen en feestvierden, terwijl zij hier zwijgend, roerloos zat toe te kijken.

Ze reikte omhoog om de vergrendeling los te maken en schoof het raam met veel moeite omhoog. Zo. Dat was beter. De sluier tussen haar en de wereld werd opgelicht. Ze stak haar hoofd naar buiten in de wind, schudde er flink mee heen en weer, trok de spelden uit haar haar en maakte het los zodat het om haar gezicht viel. En het haar tegen haar gezicht, het zoemende geluid dat het rondrennende jongetje maakte, het zachte gebabbel van de zonnende vrouwen, het schuren van de vensterbank onder haar ellebogen voelde goed. Heel goed.

Na een tijdje draaide ze zich weer om naar de kamer. Ze zette de stoel dichter bij het raam. Ze schoof het bed tegen de muur. Ze hing de vlekkerige spiegel recht. Ze klepperde de trap af naar een verbaasde mevrouw Collins en vroeg om een emmer, een borstel, wat soda en azijn, een bezem en een stoffer en blik. Ze veegde, ze stofte, ze boende de vloer en de muren, de planken van de kast, de gaspit. Ze schudde het dekbed uit buiten het raam, klopte het matras uit tot de lucht donker zag van het stof, vouwde de schone lakens die ze van thuis had meegepikt eromheen.

Ze roken naar lavendel, naar waspoeder, naar stijfsel, een mengeling die haar altijd aan haar moeder deed denken – en voor altijd zou doen blijven denken, zoals ze zou ontdekken. Lexie stopte het kussen in de sloop. Ze had gisteravond tijdens het eten aangekondigd dat ze de volgende ochtend naar Londen zou vertrekken. Het was allemaal al geregeld. Ze had een kamer, ze had maandagochtend een afspraak bij het arbeidsbureau, ze had al haar spaargeld van de bank gehaald om van te leven tot ze geld zou verdienen. Ze konden haar op geen enkele manier tegenhouden.

Daarna was de verwachte discussie losgebarsten. Haar vader had met zijn vuist op tafel geslagen, haar moeder had geschreeuwd en was toen in tranen uitgebarsten. Haar oudere zus, met de baby in haar armen, had haar moeder getroost en had met dat samengetrokken zuinige mondje van haar dat ze soms kon opzetten, tegen Lexie gezegd dat ze zich weer eens 'typisch onverantwoordelijk' gedroeg. Twee van haar broers hadden een oorlogskreet geslaakt en waren rondjes gaan rennen om de tafel. Het op een na jongste kind, dat een verslechtering van de sfeer aan voelde komen, begon te huilen in zijn kinderstoel.

Ze gooide het kussen op het bed en haalde toen het dekbed naar binnen. Buiten was het ondertussen donker geworden, de ramen van het huis aan de overkant waren verlichte gele dozen die in de inktzwarte lucht waren opgehangen. In een ervan zag ze een vrouw een borstel door haar haar halen, in een andere zat een man met zijn bril op zijn neus de krant te lezen. Iemand anders liet een rolgordijn naar beneden en een meisje leunde naar buiten in de avondlucht, net als Lexie eerder op de dag had gedaan, en maakte haar haar los in de vrijwel bladstille lucht.

Lexie lag bloot tussen de lakens en probeerde zich af te sluiten voor de geur ervan. Ze luisterde naar de geluiden in het huis. Voetstappen op de trap, dichtslaande deuren, de lach van een vrouw, dan iemand die sst zei. De stem van mevrouw Collins, verongelijkt en klagerig. Een kat die buiten in een tuin een paar keer achter elkaar jankte. Een leiding die een tikkend en daarna sissend geluid maakte achter de muren. Het gerammel van pannen. Iemand op de wc op de verdieping onder haar, het gedruis van het water toen er werd doorgetrokken, daarna het langzame gedruppel toen de stortbak weer volliep. Lexie draaide zich keer op keer om tussen haar gesteven lakens en glimlachte tegen de scheuren in het plafond.

De volgende dag maakte ze kennis met een zekere Hannah die op de benedenverdieping woonde en die haar vertelde dat er om de hoek een rommelwinkel zat, waar Lexie heen ging om er een paar borden, kopjes en pannen te kopen. 'Niet meteen de vraagprijs betalen,' waarschuwde Hannah, 'altijd afdingen.' Ze kwam terug met een stuk spaanplaat dat Hannah haar de trap op hielp dragen. Op de derde verdieping moesten ze even stoppen om op adem te komen en hun nylonkousen op te hijsen. 'Waar heb je dit voor nodig?' hijgde Hannah.

Lexie liet het stuk spaanplaat op het voeteneinde van het bed en de rand van de gootsteen steunen. Ze zette er een paar boeken op die ze van huis had meegebracht, haar vulpen en een potje inkt.

'Wat ga je daar zitten doen?' zei Hannah terwijl ze achteroverleunde op het bed en rookkringetjes probeerde te blazen.

'Ik weet het niet,' zei Lexie, naar de plank starend. 'Ik moet een typemachine hebben om te oefenen met typen en… ik weet het niet.' Ze kon niet zeggen dat ze iets voor zichzelf wilde opbouwen, iets wat beter was dan dit, en dat ze nog niet wist hoe ze dat ging aanpakken, maar dat ze alvast een begin kon maken door een bureau neer te zetten. Ze streek met haar hand over de rand. 'Ik wilde dit gewoon hebben,' zei ze.

'Als je het mij vraagt,' zei Hannah, terwijl ze haar sigaret op de vensterbank uitdrukte, 'had je meer aan een pannenset gehad.'

Lexie glimlachte en reikte omhoog om de gordijnen af te halen. 'Misschien.'

Weer een sprongetje. Elina is weer beneden in de keuken, en ze loopt op en neer, heen en weer, en heeft haar zoon tegen haar schouder gelegd, en ze draagt haar pyjama met dat flodderige met bloemen bedrukte T-shirt eroverheen, en de ruimte is vol lawaai. Een doordringend, constant snerpend geluid, en het is Elina's taak dat lawaai te doen ophouden. Ze kent dit lawaai. Het begint te voelen alsof dat het enige is wat ze kent: de toonhoogten, de variaties, de opeenvolging ervan. Het begint met *heh-heh*. Dat kunnen er een paar zijn: vijf, zes, zeven – tot wel tien. Daarna beginnen de *ha-nggs*: *ha-nggg, ha-nggg, ha-nggg*. Daarna kan het ophouden als Elina het goed doet, als ze op precies het goede moment een zekere handeling verricht, maar omdat ze er niet zeker van is wat ze moet doen of op welk moment ze het moet doen, kan het lawaai zich uitbreiden en verhevigen tot het gevreesde *uhHggg, uhHggg uhHggg uhHggg*. Na vier keer een stilte en een slikbeweging, en daarna door naar de volgende vier.

Kon ze maar slapen, dan zou alles goed komen. Even drie uur achter elkaar, misschien wel vier. Ze is zo moe dat er iets kraakt als ze haar hoofd omdraait, alsof iemand papier verfrommelt. Maar ze blijft in beweging. Ze loopt rond in de keuken, langs het fornuis, langs de ketel, langs het antwoordapparaat, dat haar zegt dat ze wel dertien berichten heeft, om de koelkast heen, en weer terug, met een kloppende pijn in haar slapen. Iedere *uhHggg* duurt ongeveer twee seconden, dus dat zijn acht seconden voor iedere reeks van vier, en laten we zeggen nog twee seconden voor de pauze, dus bij elkaar duurt het tien seconden. Dat komt neer op vierentwintig *uhHgggs* per minuut. En hoe lang duurt dit nu al? Vijfendertig minuten, wat neerkomt op – hoeveel? Elina kan het niet uitrekenen.

Later, in de stilte die altijd zo gespannen klinkt, zo breekbaar, loopt Elina in haar eentje de trap op. Op de overloop staat ze even te aarzelen. Ze kan uit drie deuren kiezen: die van de slaapkamer, die van de badkamer en het zolderluik, dat boven haar hoofd in het plafond zit.

Ze trekt de piepende zilverkleurige ladder die naar de zolder leidt omlaag, gaat de trap op, en verrijst in de kamer alsof ze uit zee opdoemt. Ze ziet hoe het licht door de spleten in de jaloezieën messcherp naar binnen schijnt en een stoffig rijtje nagellakflesjes op de schoorsteenmantel verlicht, de boeken die in rijen met de ruggen naar haar toe op de planken staan, de vaas met een aantal wijd uit elkaar staande penselen met de haren stijf in een punt omhoog. Haar blote voeten maken een zacht suizend geluid over het vloerkleed. Van het bureau onder het raam pakt Elina een dagboek op en bladert het door. Etentje, leest ze, film, bespreking, opening expositie, kapper, afspraak met galerie. Ze legt het neer. Vroeger was dit haar kamer, haar atelier, toen ze nog huurster van Ted was. Lange tijd geleden. Voor het ervóór. Voor dit alles. Ze doet een la open en ziet een ketting liggen, een mascararoller, een rode lippenstift, een halflege tube okerkleurige verf, een ansichtkaart van de haven van Helsinki. De deur van de kleerkast klemt maar Elina geeft er een flinke ruk aan zodat hij opengaat.

In deze kast staat de enige manshoge spiegel in het hele huis. De deur zwaait open, rechthoeken van licht schieten door de kamer en plotseling staat Elina oog in oog met een vrouw in een gevlekte trui, met uitgegroeid geblondeerd haar en een wasbleke gelaatskleur.

Ze ontwijkt haar eigen ogen in de spiegel als ze de sweater op-
trekt en hem onder haar kin klemt. Ze stopt haar vingers achter de
elastieken band van haar pyjamabroek en trekt hem naar beneden, net ver genoeg, een seconde maar. Lang genoeg om te kunnen
zien waar de diepe snee begint, bij haar ene heupbeen, en waar hij
aan de andere kant eindigt, het kronkelige zwalkende pad door
haar vlees, de zachtpaarse kleur van de bloeduitstorting, de metalen nietjes die de boel bij elkaar houden.

Ze laat de sweater weer zakken. Ze herinnert zich – wat eigenlijk?

Dat ze tot aan haar oksels gevoelloos leek, als een drijvend
hoofd met schouders eraan, alsof ze een marmeren buste was.
Maar het was een merkwaardig soort gevoelloosheid, waarbij ze
geen pijn voelde maar de gewaarwording nog steeds aanwezig was.

Ze kon ze voelen, die twee artsen, die in haar aan het wroeten
waren, als mensen die iets waren kwijtgeraakt dat op de bodem
van een koffer lag. Ze wist dat het pijn hoorde te doen, dat het gru-
welijk veel pijn hoorde te doen, maar dat was niet zo. De verdoving
spoelde koel aanvoelend naar beneden en daarna omhoog langs
haar ruggengraat, om dan als een golf op haar achterhoofd te breken. Er was een groen operatiescherm dat haar lichaam in tweeën
deelde. Ze hoorde artsen tegen elkaar mompelen, kon hun kruin
zien, kon hun handen in haar binnenste voelen. Ted zat vlakbij,
links van haar, op het puntje van een stoel. En toen voelde ze een
enorme ruk en een zuigend geluid en schreeuwde bijna: wat dóén
jullie? voordat ze het zich realiseerde, voordat ze het hoge, boze
kreetje hoorde, dat verrassend luid klonk in de stille ruimte, voordat ze de anesthesist achter haar hoorde zeggen, een jongen. Elina
herhaalde dat woord voor zichzelf terwijl ze naar het betegelde
plafond lag te staren. Jongen. Een jongen. Toen sprak ze tegen Ted.
'Ga met hem mee,' zei ze, 'ga met de baby mee.' Omdat haar moeder en haar tantes het op gedempte toon over baby's hadden gehad
die aan de verkeerde moeders waren meegegeven, over baby's die

in de wirwar van ziekenhuisgangen verdwenen waren, over baby's zonder polsbandje. Ted kwam overeind en liep naar de andere kant van de ruimte.

Toen lag ze alleen op de tafel. Met de anesthesist ergens achter haar. De artsen aan haar voeten. Het scherm dat haar in tweeën deelde. Ze lag met haar handen over haar borst gevouwen en ze had er geen controle over, kon ze niet bewegen als ze dat zou willen en ze wilde het ook niet. Er klonk een geluid als van een stofzuiger aan de andere kant van het scherm maar daar dacht ze niet over na omdat ze dacht, een jongen, en omdat ze de geluiden van de andere kant van de ruimte probeerde op te vangen, waar twee verpleegsters iets met de baby deden en Ted over hun schouders meekeek. Maar toen gebeurde er iets, er ging iets mis. Wat dan? Elina had moeite om haar gedachten op een rijtje te krijgen. De arts, de co-assistente, de vrouw zei: *O.* Op een toon die je bezigt als iemand zomaar voor je in de rij gaat staan: een toon waaruit ongenoegen, verbijstering sprak. Vlak daarna voelde Elina een hoestaanval in haar keel omhoog komen, die snel en krachtig over haar lippen naar buiten schoot.

Klopte dat? Of was het andersom? Hoestte zij en zei de arts daarna: *O*?

Hoe dan ook, daarna kwam het bloed. Ontzettend veel bloed. Een ongelooflijke hoeveelheid. Over de artsen, over het scherm, over de verpleegsters. Elina zag het op de grond terechtkomen, over de tegels uitwaaieren, riviertjes en geultjes vormen in de voegen, ze zag mensen er voetafdrukken in maken rond de tafel, ze zag een plastic zak aan de muur hangen die zich vulde met rode doorweekte wattenproppen.

Haar hart reageerde vrijwel onmiddellijk, begon snel en paniekerig te bonken in haar borst, alsof het iemands aandacht probeerde te trekken, alsof het probeerde duidelijk te maken dat er iets aan de hand was en of iemand alsjeblieft wilde helpen. Het had zich geen zorgen hoeven maken. De kamer stond opeens vol mensen.

De coassistente riep om hulp, de anesthesist kwam overeind en tuurde over het scherm met een frons op zijn gezicht, en toen deed hij iets met de doorschijnende zak die boven Elina's hoofd hing en een seconde later voelde ze iets met kracht door haar aderen stromen. Ze had het gevoel alsof ze flauwviel en ze begon wazig te zien, het plafond bewoog plotseling boven haar hoofd als een lopende band en de gedachte kwam bij haar op dat dit misschien niet door de verdoving kwam, dat het misschien iets anders was, dat ze onder geen beding het bewustzijn mocht verliezen, dat ze bij moest blijven, dat ze nergens heen mocht, en een deel van haar wenste dat er iemand naar haar toe zou komen en tegen haar zou praten, haar zou vertellen wat er aan de hand was, waarom ze de handen van mensen zo diep onder haar huid voelde, helemaal bij haar ribben, waarom iemand schreeuwde snel, snel, opschieten, en waar de baby was en waar Ted was, waarom de coassistente zei: nee, dat kan ik niet, ik weet niet hoe, en de andere arts haar bozig iets toevoegde, en waarom Elina door iets of iemand met veel kracht naar de bovenkant van de tafel werd geduwd zodat het leek of haar hoofd over de rand zou schuiven.

Met de rand van de tafel die in haar achterhoofd drukte, en de vrouwelijke arts die om assistentie riep, voelde ze zichzelf bijna weer wegglijden, alsof ze in een trein zat die plotseling op een ander spoor werd gezet, alsof er wolken over haar hersens werden geblazen. Het zou zo'n opluchting betekenen als ze nu ging. Ze verlangde ernaar om alles los te laten, zich over te geven aan die naar beneden trekkende kracht. Maar ze wist dat ze dat niet mocht doen. Dus kneep ze haar ogen stevig dicht en sperde ze toen weer open, ze duwde de nagel van haar ene hand in de vingertop van de andere. Help me, zei ze tegen de anesthesist, omdat hij degene was die het dichtst bij was, alsjeblieft. Maar ze kon slechts een fluistering uitbrengen en hij stond trouwens tegen een andere man te praten die boven haar was opgedoken en deze man droeg kleine doorzichtige zakjes gevuld met een vloeistof die een onvoorstelbaar rode kleur had.

Ze wendt zich af van de spiegel. Beneden begint het lawaai weer. *Ha-Nggg, ha-Nggg.* Elina gaat naar beneden, klampt zich aan de trapleuning vast om steun te hebben, loopt de gang door, waar het lawaai is aangezwollen tot een *uhHggg, uhHggg,* en dan loopt ze door de voordeur naar buiten.

Buiten op de stoep heeft ze de vreemde gewaarwording dat ze twee mensen is. De een staat op de drempel en voelt zich heel licht, alsof ze in haar pyjama en trui omhoog zou kunnen zweven de lucht in, en achter de wolken zou kunnen verdwijnen. De ander staat haar rustig te observeren, denkend: dus zo voelt het om krankzinnig te zijn. Ze loopt het pad af, doet het tuinhekje open en stapt op blote voeten het trottoir op. Ze gaat, ze vertrekt, ze is weg. Je gaat weg, merkt de kalme Elina op, ik zie het. De longen van de andere Elina zetten uit en haar hart lijkt daarop te reageren en schakelt op een snel, woest gebonk over.

Op de hoek wordt ze tot stilstand gedwongen. De straat, het trottoir, de lantaarnpalen kolken en slingeren voor haar ogen. Ze kan niet verder. Het is alsof ze aan het huis is vastgekluisterd of aan iets in het huis. Elina draait haar hoofd om, eerst de ene kant op en dan de andere kant. Dit boeit haar. Het is een eigenaardig gevoel. Ze staat daar even te dobberen, als een sleepboot aan het eind van zijn touw. De regen dringt door haar sweater heen, en doet de pyjama hier en daar tegen haar huid plakken.

Elina keert om. Ze voelt dat ze niet langer twee mensen is, maar één. Deze Elina loopt terug over het trottoir terwijl ze steun zoekt tegen de muur, ze loopt het pad op en daarna het huis binnen. Ze laat natte voetafdrukken achter op de vloer.

De baby worstelt met het dekentje in zijn wieg, zijn knuistjes hebben zich om de wol geklemd, zijn gezicht is vertrokken van inspanning, van behoefte. Dan ziet hij Elina en vergeet zijn worsteling met het dekentje, zijn honger, zijn behoefte aan iets wat hij niet kan uitdrukken. Zijn vingers vouwen zich als bloemblaadjes open en hij staart vol verbazing naar zijn moeder.

'Het is goed,' zegt Elina tegen hem. En ze gelooft zichzelf deze keer. Ze bukt zich om hem op te tillen en zijn armpjes trillen van verrassing omdat hij in de lucht hangt. Ze legt hem tegen zich aan. Ze zegt het weer: 'Het is goed.'

Elina en de baby lopen samen naar het raam. Hun ogen laten elkaar geen moment los. Hij knippert wat met zijn ogen in het heldere licht, maar staart haar strak aan, alsof haar aanblik voor hem hetzelfde is als water voor een plant. Elina leunt tegen het raam dat uitziet op de tuin. Ze heft de baby op zodat zijn voorhoofd haar wang raakt, alsof ze hem zalft of hem begroet, alsof ze weer helemaal bij het begin beginnen.

Hier is Lexie weer, ze staat op een trottoir in Marble Arch. Ze schikt het bandje aan de hiel van haar schoen en knoopt een sjaal om haar hals. Het is een warme, heiige avond, rond een uur of zes. Mannen in pakken en vrouwen op hoge hakken en met een hoedje op trekken kinderen aan de hand voort, stromen om haar heen alsof ze een rivier zijn en Lexie een rotsblok is dat op hun pad ligt.

Ze werkt nu twee dagen in haar nieuwe baan. Ze is liftbediende in een groot warenhuis. Ze is daar door het arbeidsbureau heen gestuurd nadat ze niets van de typetest had gebakken, en ze zegt de hele tijd: 'Welke verdieping, mevrouw?' 'We gaan omhoog, meneer.' 'Derde verdieping, huishoudelijke artikelen, fournituren en hoeden, dank u wel.' Ze had zich nooit gerealiseerd dat iets zo saai kon zijn. Of dat ze de hele plattegrond van een zeven verdiepingen tellend warenhuis in haar hoofd kon hebben zitten. Of dat iemand zoveel dingen kon kopen – hoeden, ceintuurs, schoenen, kousen, gezichtspoeder, haarnetjes, pakken. Lexie heeft over de schouders van de mensen de lijstjes in hun gehandschoende handen gezien. Ze is hier, ze is in Londen, elk moment kan het in technicolor uitgevoerde deel van haar leven gaan beginnen, ze is er zeker van, ze is ervan overtuigd – het moet gewoon.

Zie haar daar staan op het trottoir. Ze ziet er anders uit dan de Lexie in Innes' kamer, naakt onder een overhemd met zuurstokstrepen. Ze ziet er anders uit dan de Alexandra die in haar blauwe jurk en gele sjaal in de tuin van haar ouders op een boomstronk zat. Ze zal nog vele incarnaties doormaken in haar tijd van leven. Ze bestaat uit talloze Lexies en Alexandra's, die allemaal in elkaar passen, net als matroesjka's.

Ze heeft haar haar opgestoken in een wrong. Ze draagt het rood met grijze uniform van de winkel, de voorgeschreven rode sjaal om haar hals geknoopt, het hoedje van ribfluweel in haar zak gepropt. Haar jasje heeft een ceintuur om de taille en is tamelijk warm voor deze hete namiddag. Moet je haar schouders zien, hoog opgetrokken, strak. Je kunt niet de hele dag onafgebroken beleefd zijn tegen mensen zonder de spanning te voelen. Ze maakt de sjaal om haar hals los, doet hem af en stopt de rode lap in haar andere zak. Ze wrijft over haar schouders, probeert de stijfheid eruit te masseren. Ze glimlacht tegen twee andere vrouwelijke liftbedienden die naar buiten komen. Ze kijkt ze na terwijl ze arm in arm over het drukke trottoir weglopen, een tikje wiebelend op hun lakleren pumps. Een bus dendert voorbij, het geluid van de bel veroorzaakt een heldere, steeds groter wordende cirkel in de lucht.

Ze ademt in. Ze ademt uit. Haar schouders zakken een klein beetje naar beneden. Ze kijkt omhoog naar de heldere strook lucht die boven op de gebouwen balanceert, dan steekt ze de straat over, laat het warenhuis, de lift, de knoppen en de galmende bel achter zich tot morgen; ze moet rennen omdat er weer een andere bus aankomt, een auto toetert net als ze bij het trottoir is en ze moet een stap opzij doen voor een man die een kar vol bloemen voortduwt, en ze voelt iets van een lach in haar keel omhoog borrelen. Of geen lach. Wat is het? Ze slaat de hoek om en wordt plotseling ondergedompeld in een lage avondzon, de trottoirs en de straten zijn gestreept door lange, scherp gepunte schaduwen. Een krantenverkoper loopt op haar af en herhaalt steeds dezelfde twee langgerekte lettergrepen: aaaaaand niiiiiiws, aaaaaand niiiiiiws. En Lexie besluit dat het vreugde is. Wat zij voelt is pure, zuivere vreugde. Ze is op weg naar een studievriendin die al een jaar in Londen woont, en ze gaan samen naar de film. Ze werkt voor zichzelf, ze heeft een plek om te wonen, ze zit in Londen en ze voelt vreugde.

Aaaaaand niiiiiiws, schreeuwt de krantenverkoper weer, het geluid klinkt nu achter haar. Met een blik over haar schouder dartelt ze het trottoir af en steekt de straat over, en als ze aan de overkant is begint ze te rennen, zwaaiend met haar tas, haar jas open knopend. Ach ja, dat gevoel van extase dat je bevangt als je je voor het eerst realiseert dat je kunt doen wat je wilt en dat niemand je kan tegenhouden. Mensen draaien zich om en kijken naar haar terwijl ze voorbij rent, een bejaarde vrouw mompelt afkeurend ts ts en nog steeds kan ze het langgerekte, treurig klinkende aaaaaand niiiiiiws van de krantenverkoper horen.

Ze is laat terug in Kentish Town, maar niet zo laat, ziet ze tot haar opluchting, dat mevrouw Collins de deur heeft vergrendeld. Ze staat even te worstelen met het slot, dan gaat de deur open, ze stapt naar binnen en doet de deur zorgvuldig achter zich dicht. Maar in plaats van de duistere, stille gang die ze had verwacht, zijn alle lichten aan en hoort ze ergens een kakofonie van gepraat en gelach vandaan komen. Er blijkt een groepje mensen op de trap te zitten. Lexie herkent een paar vrouwen die ook een zit-slaapkamer in het huis hebben.

Verbaasd loopt ze de trap op. Geeft iemand soms een feestje? Is mevrouw Collins hiervan op de hoogte? Misschien is ze die avond wel weg.

'O, daar is ze al!' roept iemand als Lexie op hen afkomt.

'We begonnen ons al zorgen te maken,' zegt Hannah, die zich langs iemands rug buigt. Ze heeft een glas in de hand, ziet Lexie, en haar wangen zien een beetje rood.

Lexie, die niet door kan lopen, ook al zou ze dat willen, begint haar jas los te knopen. 'Met mij is niets aan de hand,' zegt ze, en ze kijkt hen allemaal aan. 'Ik ben naar de film geweest met een vr…'

'Ze is naar de film geweest!' Mevrouw Collins die, ziet Lexie nu, op een stoel op de overloop zit, roept naar onzichtbare mensen op de trap daar boven.

'Wat is er aan de hand?' vraagt Lexie glimlachend. 'Hebben we een feestje?'

'Tja,' zegt mevrouw Collins en in haar stem klinkt een zweem van haar gebruikelijke strengheid door, 'iemand moest jouw bezoek toch bezighouden?'

Lexie kijkt haar aan. 'Mijn bezoek?'

Mevrouw Collins pakt haar bij de arm en leidt haar door de kluwen van benen en mensen. 'Zo'n onderhoudende jongeman,' zegt ze. 'Zoals je weet vraag ik normaal gesproken nooit heren binnen, maar hij zei dat hij een afspraak met je had, en om eerlijk te zijn schaamde ik me in jouw plaats dat je je afspraak niet bent nagekomen en…'

Lexie en mevrouw Collins en Hannah lopen de hoek om naar de volgende trap en daar op de vierde trede zit Innes.

'En wat zei hij toen je hem dat vertelde?' vraagt hij aan een muizig uitziend meisje met te veel tandvlees. 'Ik hoop dat het hem heel erg speet.'

'Meneer Kent heeft een spelletje met ons gedaan,' zegt mevrouw Collins, terwijl ze een kneepje geeft in Lexies arm. 'We moesten hem onze meest gênante ervaring vertellen. En hij beslist welke ervaring het allerergst was, en diegene wint.' Ze lacht amechtig, lijkt zich dan te bedenken en slaat haar hand voor haar mond.

'Is dat zo?' zegt Lexie.

Innes wendt zich tot haar. Hij bekijkt haar van top tot teen. Hij glimlacht. Hij maakt een minieme beweging met de hand waarin hij een sigaret vasthoudt, wat op een wuivend gebaar zou kunnen duiden of misschien op een wegwuiven.

'Daar ben je dan,' zegt hij. 'We vroegen ons al af wat er met je gebeurd was. Ben je weer eens door de verkeerde deur gelopen? Door een poort naar een andere wereld?'

Lexie houdt haar hoofd schuin. 'Vandaag niet, nee. Alleen maar de deur naar de bioscoop.'

'Aha. De verlokkingen van het celluloid. Er gingen al geruchten dat je ontvoerd was, maar ik zei dat jij het type meisje was dat iedere potentiële ontvoerder weet weg te jagen.'

Ze kijken elkaar even aan. Innes knijpt zijn ogen tot spleetjes en brengt de sigaret naar zijn mond.

Hannah mengt zich in het gesprek. 'Meneer Kent was aan het vertellen dat hij je van de universiteit kent.'

Lexie trekt een wenkbrauw op. 'Zo, zo, zei hij dat?'

'Zo is het,' valt Innes haar in de rede, 'en deze aardige mensen kregen medelijden met me en vroegen me binnen. Iemand had nog wat cognac staan en jouw vriendelijke hospita bood me zelfs een paar rissoles aan. En dat is het. Het hele verhaal.'

Lexie weet niet wat ze nu moet zeggen. 'Hoe waren de rissoles?' vraagt ze dan maar.

'Zoiets heb ik nog nooit gegeten.' Hij komt overeind, rekt zich uit, en drukt zijn sigaret uit in een asbak die op de trede onder hem staat te balanceren. 'Goed, ik moet ervandoor. Jullie hebben vast allemaal je slaap nodig. Dames, het was me een waar genoegen. Ik hoop dat we het binnenkort nog eens kunnen herhalen. Mevrouw Collins, u wint de prijs voor het meest gênante verhaal. En misschien wil jij, Lexie, me even uitlaten?' Hij biedt haar zijn arm aan.

Lexie kijkt naar de arm. Ze kijkt naar hem. Om haar heen klinken kreten als 'Moet u werkelijk al gaan?' 'Wat heeft mevrouw Collins gewonnen?' 'Hoe ging het verhaal van mevrouw Collins ook alweer?' Ze pakt de arm en samen lopen ze naar de hal. Het groepje vrouwen volgt hen tot aan de onderste trede, waar ze tactvol maar onwillig achterblijven.

Lexie denkt dat ze bij de voordeur afscheid zullen nemen, maar hij trekt haar mee tot ze buiten op het stoepje staan. Zodra ze buiten zijn, zegt Innes op zachte toon: 'Dat was echt het ergste wat ik ooit gegeten heb. De textuur van zaagsel, de smaak van schoenzolen. Vraag me niet ooit nog rissoles te eten.'

'Dat zal ik niet doen,' zegt ze en stopt dan plotseling. 'En dat heb ik je om te beginnen ook nooit gevraagd.'

Hij gaat daar niet op in. 'Wat zijn dat trouwens, rissoles? Waar dienen die voor? Je hebt iets goed te maken bij me.'

Lexie haalt haar hand van zijn arm. 'Wat bedoel je? En wat doe je hier? Hoe heb je me gevonden?'

Hij draait zich naar haar om. 'Weet jij hoeveel pensions voor alleenstaande dames er in Kentish Town zijn?'

'Nee, hoe zou ik dat kunnen…'

'Twee,' zegt hij. 'Dus zo moeilijk was het niet. Een eenvoudig proces van eliminatie gecombineerd met een dosis toeval. Ik wist dat je gauw zou komen, snap je, wist dat je het daar niet veel langer zou uithouden. Maar ik wist niet precies wanneer. Maar daar gaat het allemaal niet om, want waar het om gaat is: wanneer ga je met me lunchen?'

'Ik weet het niet,' zegt Lexie met opgeheven kin. 'Ik heb het nogal druk.'

Innes glimlacht en komt iets dichterbij. 'Wat dacht je van zaterdag?'

Lexie doet net of ze haar manchet rechttrekt. 'Ik weet het niet,' zegt ze weer. 'Ik geloof dat ik zaterdags moet werken.'

'Net als ik. Wat dacht je van één uur? Je krijgt toch wel toestemming om te gaan lunchen? Waar werk je? Haal je al zestig aanslagen per minuut?'

Ze staart hem aan. 'Hoe komt het dat je dat nog weet van die zestig aanslagen per minuut?' Ze schiet in de lach. 'En hoe heb je in vredesnaam onthouden dat ik van plan was om in een pension in Kentish Town te gaan wonen?'

Hij haalt zijn schouders op. 'Ik onthoud alles. Het is ofwel een handicap of een vorm van genialiteit. Ik ben er nog niet uit. Zeg iets tegen me en het zit hierin,' hij tikt tegen zijn hoofd, 'en het gaat er nooit meer uit.'

Ze werpt onwillekeurig een blik op zijn schedel en stelt zich voor dat het daar, onder zijn dikke haar, wemelt van kennis. 'Ik weet niet hoe laat ik klaar ben. Het is mijn eerste week, dus…'

'Goed. Weet je wat, jij komt naar mij toe. Ik zit op mijn kantoor in Soho. Ik ben daar de hele dag en waarschijnlijk de hele avond. Dus wanneer je maar wilt. Kom maar als je klaar bent. Ik heb je mijn kaartje gegeven. Heb je dat nog?'

Lexie knikt.

'Mooi. Het adres staat erop. Dus dan zie ik je zaterdag?'

'Ja.'

Hij glimlacht en aarzelt heel even. Lexie vraagt zich af of hij haar gaat kussen. Maar dat doet hij niet. Hij stapt zonder te zwaaien het stoepje af en steekt de straat over.

Als Lexie aan de rand van Soho staat, stopt ze. Ze tast naar het briefje en het visitekaartje van Innes Kent dat ze sinds de dag dat hem voor het eerst zag in haar tas heeft bewaard. Ze hoeft niet te kijken maar ze doet het toch. *Redacteur*, staat er, *Elsewhere magazine, Bayton Street, Soho, Londen W1.*

Mevrouw Collins had die ochtend geschokt gereageerd toen Lexie haar op de trap tegenkwam en zich liet ontvallen dat ze later op de dag naar Soho ging. Lexie had haar gevraagd waarom. 'Soho?' antwoordde mevrouw Collins. 'Daar stikt het van de bohemiens en dronkaards.' Toen kneep ze haar ogen tot spleetjes. 'Jij,' zei ze, en ze wees naar Lexie, 'jij moet altijd weten waarom, hè? De duivel heeft het vragen uitgevonden.' Lexie moest lachen. 'Maar ik ben geen duivel, mevrouw Collins,' zei ze en rende daarna de rest van de treden af naar beneden.

Lexie zoekt de straat die op de plattegrond als Moor Street staat aangeduid. Het lijkt een rustige straat voor een wijk vol dronkaards. Er staat één auto langs het trottoir geparkeerd; een man staat in een deuropening geleund een krant te lezen; boven een winkel hangt een halfdicht zonnescherm; op de derde verdieping leunt een vrouw uit het raam om bloemen in een plantenbak water te geven.

Lexie doet één stap in Soho, dan nog een stap, en nog een stap. Ze heeft het vreemde gevoel dat ze niet beweegt, dat het trottoir onder haar beweegt en dat de huizen en gebouwen en straatnaamborden langs haar heen schuiven. Haar schoenen maken een helder tikkend geluid onder het lopen. Daardoor kijkt de man met de krant op. De vrouw in het raam stopt even met water geven.

Ze slaat een hoek om en ze loopt langs een winkel met kazen zo groot als wielen die in de etalage opeengestapeld liggen. Een man met een wit voorschoot schreeuwt op de stoep iets in een vreemde taal naar een vrouw met een baby aan de overkant van de straat. Hij werpt Lexie een brede glimlach toe en knikt even als ze voorbijkomt en zij glimlacht terug. Om de hoek is een koffiebar waar mannen buiten op het trottoir in een vreemde taal staan te praten. Ze gaan maar net genoeg opzij om haar erdoor te laten, en een van hen zegt iets tegen haar maar ze kijkt niet om.

De gebouwen staan dicht op elkaar, opgetrokken uit donkere baksteen, de straten zijn smal. De goten druppen en spetteren nog van de regen eerder op de dag. Ze slaat nog een hoek om en dan weer een, langs een Chinese kruidenier, waar een vrouw gele vruchten met pitjes erin tot een piramide opstapelt, langs een deuropening waar twee zwarte mannen op een stoel zitten en ergens om lachen. Een groepje matrozen in blauw-witte uniformen loopt wankelend midden op straat vals te zingen; een boodschappenjongen op een fiets moet opzij zwenken om hen te ontwijken en hij draait zich om en schreeuwt iets over zijn schouder. Twee van de drie matrozen lijken daar aanstoot aan te nemen en spurten achter hem aan, maar de boodschappenjongen fietst hard weg en verdwijnt om de hoek.

Lexie ziet dit allemaal. Ze neemt het allemaal in zich op. Alles schijnt beladen te zijn met betekenis: het wapperende lint op de muts van een van de matrozen, een rode kat die zichzelf in een raam zit te wassen, de wolk wasem die uit de bakkerswinkel komt, de gekalkte woorden – Italiaans? Portugees? – op een bord buiten een winkel, de flarden muziek, afgewisseld met gelach, die vanuit een rooster in het trottoir opstijgen, de jas met bontkraag en tas met goudkleurige knip van een vrouw die aan de overzijde langsloopt. Lexie drinkt het allemaal in, elk detail, vervuld van een gevoel dat het midden houdt tussen paniek en euforie: dit is volmaakt, dit is allemaal volmaakt, het zou niet volmaakter kunnen zijn, maar stel dat ze het niet allemaal kan onthouden, stel dat zelfs het miniemste detail haar ontschiet?

Ze arriveert vrij plotseling bij het adres in Bayton Street. Het is een gebouw dat tussen twee hogere gebouwen staat ingeklemd, met symmetrische schuiframen en een trappetje dat naar de voordeur leidt. De verf bladdert in krullen van de vensterbanken en de dakgoten. Op de tweede verdieping ontbreekt een ruit.

Achter de ramen op de begane grond ziet Lexie een groot aantal mensen. Twee mannen staan te turen naar iets wat ze tegen het licht houden, een vrouw zit knikkend en schrijvend te telefoneren. Een andere vrouw meet een stuk papier af met een liniaal en praat over haar schouder tegen een man aan het bureau achter het hare. In een hoek van het vertrek dromt een groepje mensen samen en kijkt naar een paar bladzijden die aan de muur zijn geprikt. En daar, naast de mannen die iets tegen het licht houden, staat Innes, zonder jasje, met opgerolde mouwen.

Innes wordt op dit moment totaal in beslag genomen door zijn tijdschrift. Alles wordt in een nieuw jasje gestoken – de omslag, de inhoud, het gevoel ervan. In het nieuw te verschijnen nummer wordt een kunstenares geïntroduceerd van wie Innes gelooft dat ze indruk zal maken, dat ze haar stempel op de geschiedenis zal achterlaten, dat ze in de herinnering zal blijven voortleven, nog lang nadat al deze mensen tot stof zijn vergaan.

En stof is een materie die hem vandaag de dag enorm boeit. Want deze kunstenares werkt met witte klei die net zo lang geborsteld en geschuurd is tot hij zo glad aanvoelt dat hij de textuur heeft van warm kindervlees, waardoor het noodzakelijk wordt om…

Vlees? Innes' gedachten struikelen over dat woord. 'Vlees' is geen goed woord. Verwijst dat per definitie naar de dood? Nee, besluit hij, maar die implicatie volstaat om het uit de alinea te schrappen die hij in gedachten schrijft terwijl hij de fotograaf uitlegt dat hij stof op zijn lens moet hebben gehad toen hij dit rolletje volschoot omdat de helderheid, het niet helemaal zuivere wit dat kenmerkend is voor de kunstenares, absoluut niet zichtbaar is.

Innes is met verschillende dingen tegelijk bezig. Hij denkt: oogt het impressum van het tijdschrift wel goed als het zo schuin staat, doet het de eenvoud van het nieuwe lettertype wel goed uitkomen, ik wil de letter eenvoudig houden, Helvetica misschien, of Gill Sans, in ieder geval niet Times of Palatino, het mag niet om aandacht strijden met de foto van de sculptuur. Hij denkt: warme kinderhuid? Nee. Heeft hij het woord 'kind' eigenlijk wel nodig? Warme huid? Warm vlees? Wist de combinatie van 'warm' en 'vlees' iedere connotatie met de dood uit? Hij denkt: kan ik erop vertrouwen dat Daphne de drukker belt, of zal ik het zelf maar doen?

Als hij door de kamer loopt, kijkt hij onwillekeurig naar buiten, maar hij wordt zo in beslag genomen door zijn tijdschrift, door welke letter hij moet kiezen, door zijn artikel, dat hij het beeld van de vrouw daar buiten in zijn gedachten opneemt en haar meteen een rol geeft, zoals een geluid uit de buitenwereld zich met de droom van een slapende man verweeft. Innes ziet deze vrouw in gedachten meteen achter een typemachine zitten aan het bureau naast het zijne, met haar fraaie enkels gekruist, haar kin op haar hand leunend, haar hals zo gedraaid dat ze naar de straat kan kijken terwijl ze nadenkt.

Hij blijft opeens staan. Het impressum moet niet schuin staan. Het moet recht staan en helemaal onderaan op de cover komen, rechts uitgelijnd. Zo is het nog nooit eerder gedaan! Het font moet Gill Sans worden, vet, achtenveertigpunts, onderkast, zo:

elsewhere

en de foto van de sculptuur zweeft daarboven alsof het impressum, de naam van het tijdschrift, de vloer is, de essentiële ondersteuning biedt, de springplank vormt voor het kunstwerk. Wat in zekere zin, zegt Innes tegen zichzelf, ook het geval is!

'Stop!' roept Innes tegen de opmaker. 'Wacht. Zet het hier. Onderaan. Zo. Nee, hier. Gill Sans, vet, achtenveertigpunts. Ja, Gill Sans. Nee. Perfect. Ja'

De mannen met het contactvel, Daphne die aan de telefoon bezig is, de bezoekende filmcriticus en de opmaker kijken zonder enige verbazing toe hoe Innes er nog even naar blijft staren en het volgende moment de deur uit stormt.

Opeens komt Innes Kent het stoepje af gesprongen. 'Jij,' zegt hij. 'Je hebt wel de tijd genomen. Kom onmiddellijk hier.' Hij spreidt zijn armen wijd uit.

Lexie knippert met haar ogen. Ze houdt nog steeds haar plattegrond en zijn visitekaartje vast. Maar ze loopt wel op hem af – wat zou ze anders moeten doen? – en hij slaat zijn armen om haar heen. Haar gezicht wordt tegen de stof van zijn jasje gedrukt en het registreert op een of andere manier dat de vleug ervan iets vertrouwds heeft. Ze raakt de stof aan met het topje van haar vinger en neemt dan wat afstand om het weefsel te bekijken.

'Vilt,' zegt ze.

'Wat?'

'Vilt. Je pak is van vilt gemaakt.'

'Ja. Vind je het mooi?'

'Ik weet het niet zeker,' ze doet een stapje achteruit om het nog eens te bestuderen, 'ik heb nog nooit een vilten pak gezien.'

'Weet ik,' grinnikt hij. 'Daar ging het me ook om. Mijn kleermaker was er ook niet zeker van. Maar uiteindelijk is hij bijgedraaid.' Hij pakt haar hand en begint te lopen. 'Goed. Lunch. Heb je honger? Ik hoop niet dat je zo'n meisje bent dat niet eet,' hij praat bijna net zo snel als hij loopt, 'je ziet er niet uit alsof je veel eet. Maar ik verga van de honger. Ik zou wel een heel paard op kunnen.'

'Jij ziet er anders ook niet uit of je veel eet.'

'Toch wel. Schijn bedriegt, soms. Je zult het zien.'

Ze lopen in een stevig tempo de straat door, slaan een steeg in, een hoek om, passeren een man die hand in hand loopt met twee vrouwen, een aan iedere kant, allebei met een glanzende leren riem om hun middel, alle drie lachend, komen langs een winkel met buitenlandse kranten in ronddraaiende rekjes, langs een groepje donkere meisjes die zware zakken met zich meezeulen. Voor een restaurant blijft Innes stilstaan. Boven de deur flitst een blauw neonlicht met het woord APOLLO aan en uit. Hij doet de deur open.

'Hier is het,' zegt hij.

Ze stappen uit het zonlicht naar binnen, dalen langs een donkere wenteltrap af naar een ruimte met een laag plafond. Mensen zitten over tafeltjes gebogen, hun gezicht verlicht door flakkerende kaarsen in wijnflessen. In een hoek zit een man die een dameshoed met veren draagt tamelijk beroerd piano te spelen. Twee andere mannen hebben zich naast hem op de pianokruk gewurmd en voeren een luid gesprek over het hoofd van de pianospeler heen. Buiten, denkt Lexie, zou het elk uur van de dag kunnen zijn – twaalf uur 's middags, het holst van de nacht – maar hier beneden zou je het nooit weten. Een groepje mannen zit aan drie kleine tafeltjes die ze bij elkaar hebben geschoven. Ze begroeten Innes met kreten, opgeheven wijnglazen en uitgebreide wuivende gebaren. Iemand zegt: 'Is dat een nieuwe?' en 'Wat is er met Daphne gebeurd?'

Innes pakt Lexie bij haar arm vast en voert haar naar de achterkant van de ruimte. Ze worden achtervolgd door gejoel en gefluit.

Ze gaan tegenover elkaar zitten in een afgeschermd hoekje.

'Wie zijn dat?' vraagt Lexie.

Innes draait zich om om het groepje mannen in ogenschouw te nemen die nu kaarsstompjes naar de pianospeler gooien en roepen dat ze meer wijn willen. 'Ze hebben vele namen,' zegt hij en gaat weer recht zitten. 'Ze noemen zichzelf kunstenaars, maar ik zou zeggen dat slechts één van hen, misschien twee, die benaming ook werkelijk verdienen. De rest is alcoholist of meeloper. Een van hen is fotograaf. Eentje', zegt hij en buigt zich naar voren, 'is een vrouw die voor een man doorgaat. Maar ik ben de enige die dat weet.'

'Echt waar?' Lexie is gefascineerd.

'Nou ja,' hij haalt zijn schouders op, 'en haar moeder, natuurlijk. En haar geliefde, veronderstel ik. Tenzij het een heel dom meisje is. Goed, wat zullen we nemen?'

Lexie probeert het menu te lezen, maar merkt dat ze in plaats daarvan naar Innes zit te kijken, naar zijn blauwe vilten pak, naar de frons op zijn gezicht terwijl hij geconcentreerd het menu bestudeert, naar de kunstenaars of alcoholisten, van wie eentje nu de serveerster – een blozende, stevig gebouwde vrouw van in de vijftig – op zijn schoot heeft zitten, naar de rij lege wijnflessen op de planken, naar de wervelende patronen op het tafelblad.

'Wat is er?' Innes raakt haar mouw aan.

'O, ik weet het niet,' gooit ze eruit. 'Ik wou… ik weet het niet. Ik wou dat ik rode pumps en gouden oorringen had.'

Innes trekt een gezicht. 'Je zou hier niet met mij zitten als je die droeg.'

'O nee?' ze ziet Innes zijn sigaretten tevoorschijn halen. 'Mag ik er ook een?'

Hij steekt twee sigaretten in zijn mond terwijl hij haar aan blijft kijken, strijkt een lucifer af, houdt die tegen de sigaretten aan tot ze branden, geeft er dan een aan haar, zonder zijn ogen ook maar een seconde van haar gezicht af te houden. 'Je denkt dat je oorringen wilt, maar dat is helemaal niet zo.'

Lexie steekt de sigaret tussen haar eigen lippen. 'Hoe weet je dat?'

'Ik weet wat jij nodig hebt,' zegt hij op zachte toon, terwijl hij haar nog steeds in de ogen kijkt.

Ze staart hem even aan en barst dan in lachen uit zonder precies te weten waarom. Wat zou hij bedoelen? Dan stopt ze omdat ze een onbekend gevoel ervaart, onder in haar lichaam, een soort zacht, naar beneden trekkend gevoel. Het is alsof haar bloed en botten hem hebben gehoord en hem antwoorden. Dan lacht ze weer en alsof hij het begrepen heeft, lacht hij ook.

Hij reikt over tafel, legt zijn hand tegen haar gezicht en streelt met zijn duim over haar kaak.

Er is Innes iets ongewoons overkomen. Hij begrijpt het niet helemaal. Maar hij weet wel precies wanneer het begon, deze lichtelijke gekte, deze bezetenheid. Toen hij iets meer dan twee weken geleden door een heg keek en een vrouw op een boomstronk zag zitten. Hij kijkt naar het restauranttafeltje, naar de vloer, hoe die zich in leven lijkt te houden onder al dat meubilair in de ruimte. Hij voelt heel even de reusachtige omvang van de stad, de hele ademende uitgestrektheid ervan, en hij heeft het gevoel alsof hij en dit meisje, deze vrouw, precies in het midden daarvan zitten, in het oog van de storm, alsof zij de enige mensen zijn die daar zo zitten, die daar ooit gezeten hebben. Hij werpt haar een snelle blik toe, maar kan alleen haar polsen zien, hoe haar mouwen eroverheen vallen, hoe ze haar handen gekruist heeft, de handtas die op de bank naast haar staat.

Het lijkt tegelijkertijd bijzonder en volstrekt normaal dat ze hier met hem zit. Hij voelt een vaag verlangen in zich opkomen om iets voor haar te kopen – doet er niet toe wat. Een schilderij. Een jas. Een paar handschoenen. Hij realiseert zich dat hij haar graag een cadeau zou zien uitpakken, haar vingers in de weer zou willen zien met het lint en het papier dat om een cadeau zit. Maar hij zet die gedachte van zich af. Hij mag het niet verpesten, deze keer niet, niet met haar. Hij weet niet waarom maar hij beseft dat deze anders is, dat deze onontbeerlijk voor hem is. Het is een gedachte waarvoor hij geen verklaring heeft.

Om zichzelf af te leiden begint hij te praten. Hij vertelt haar over zijn tijdschrift, over de reis die hij onlangs naar Parijs heeft gemaakt, waar hij enkele schilderijen en twee sculpturen heeft gekocht. Hij handelt een beetje in kunst, als bijverdienste. Moet ook wel, vertelt hij, omdat het tijdschrift geen enkele winst maakt. Hij vertelt dat de sculpturen van onbekende kunstenaars zijn en dat hij dat juist spannend vindt. Iedereen, zegt hij, kan een kunstwerk van een gevestigde kunstenaar kopen. Op dat moment onderbreekt ze hem en zegt, iedereen met geld, en hij knikt en zegt, dat is waar. Maar het vergt kennis en een zekere roekeloosheid om geld te steken in een onbekende kunstenaar. Hij zegt dat hij niet kan beschrijven hoe het voelt om het atelier van een kunstenaar te betreden en te denken, ja, dit is het, dit is iets. En dan doet hij er heel lang over om dat gevoel te beschrijven.

Hij legt uit dat hij opdracht heeft gegeven hoe het werk moet worden verpakt, in zaagsel en dan in kranten en daarna in een kist. Als het wordt uitgepakt neemt hij een zacht penseel van dierenhaar en stoft hij de zaagselresten eraf. Hij vertrouwt niemand anders deze taak toe, wat, beaamt hij, een beetje belachelijk is. Het komt erop neer, zegt hij, dat ik de meeste avonden ergens achter in het kantoor doorbreng met een penseeltje in mijn hand. Met het schilderen van een schilderij? zegt ze en hij lacht. Ja, eigenlijk wel.

Ze stelt niet veel vragen maar ze luistert. Allemachtig, wat kan ze luisteren. Ze luistert naar hem zoals er nog nooit naar hem geluisterd is. Ze luistert naar hem alsof ieder woord dat hij uitspreekt zuurstof bevat. Ze luistert met wijd opengesperde ogen en haar lichaam lichtjes overhellend. Ze luistert zo aandachtig dat hij het liefst naar haar toe zou willen buigen tot hun hoofden elkaar raken, om dan te fluisteren: Wat? Wat hoop je dat ik zal zeggen?

Zijn vader, vertelt hij, was Engelsman maar zijn moeder was een halfbloed uit het koloniale Chili. Half Chileens, half Schots, legt hij uit, vandaar zijn Ierse voornaam en zijn zwarte haar. Daarvan sperren Lexies ogen zich nog verder open. Ze kwam uit Valparaiso, vertelt hij en hij ziet hoe Lexie dat woord voor zichzelf geluidloos herhaalt, alsof ze het allemaal in haar geheugen wil opslaan. Zijn vader was daar naartoe gestuurd om fortuin te maken. Hij was, vertelt Innes, de tweede zoon in een rijke familie. En hij keerde terug met een fortuin en een enigszins exotische echtgenote. Toen Innes twee jaar was kwam hij om het leven bij een auto-ongeluk. Herinner je je hem nog, vraagt Lexie, en Innes zegt nee, hij kan zich hem niet herinneren. Zijn moeder had het erover om naar Chili terug te keren, vertelt hij, maar ze heeft het nooit gedaan. Ze had het niet gekund. Waarom niet, wil Lexie weten. Ze wil altijd dingen weten, lijkt het wel. Omdat daar niets meer was, antwoordt hij, niets wat zij nog kende. Het is nu een ander land.

Ted loopt te wandelen, duwt de kinderwagen voor zich uit. Hij denkt dat hij nog nooit zo vroeg in de ochtend hier over de Heath heeft gelopen. Iets na vijven was hij wakker geworden van een hand op zijn arm en heel even begreep hij niet wat er gebeurde, waarom er een vrouw boven hem heen en weer stond te wiegen in de donkere kamer, waarom ze huilde, wat ze van hem wilde. Toen was het hem allemaal weer te binnen geschoten. Het was Elina met hun zoon in haar armen, en ze vroeg hem, alsjeblieft. Kun jij hem alsjeblieft nemen.

Ted had niet helemaal gesnapt wat ze zei – er kwam een mengelmoes van Engels en Fins met misschien nog wat Duits erdoorheen uit haar mond, iets over slapen, iets over huilen – maar de strekking ervan was duidelijk, wat hij moest doen was duidelijk. Hij nam de baby van haar over; ze liet zich op het bed zakken en sliep binnen enkele seconden, met haar hoofd niet helemaal op het kussen.

En nu duwt Ted zijn zoon Parliament Hill op, langzaam, heel langzaam, omdat er geen haast is, ze hebben geen speciale bestemming, hij en zijn zoon, ze wandelen omwille van het wandelen. De zon is opgekomen en doet de dauw op het gras glinsteren als glassplinters en Ted komt tot de ontdekking dat hij wenst dat de baby al wat ouder was, zodat hij hem hierop kon attenderen, komt tot de ontdekking dat hij uitkijkt naar de tijd dat hij en dit kind samen een wandeling kunnen maken en het over het visuele effect van de vroege ochtendzon op dauw kunnen hebben, over het verbazingwekkende aantal mensen dat op dit onchristelijke uur gaat joggen en de hond uitlaat, hoe je nu al kunt zien dat het vandaag een warme dag gaat worden. Ted voelt een tinteling van plezier door zich heen gaan in de wetenschap dat dit gaat gebeuren, dat dit kind hier zal zijn, bij hen, dat hij hun kind is. Het lijkt nog steeds een niet te bevatten gedachte. Ted realiseert zich dat hij nog steeds half en half verwacht dat er iemand langskomt die zijn hand op de beugel van de kinderwagen legt en zegt, het spijt me, maar u dacht toch niet echt dat u hem mocht houden, of wel soms?

Een man – ouder dan Ted, ergens in de veertig misschien, met een gebruinde huid die de kleur van in de olie gezet teakhout heeft – komt langs joggen en werpt Ted een snelle, medelijdende glimlach toe. En Ted begrijpt dat de man, die nu het pad afrent, ook vader is, dat hij indertijd waarschijnlijk precies hetzelfde heeft gedaan wat Ted nu doet, de vroege ochtendshift als de vrouw slaapt na een lange nacht, het rondje met de kinderwagen en de slapende baby. Heel even zou Ted achter hem aan willen rennen, zou hij iets tegen hem willen zeggen, hem willen vragen: wordt het makkelijker, gaat het voorbij?

In plaats daarvan kijkt hij naar beneden naar de baby. Hij is gekleed, ingepakt, in een gestreept speelpakje. Afwisselende rode en oranje strepen met groene drukknoopjes die over zijn buik en langs zijn beentjes lopen. Elina vertelde dat ze niet begrijpt waarom mensen baby's alleen maar witte kleertjes aandoen of pasteltinten. Ze heeft een hekel aan pastelkleuren, weet Ted: die verwaterde, bleke neven van de echte kleuren, noemt ze ze, zegt dat ze er kiespijn van krijgt. Ted kan zich nog de dag herinneren dat ze dit pakje kochten. Elina was nog maar net zwanger, ze waren nog steeds sprakeloos van schrik, toen ze langs een winkel kwamen waar piepkleine babykleertjes aan neptakken hingen. Dat was ergens in Oost-Londen geweest; ze waren op weg naar een expositie in de Whitechapel Gallery. Ze hadden er tien minuten zij aan zij naar staan kijken, in gedachten verzonken, maar zonder iets tegen elkaar te zeggen. Een groen pakje met oranje stippen, een roze met blauwe zigzaglijnen, een paars, en een turquoise. Ted kon niet besluiten of ze nu verrassend klein of juist onverklaarbaar groot leken. Toen had Elina gezegd: 'Goed.' Op haar lip gebeten. Haar armen over elkaar geslagen. Ted zag dat ze bezig was moed te vergaren, dat ze bezig was een beslissing te nemen; en op dat moment wist hij dat ze de baby zouden krijgen, dat het kind geboren zou worden en hij realiseerde zich ook dat hij tot op dat moment niet zeker had geweten wat Elina zou besluiten, of ze het nu wel of niet zou houden, of ze de zwangerschap door zou zetten. 'Goed,' zei ze weer, zette twee stappen naar de winkeldeur en duwde die open. Achtergebleven op het trottoir voelde Ted zijn gezicht tot een glimlach verbreden. Ze zouden ouders worden en hun baby zou altijd kleurige kleertjes dragen. Hij zag door het raam hoe Elina twee pakjes koos, nog steeds op haar lip bijtend, nog steeds met haar armen over elkaar, als een vrouw die zich geestelijk voorbereidt op een duik van de hoge, en hij zag dat ze bij hem zou blijven, dat ze niet naar New York of Hong Kong of waar dan ook zou verdwijnen, zoals hij weleens vreesde. Hij herinnert zich nog dat hij het gevoel had dat hij dwars door haar heen kon kijken terwijl hij haar in die winkel gadesloeg en door haar lichaam heen naar het kleine opgekrulde wezentje kon kijken dat binnen in haar zweefde.

Hij glimlacht nu als hij daaraan terugdenkt en kijkt naar zijn zoon. De ogen van de baby dwalen zijn kant op, lijken hem recht aan te kijken en dwalen dan weer verder om zich op iets vlak achter zijn hoofd te concentreren. Ted kan zich niet voorstellen, niet bevatten hoe het is om de wereld voor de eerste keer te zien. Om nog nooit een muur, een waslijn, een boom te hebben gezien. Heel even is hij vervuld van een soort medelijden met zijn zoon. Wat een taak staat hem nog te wachten: letterlijk alles te moeten leren.

Ted bereikt de top van Parliament Hill. Tien over zes in de ochtend. Hij zuigt zijn longen vol lucht. Hij kijkt naar de kleine, ingepakte gestalte van zijn zoon en ziet dat hij slaapt, met zijn armpjes wijd uitgespreid. Hij ziet dat aan de binnenkant van de kinderwagen kleine, abstracte zwart-wittekeningen zijn bevestigd, geometrische figuren, waarschijnlijk van Elina's hand. Hij herinnert zich dat ze had gezegd dat baby's op deze leeftijd alles nog in zwart-wit zien en terwijl hij achteruit loopt om op een bank te gaan zitten, vraagt Ted zich af hoe wetenschappers zoiets in godsnaam kunnen weten.

Hij loopt achteruit. Drie of vier stappen. Naar een bank waarvan hij weet dat die er staat. Dat herinnert hij zich later. Want hoewel hij zeker weet wat hij is en wat hij doet – vader van een baby, die een wandeling is gaan maken – is hij er niet helemaal zeker van dat hij geen kind is dat bij het raam van zijn slaapkamer met de gele gordijnen staat, en naar het verrassende stemgeluid van zijn moeder luistert die ruzie staat te maken met iemand die aan de deur is gekomen. Ted staat bij zijn raam, met de stof van het gordijn in zijn hand geklemd, en kijkt naar de straat beneden hem, waar een man drie of vier stappen naar achteren zet, van het trottoir de straat op, en de man kijkt omhoog naar het huis, zoekt met zijn hand boven zijn ogen de ramen af, en als hij Ted ziet, zwaait hij. Er is iets uitzinnigs, dringends aan de manier waarop hij zwaait. Alsof de man een belangrijke boodschap voor hem heeft, alsof hij gebaart dat hij naar buiten moet komen.

Ted laat zich met een plof op de bank vallen. De herinnering is weg. Het beeld van de man die voor zijn huis achteruit loopt, is verdwenen. Ted kijkt naar de zilverkleurige beugel van de kinderwagen waarop de felle zonnestralen worden weerkaatst; hij kijkt naar het gras, naar de lange halmen die nog steeds glinsteren; hij kijkt naar de vijvers aan de voet van de heuvel en terwijl hij kijkt realiseert hij zich dat hij het midden van zijn gezichtsveld niet scherp kan zien. De buitenkant is helder maar hij kan datgene waar hij naar kijkt niet zien. Alsof er een gat in het midden van een lens is gebrand, alsof hij door een verbrijzelde voorruit kijkt en hij beseft dat hij last heeft van het soort gezichtsstoornis dat hij als kind ook al had. Dat is hem in geen jaren meer overkomen en dat overbekende gevoel doet hem bijna in de lach schieten. Het knetterende, fel brandende vuur dat voor zijn ogen flitst en alles verlicht waar hij naar kijkt, het tintelende gevoel in zijn linkerarm. Hij kan zich niet herinneren wanneer hij dat voor het laatst heeft gehad – hoe oud zou hij zijn geweest? Twaalf, dertien misschien? Ted weet dat het voorbijgaat, dat het niets betekent, dat het gewoon een neurologische bliep is, een kortstondige foutieve schakeling. Maar hij houdt de beugel van de kinderwagen stevig vast, alsof hij zichzelf vastigheid wil geven. Bijna wil hij zijn moeder bellen en zeggen: wat denk je? Ik heb weer van die rare flitsen voor mijn ogen! Ooit was dat iets wat zijn moeder en hem met elkaar verbond. Ze hield hem met haar arendsogen in de gaten, en als hij ook maar even zijn ogen dichtdeed, stond ze daar, naast hem, en zei: 'Wat is er? Wat is er mis? Heb je het weer?' Ze nam Ted mee naar artsen, opticiens, specialisten. Ze wist met een detectiveachtige ijver de ene specialist na de andere op te sporen. Hij kreeg onderzoeken, scans, verwijzingen, röntgenfoto's, en na iedere afspraak – wat voor Ted een ochtend vrij van school betekende – gingen zijn moeder en hij theedrinken. Dus in plaats van wiskunde, scheikunde of geschiedenis te volgen, zat hij in Claridge's of Langham sandwiches en slagroomgebakjes te eten terwijl zijn moeder de melk inschonk. De artsen konden niets vinden, zeiden ze tegen zijn moeder. Het waren van die dingen waar geen verklaring voor was. Hij zou er waarschijnlijk gewoon overheen groeien. En ondertussen schreef zijn moeder briefjes voor school waarin Ted werd vrijgesteld van sportwedstrijden, van rugby, van zwemles. 'Teds aanvallen' noemde zij ze. Tegen zijn vader zei hij een keer dat het was alsof hij engelen zag, alsof hij zonnestralen op bewegend water zag. Zijn vader had wat ongemakkelijk heen en weer geschoven in zijn stoel en gevraagd of Ted zin had om een potje cricket met hem te spelen. Hij had niets met fantasieverhalen.

Precies zoals Ted wist dat het zou gaan breekt de schittering in het midden van zijn gezichtsveld langzaam in stukjes en zweven die stukjes naar de buitenkant om dan uiteindelijk te verdwijnen. En dan is Ted weer zoals hij daarvoor was, een man op een bankje die een kinderwagen vasthoudt. De baby roert zich in zijn windsels, een handje zwaait omhoog, gekromde vingertjes strijken langs de tekeningetjes van zijn moeder. Ted interpreteert dit als een teken van de baby, staat op en loopt de heuvel weer af.

Elina is in de tuin. Overdag. De zon recht boven haar, de plantenpotten, de opgerolde tuinslang, de oude zinken emmer staan allemaal in inktzwarte poelen van hun eigen schaduw. Ze zit met gekruiste benen op een kleed en op het gras naast haar worstelt haar schaduw om zijn vorm te behouden. Ze kijkt toe hoe hij een verloren strijd voert met zijn oppervlak, de miljoenen grassprieten die allemaal een andere kant op groeien, met een andere snelheid. De randen van de schaduw zijn versplinterd, gerafeld, als iets wat in zee verloren is gegaan.

Elina kijkt ervan weg en ziet dan dat ze een rammelaar in haar rechterhand heeft: een ingewikkeld geval met gekleurde staafjes, belletjes, elastieken bandjes en balletjes met kralen erin. Recht daaronder ligt de baby. Op zijn rug, met zijn ogen strak op haar gericht. De openlijke vraag in zijn blik doet een schok door haar heen gaan.

Ze beweegt de rammelaar heen en weer en de gekleurde kralen stuiteren rond in de doorzichtige ballen. Het heeft een onmiddellijk en opmerkelijk effect op de baby. Zijn armen en benen verstijven, zijn ogen sperren zich wijd open, zijn lippen gaan van elkaar en vormen een volmaakt ronde O. Het is alsof hij een handboek heeft bestudeerd over hoe je een menselijk wezen moet worden, met speciale aandacht voor het hoofdstuk 'Verrassing tonen'. Ze schudt er nog eens mee en nog eens, en de armen en benen van de baby bewegen als zuigerstangen op en neer, naar binnen en naar buiten. Ze denkt: dit doen moeders nu eenmaal.

Een kletterend geluid vanuit het huis doet haar opkijken. En daar staat Ted, ingekaderd in het keukenraam terwijl hij een pan van het fornuis haalt. Hij is deze week thuis, herinnert ze zich nu, hij heeft vrij genomen van zijn werk.

Ze draait zich weer om naar de baby. Ze raakt het haar op zijn slapen aan dat op mysterieuze wijze van donker naar licht verkleurt, ze streelt de ronding van zijn wangetje, ze legt haar hand op zijn borst en voelt hoe zijn longen zich vullen, leeglopen, zich vullen, leeglopen.

Ze gaat overeind zitten. Een eekhoorntje met een grijs gevlekte staart springt vanaf een bloempot tegen de muur van haar atelier op, zijn klauwtjes grijpen het hout vast als hij omhoog schiet naar het dak en dan verdwijnt. De gekrulde witte blaadjes van de aronskelken in de pot trillen mee.

Ze is zeker te snel overeind gekomen want de kleuren van de tuin, van het pakje van de baby lijken heel even feller te worden. En nu komt Ted het huis uit en in het heldere zonlicht lijkt zijn gestalte te glinsteren en zich op te splitsen en heel even is het alsof er nog iemand anders is, die vlak achter hem staat. Hij komt over het gazon aanlopen en de vorm lijkt hem te volgen.

'Goed,' zegt hij. 'Eten jij. Pasta al limone, gemaakt met verse…' Hij ziet haar gezicht. 'Wat is er?'

'Niks.' Elina vertrekt haar mond tot een glimlach. Het is belangrijk om hem gerust te stellen. 'Ik denk dat ik mijn zonnebril nodig heb.'

Het huis is donker en schaduwrijk na het felle licht in de tuin. Bijna onbekend. Ze staart om zich heen alsof ze het voor het eerst ziet. Die vaas, de oranje schaal, het jute vloerkleed met een miljoen kleine lusjes. Ze loopt op haar tenen langs al deze dingen die van haar zijn, maar er niet uitzien alsof ze van haar zijn, door de keuken en de trap op. Op de overloop denkt ze: ik ben alleen in het huis. Ze blijf even staan, haar ene hand rust op de trapleuning. Ze voelt zich licht, onwerkelijk, de lucht circuleert rond haar lege armen.

Ze heeft geprobeerd er met Ted over te praten. Ze dacht dat het zou helpen. Hij is deze week thuis en de volgende week ook. Ze zijn samen, dag en nacht, zij tweeën en de baby. Meestal zit ze op de bank en geeft hem de borst. Ted kookt. Ted vult de wasmachine. Ted neem de baby mee uit wandelen in de kinderwagen en dan kan zij slapen. Ze doet korte hazenslaapjes – op de bank, in een stoel, in bed als ze geluk heeft – en die korte dutjes worden verlevendigd door hectische, snelle dromen, waarin ze meestal de baby kwijtraakt of niet bij de baby kan komen, en soms komen er abstracte beelden van fonteinen in voor. Fonteinen van rood water. Uit die dromen schiet ze wakker met een bonkend hart.

Dus Ted is thuis bij haar, de opnamen zijn klaar en ze heeft geprobeerd met hem te praten. Gisteravond heeft ze dat ook geprobeerd toen ze aan tafel een afhaalmaaltijd zaten te eten. Hij had de baby op zijn arm en had zijn hand naar achteren gebogen zodat de baby Teds duim kon vasthouden, en ze had het fijn gevonden dat te zien, dat Ted daaraan gedacht had, zich had gerealiseerd dat de baby zijn duim wilde vasthouden en dat zou blijven doen. En ze had zich dicht bij hem gevoeld en had haar vork neergelegd en zijn arm aangeraakt en gezegd: 'Ted, weet jij hoeveel ik verloren heb?'

'Hoeveel wat?' had hij gevraagd, zonder van zijn bord op te kijken.

'Nou ja.' Ze had even gezwegen voordat ze zei: 'Bloed, natuurlijk.'

Hij had met een ruk zijn hoofd opgeheven en haar aangekeken, en ze had nog even gewacht. Maar hij had niets gezegd.

'Ik bedoel,' hielp ze hem, 'de geboorte. De keizersnede. Hebben de artsen dat tegen jou gezegd omdat…'

'Vier halve liters,' zei hij toonloos.

Het was even stil geweest. In gedachten zag ze ze op een rijtje staan alsof het melkflessen zijn: helder groenig glas dat die schokkend robijnrode vloeistof bevat. Ze zag ze in de koelkast staan, op een rijtje op de plank, ze zag ze op een stoep staan, ze zag ze in een vitrine in een supermarkt staan. Vier flessen. Ze zat met haar eten te spelen, nam een hap, wierp een snelle blik op Ted. Hij zat daar met gebogen hoofd, naar de baby of naar zijn eten te kijken, ze kon het niet goed zien omdat zijn haar voor zijn gezicht viel.

'Ik kon jou toen niet zien,' probeerde ze weer. 'Jij stond zeker bij de baby.'

Hij maakte een instemmend geluid. Ze pakte een aluminiumfolie bakje op en zette het weer neer toen ze zag dat er gesnipperde uitjes in zaten.

'Heb je veel kunnen zien?' vroeg ze omdat ze het wilde weten, ze wilde het hem horen zeggen, ze wilde datgene wat in zijn hoofd zat naar buiten halen zodat ze er samen naar konden kijken, zodat ze konden proberen dit ding zachter te maken dat zich tussen hen verhard leek te hebben. Hij had geen antwoord gegeven, dus had ze gezegd: 'Ted? Wat is er?' Hij had zijn vork neergelegd en gezegd: 'Ik heb helemaal geen zin om hierover praten.'

'Maar ik wel,' had ze gezegd.

'Nou, ik niet.'

'Maar het is belangrijk, Ted. We mogen niet net doen alsof het nooit gebeurd is. Ik wil het weten, snap je, begrijpen – is dat zo erg? Ik wil weten waarom het is gebeurd en…'

Hij schoof zijn stoel naar achteren en liep van tafel weg. In de keuken draaide hij zich met een ruk om, met de kleine gestalte van de baby in zijn armen. Zijn gezicht had zo'n gekwelde uitdrukking dat het onherkenbaar was en Elina voelde een klamme angstaanval opkomen – om hem, om de baby, ze wilde zeggen, het is goed, vergeet het maar, we hebben het er niet meer over, ga nou maar zitten. Ze wilde vooral zeggen: Ted, geef me de baby.

'Ze weten niet waarom het gebeurde,' schreeuwde hij bijna. 'Ik… ik… ik heb het ze de volgende dag gevraagd en ze zeiden dat ze het niet wisten en dat dat soort dingen nu eenmaal gebeuren.'

'Oké,' probeerde ze op sussende toon te zeggen. 'Het hoeft niet…'

'En ik zei, daar kunnen jullie niet mee aankomen. Ze is bijna doodgegaan, verdomme, en het enige wat jullie zeggen is dat dat soort dingen nu eenmaal kan gebeuren? Jullie hebben haar eerst drie dagen laten modderen voordat jullie zagen dat de baby in een onmogelijke houding lag en daarna hebben jullie haar door een verdomde coassistent laten opensnijden en…'

Hij was opgehouden met praten. Hij bleef nog even in de keuken staan en heel even dacht ze dat hij ging huilen. Maar dat gebeurde niet. Hij liep op haar af, naar waar ze aan tafel zat. Hij gaf haar de baby en liep de kamer uit, zonder haar aan te kijken. Ze hoorde hem naar boven gaan. Het bleef even stil. Elina zat gespannen op haar stoel. Toen hoorde ze hem kastdeuren open en dicht doen en door die geluiden wist ze dat hij zich omkleedde om te gaan joggen. Ze hoorde hem de trap af komen, daarna de voordeur dichtslaan, en zijn voeten op het trottoir stampen terwijl hij weg sprintte, de straat uit.

Ze ziet de zonnebril op de plank in de badkamer liggen en ze wil hem net pakken als ze zich ervan bewust wordt dat haar lichaam snel in beweging komt: het draait zich om en voert haar naar de deur, het draagt haar naar beneden. Het duurt even voordat ze doorheeft waarom. De baby huilt – een ijl geluidje dat zich slingerend een weg baant via het badkamerraam en daar naar binnen kronkelt. Het verrast haar dat haar lichaam dit geluid heeft gehoord en herkend voordat zijzelf zich ervan bewust werd.

Buiten in de tuin zit Ted op het kleed. Hij heeft de baby opgepakt en houdt hem heel voorzichtig in beide handen. De baby is een piepkleine boze robot, armpjes en beentjes bewegen als hefbomen door de lucht, het gehuil klinkt regelmatig en iedere kreet zwelt aan tot een doordringende gil.

Elina loopt over het gras, bukt zich en tilt de baby in één beweging op. Zijn lijfje voelt stijf aan en zijn gehuil mondt uit in regelrechte woede. *Hoe kón je,* lijkt hij te zeggen, *hoe kon je me zo alleen laten?* Ze legt hem in de lengte over haar schouder en wandelt naar de tuinmuur en weer terug, en zegt shhh, shhh, het is goed, shhh, shhh.

'Sorry,' zegt Ted en hij komt nu overeind. 'Ik wist niet wat ik moest… ik wist niet zeker of hij nou honger had of…'

'Het is goed.' Ze loopt langs hem heen, weer terug naar de muur en ziet dat hij haar gadeslaat met een ongeruste blik op zijn gezicht.

'Wil je dat ik hem neem?' zegt hij.

Het gehuil van de baby neemt af tot een hortend ademhalen. Elina verlegt hem zodat hij naar de lucht kan kijken.

'Nee,' zegt ze. 'Hoeft niet.'

'Heeft hij honger?'

'Ik denk het niet. Hij heeft… wat zal het zijn… een halfuur geleden nog gedronken.'

Ze gaan weer op het kleed zitten en Elina ziet de schaal pasta. Die was ze helemaal vergeten. Ze zet haar bril op, legt de baby zo neer dat hij over haar schouder kan kijken, en begint dan met haar vrije hand te eten. De baby grijpt de kraag van haar bloes vast, sabbelt met zijn vochtige mondje aan de huid van haar hals en zijn adem klinkt warm in haar oor.

'Het is ongelooflijk hoe je dat doet,' zegt Ted.

'Wat?'

'Dat,' hij wijst met zijn vork naar de baby.

'Wat bedoel je?'

'Hij is aan het huilen – echt hard – en jij komt eraan, pakt hem op en hij stopt. Bij toverslag. Alsof je een bezwering uitspreekt. Dat gebeurt alleen bij jou. Dat doet hij niet bij mij.'

'Nee?'

'Nee. Ik krijg hem niet zo stil als jij dat kunt, het is…'

'Dat is niet waar. Ik weet zeker dat jij…'

'Nee, nee,' Ted schudt zijn hoofd, 'het is iets speciaals dat jij met hem hebt. Het is alsof hij een ingebouwde timer heeft die meet hoelang hij je niet heeft gezien en zonder waarschuwing gaat die plotseling af en kan niets hem troosten behalve jouw aanwezigheid.' Hij haalt zijn schouders op. 'Dat is me deze week opgevallen.'

Elina denkt erover na. De baby die aan haar bloes sabbelt, lijkt er ook over na te denken. 'Het komt waarschijnlijk door deze hier,' zegt ze en wijst op haar borsten.

Ted schudt weer zijn hoofd en grinnikt. 'Nee, hoewel ik hem daar geen ongelijk in kan geven. Maar dat is het niet, echt niet. Het is alsof… het is alsof hij met regelmatige tussenpozen een dosis van jou nodig heeft. Wil controleren of je er nog bent. Wil controleren of je niet ergens heen bent geg…' hij stopt midden in de zin. Elina kijkt naar hem op. Ted zit met gekruiste benen op het kleed, met een vork vol pasta halverwege zijn mond. Hij zit daar roerloos, met een gekwelde uitdrukking op zijn gezicht.

'Hé,' zegt ze. 'Voel je je wel goed?'

Hij legt zijn vork met een klap neer. 'Ja, ja… Voel me alleen een beetje…'

'Een beetje wat?'

'Ja, een beetje…' hij drukt zijn beide handen tegen zijn ogen, 'Soms heb ik er last van dat…'

Elina legt haar eigen vork neer. 'Dat je wat?'

'Dat er iets raars met mijn ogen gebeurt.'

'Met je ogen?'

'Het is niet zo belangrijk,' mompelt hij. 'Het is al goed. Ik heb er… ik heb het… mijn hele leven al.'

'Je hele leven al?' herhaalt ze. Wat kan hij daarmee bedoelen, zijn hele leven? Ze vindt het een bizarre gedachte dat er iets met hem is waar ze geen weet van heeft. Ze legt de baby op het kleed en gaat op haar knieën naast hem zitten. Ze raakt zijn rug aan, wrijft met haar hand over zijn rug. 'Hoe lang duurt zoiets?' vraagt ze na een tijdje.

Ted zit nog steeds voorovergebogen met zijn handen tegen zijn ogen. 'Niet lang,' brengt hij uit. 'Het is zo direct over. Sorry.'

'Doe niet zo raar.'

'Het is heel maf, dit is me in geen jaren…'

'Sst,' zegt ze. 'Niets zeggen. Zal ik water voor je halen?'

Hij knikt.

Als ze terugkomt met een glas heeft hij zich weer opgericht. Hij zit naar de baby te kijken, met een schuin hoofd en een frons op zijn gezicht. Ze geeft hem het glas.

'Hoe voel je je nu? Kun je nu weer gewoon zien?'

Hij knikt.

'Wat was dat nou?' Ze legt haar hand op zijn voorhoofd. 'Ted, je voelt ijskoud aan en… hoe noem je dat… vochtig?'

'Klam,' mompelt hij.

'Klam,' herhaalt ze. 'Volgens mij moet je naar de dokter.'

Hij neemt een slok water, gromt iets en schudt zijn hoofd.

'Jawel, dat moet je doen.'

'Nee, ik voel me goed. Ik voel me echt goed.'

'Je voelt je niet goed.'

'Wel waar.' Hij schudt zijn haar uit zijn ogen en kijkt haar aan. 'Ik voel me goed,' zegt hij weer. 'Echt waar.' Hij slaat zijn arm om haar heen en kust haar in haar hals. 'Kijk niet zo bezorgd. Er is niets aan de hand, gewoon…'

'Zo klinkt het anders niet.'

'Er is niets aan de hand. Als kind had ik er heel vaak last van. Ik heb het in geen jaren meer gehad tot een paar dagen geleden en…'

'Heb je dit een paar dagen geleden ook al gehad? En dat heb je me niet verteld?'

'Elina,' hij neemt haar beide handen in de zijne, 'er is niets aan de hand, ik zweer het je.'

'Je moet naar de dokter.'

'Ik ben alle dokters al af geweest. Toen ik nog klein was. Ze hebben mijn ogen gescand, mijn hersens, alles. Vraag het maar aan mijn moeder.'

'Maar Ted...'

Op dat moment begint de baby te snikken vanaf zijn plek op het kleed.

'Kijk,' zegt Ted, 'de ingebouwde timer is afgegaan.'

En later die dag of misschien wel de volgende dag – het valt moeilijk te zeggen omdat ze niet geslapen heeft – zit Elina op de bank met kussens in haar rug en haar voeten naast elkaar op het vloerkleed. In haar ene hand voelt ze het gewicht van een glazen presse-papier.

Het is een bijna volmaakte bol, aan de onderkant afgevlakt zodat hij op tafel kan staan zonder weg te rollen. Er zitten honderden kleine belletjes in. Elina houdt hem voor haar oog en tuurt erdoor naar een donkere, verafgelegen groenige plaats met gaten in zijn atmosfeer die de vorm van tranen hebben.

Ze vindt deze presse-papier mooi, met zijn koude, zuivere gewicht. Ze vindt hem mooi vanwege het feit dat de lucht uit de ruimte waarin hij is gemaakt, op de dag dat hij is gemaakt, daar voor eeuwig in gevangen zit. Misschien wel lucht die is uitgeademd door degene die hem heeft gemaakt. Hij past perfect in haar hand en hij is waarschijnlijk net zo groot als het hoofdje van een ongeboren baby van – wat zal het zijn? – zes maanden? Vijf? Ze zou er graag een foto van willen maken, van heel dichtbij. Dat moet ze binnenkort eens doen. Op een dag. Waar ligt haar camera trouwens? Buiten in het atelier? Ze zou hem moeten zoeken en hem ergens veilig opbergen. Ze zou die geheime, stille ruimte binnen in de presse-papier graag willen vastleggen. Ze zou zich daar graag naar binnen willen wurmen.

Ze strengelt haar vingers ineen onder de bol en laat haar blik omhoog gaan, door de kamer.

'En ik heb haar proberen uit te leggen,' zegt Teds moeder vanaf de andere bank, zich omdraaiend naar Ted, die in de keuken staat, 'dat ze nog geen kaart van me heeft gekregen omdat jullie nog steeds geen naam hebben gekozen. En dat vond ze maar niks. Reageerde behoorlijk kribbig.' Teds moeder geeft een rukje aan de manchet van haar bloes en strijkt hem glad en Elina ziet dat ze haar ergernis probeert te verhullen. 'Hebben jullie nog nagedacht over een naam?'

Ted zoekt iets in de koelkast en geeft een onverstaanbaar antwoord.

Elina knippert met haar ogen. Heel even, een seconde maar, heeft ze weer het gevoel dat iemand zijn handen in haar heeft gestoken, vlak bij haar ribben, en duwt, ergens tegenaan duwt. Ze knippert weer om het gevoel te laten verdwijnen.

Teds moeder draait zich weer om naar de kamer en gaat verzitten. Toen ze de bank net gekocht hadden, had ze gezegd dat hij nooit lekker zou zitten omdat hij geen steun gaf aan je hoofd. Elina vraagt zich nu af of ze het gemis van een kussen tegen haar achterhoofd voelt.

'Enfin,' zegt ze, 'ik had nooit gedacht dat ik tegen de tijd dat mijn kleinzoon een maand oud was, nog steeds geen kaarten zou kunnen versturen. Alle familieleden zitten erop te wachten.'

'Waarom stuur je die kaarten dan niet gewoon?' zegt Teds vader vanachter zijn krant met een zweem van ergernis in zijn stem. Het verrast Elina dat hij is meegekomen, omdat Teds ouders bijna nooit samen komen: ze hebben meestal hun eigen programma.

'Ja,' zegt Ted terwijl hij binnenkomt met een dienblad. 'Zijn naam hoeft er toch niet op te staan?'

Zijn moeder hapt naar adem alsof ze een oneerbaar voorstel

hebben gedaan. 'Hoeft zijn naam er niet op te staan? Natuurlijk moet zijn naam erop staan!'

Ted haalt zijn schouders op en begint de thee in te schenken.

'Wat dachten jullie van Rupert?' zegt zijn moeder stralend. 'Ik heb Rupert altijd een mooie naam gevonden en het is een oude familienaam, in mijn kant van de familie.'

'Dat lijkt wel een naam voor een... een hoenoemjedatookalweer?' zegt Teds vader terwijl hij de krant opvouwt en op de grond gooit.

'Wat?'

'Een...' Teds vader legt nadenkend zijn hand tegen zijn voorhoofd '... je kent het wel... zo'n ding dat kinderen mee naar bed nemen. Eh... Brideshead... eh... teddybeer! Dat is het. Een teddybeer.' Hij bukt zich en pakt de krant weer op. 'Dat is een naam voor een teddybeer,' zegt hij terwijl hij de voorpagina voor de tweede keer doorleest.

'Wat?' vraagt zijn moeder.

'Rupert.'

Elina hoort het woord 'klem'. Ze hoort 'ruptuur'. Ze hoort 'aangezichtsligging'.

Ted brengt opnieuw een onverstaanbaar geluid voort en zegt dan: 'Hier is de thee. Hoe is het met jullie? Druk gehad deze week?'

'Of Ralph. Wat vinden jullie van Ralph? Hij ziet eruit als een Ralph. En dat was ook de tweede naam van mijn grootvader. Dat klinkt mooi. En het gaat ook goed samen met zijn achternaam.'

'Eh...' Ted werpt een snelle blik op Elina. Ze houdt haar gezicht heel stil en verschuift de presse-papier in haar handen. Het glazen oppervlak voelt nu warm aan tegen haar huid. Ze ziet dat Ted overweegt of hij erover zal beginnen, en dan ziet ze dat hij de knoop doorhakt. 'Nou eigenlijk,' zegt hij, terwijl hij zijn ouders een kop thee geeft, 'hebben we besloten om hem Elina's achternaam te geven. Hij wordt een Vilkuna.'

Toen Teds moeder op bezoek kwam in het ziekenhuis was de baby drie uur oud. Elina herinnert het zich nu weer allemaal. Met haar ene vrije arm hield Elina hem tegen haar borst waar hij lag te slapen, met zijn beentjes onder hem gevouwen en zijn gezichtje tegen haar huid gedrukt. Haar andere arm zat in het verband en was helemaal ingepakt als een mysterieuze ingesponnen rups. Slangetjes liepen naar binnen en naar buiten. Boven haar hoofd waren een paar zakken opgehangen. Vanonder de deken liepen er nog meer slangetjes naar haar toe en van haar af. Ze dacht er liever nog niet over na waar die precies naar binnen gingen.

Ze leek op een enorme stapel kussens te liggen. Iets – ze wist niet zeker wat, de morfine misschien – maakte dat haar ogen om de paar minuten in hun kassen wegrolden. De kamer begon dan op en neer te golven en te deinen en Elina moest moeite doen om helder te blijven, niet toe te geven aan de zuigende kracht van het medicijn. Het was als een sterke stroming in de zee die haar naar beneden trok.

Ted zat aan de andere kant van de kamer, heel ver weg leek het wel, in een stoel. Hij hield een pen in zijn hand en was formulieren aan het invullen. Op het moment dat ze keek, richtte hij zijn hoofd op en Elina's adem stokte bijna in haar keel omdat ze zo schrok van zijn gezicht: strak, grauw, gespannen, een met huid bedekt masker. Heel even had ze het gevoel dat hij een vreemde zou kunnen zijn, om het even wie zou kunnen zijn. Wat is er gebeurd, wilde ze zeggen, hoe komt het dat je er zo uitziet?

De deur zwaaide open en Elina draaide haar hoofd om om te kijken en opeens stond Teds moeder in de kamer.

'Oooo!' kweelde ze. 'Oooo! Mijn schatje toch!' Ze vloog de kamer door en een ongemakkelijk moment lang dacht Elina dat ze haar bedoelde. Maar Teds moeder keek niet naar haar. Ze tilde de baby op en legde hem in haar armen. 'Jij,' zei ze en Elina vroeg zich af waarom ze zo hard praatte, 'kijk nou toch es.'

Ze stond met haar rug naar het bed en liep op het raam af. De plek waar de baby op Elina's borst had gelegen, voelde klam aan. Ze voelde de contouren van de baby op haar lichaam, op de plek waar zich warmte tussen hen had ontwikkeld. Ze zag haar hand, haar in een ingesponnen rups veranderde hand, van het bed omhoog komen, alsof ze iets wilde zeggen. Maar ze wist niet zeker wat ze ging zeggen en op dat moment kwam Ted overeind en begonnen haar ogen weer weg te rollen, dus het enige wat ze in dat ogenblik zag, voordat ze haar ogen dwong om weer te focussen, was het plafond, de zakken vloeistof die boven haar hoofd hingen.

'... verschrikkelijk gewoon,' was Ted aan het zeggen met zijn nieuwe grauwe gezicht en Elina moest zich inspannen om hem te kunnen horen, '... zijn hartslag viel weg en... snel naar de operatiekamer vervoerd... maar toen ging het allemaal... werkelijk overal, ongelooflijk... Elina is bijna...' Ted stopte en slikte het laatste woord in.

Heel even zei niemand iets. Er was het zachte, haast niet voor te stellen geluid van de ademhaling van de baby; een snel, vibrerend in- en uitademen. De stilte in de kamer leek net zo breekbaar en complex als ijsbloemen.

'Hm, hm, 't is wat, hè,' zei Teds moeder. 'Zeg, Ted, wil je even mijn camera pakken? Die zit in mijn tas, die staat daar.' Ze staarde naar de baby in haar armen. Haar gelaatsuitdrukking viel moeilijk te peilen. Verrukt, intens, gecompliceerd. Het was een blik van hunkering of hevige begeerte, die een scheut van angst door Elina heen deed gaan. En alsof hij dat voelde, liet de baby plotseling een schril kreetje horen.

Vanaf het bed zag Elina haar arm weer omhooggaan. Deze keer zag Ted het. Hij liep op haar af, boog zijn hoofd naar haar toe en pakte haar hand vast. 'Wat is er?' zei hij. 'Is alles goed?'

'De baby.' Het verraste Elina hoe schor haar stem klonk. 'Ik wil de baby terug.'

En hier is ze weer, Teds moeder, op de bank waar ze over had geklaagd en wachtend tot de baby wakker wordt zodat ze hem 'even kan vasthouden'.

'Vilkuna?' zegt ze, alsof het een scheldwoord is. 'Wordt hij een Vilkuna? Ga je je zoon niet de naam geven die hij hoort te hebben?'

Ted zet zijn mok recht en houdt zijn ogen op het vloerkleed onder zijn voeten gericht. 'Er zijn geen redenen om een kind de naam van zijn vader te geven in plaats van die…'

'Geen redenen? Geen redenen? Er zijn redenen genoeg. De mensen zullen denken dat hij… dat hij een onwettig kind is, dat hij…'

'Nou, dat is hij toch ook,' zegt Elina.

Teds moeder draait met een ruk haar hoofd om alsof ze vergeten was dat Elina er was en het geluid van haar stem haar aan het schrikken heeft gemaakt.

'In mijn tijd,' zegt ze met bevende stem, 'was dat iets waarmee mensen niet te koop liepen. In mijn tijd…'

'De wereld is veranderd, mam,' zegt Ted, en hij pakt zijn beker weer op, 'kom op. Nog een kop thee?'

Nadat zijn ouders vertrokken zijn, zich in hun keurige zilverkleurige autootje hebben opgevouwen en zijn teruggereden naar Islington, loopt Ted terug naar de zitkamer. Er is geen stukje oppervlak dat niet bedekt is met de rommel van die dag: op de grond slingeren pampers, op de tafeltjes staan koffiekopjes, op de tv staan een borstpomp en wenskaarten die zijn moeder heeft meegebracht, op de boekenplank een schaal half opgegeten koekjes, op een stoel ligt een boek over babyverzorging met het omslag naar boven.

Ted zucht en ploft op de bank neer. Hij had geen idee dat een baby krijgen zoveel gedoe met zich meebracht, zoveel bezoek, zoveel telefoontjes en e-mails, zoveel kopjes thee die moesten worden gezet, ingeschonken, afgeruimd en afgewassen, dat de simpele daad van de voortplanting betekende dat mensen opeens een paar keer per week langs wilden komen en urenlang in je huis bleven zitten.

Ted ruimt het dienblad op. Hij loopt door de zitkamer, langs Elina die met een hand de baby afveegt en hem met de andere hand met iets insmeert, baant zich een weg door speeltjes, rammelaars, pampers, babydoekjes en hydrofielluiers. Hij verzamelt de her en der staande koffiekopjes en gebakschoteltjes en brengt die van de zitkamer naar de keuken. Elina geeft hem de baby en gaat dan zelf op handen en knieën zitten om een vlek op het vloerkleed weg te boenen – melk? kots? poep?

Ted houdt zijn zoon tegen zijn borst en loopt steeds rondjes door de kamer, om de tafel heen. De ogen van de baby beginnen weg te rollen, hij zuigt afwezig op zijn duim – hij zal toch wel gaan slapen? Hij blijft in beweging, schommelt heen en weer, als een schip in een kalme zee. De oogleden van de baby zakken, het zuigen gaat langzamer, maar zodra hij in slaap valt, glijdt zijn duim uit zijn mond en schiet hij weer wakker en doet verschrikt zijn ogen open. Zuig, zuig, ogen dicht, duim glijdt uit mond, ogen gaan open en kijken weer in het rond, langs Elina die nu hydrofielluiers opvouwt, over de speeltjes, het aankleedkussen, de pampers. Ted legt hem zo tegen zich aan dat de arm met de duim eraan tegen zijn borst zit geklemd, niet meer beweegt, maar die verandering van positie lijkt de baby ergens aan te doen denken want hij beweegt plotseling schokkerig, spant zijn rugspieren en draait met zijn hoofdje, bedacht op de mogelijkheid dat hij te eten krijgt.

Ted probeert hem nog even in slaap te krijgen maar het enige wat de baby nu wil is drinken – hij huilt, hij mokt, hij ligt te worstelen en te kronkelen – en uiteindelijk tikt Ted Elina op de schouder. Zonder een woord te zeggen veegt ze een zootje babydoekjes, instructies voor sterilisators, babysokjes, ongeopende wenskaarten van de stoel op de grond, gaat zitten en schuift haar bloes omhoog.

Ted kijkt toe hoe zij de baby aanlegt. Het verbaast hem hoe soepel en snel ze dat doet: met haar ene hand haakt ze haar beha los en met de andere hand tilt ze met een snelle beweging de baby op. Hij slaakt nog een laatste, hoog kreetje van opluchting en is dan stil. Elina zakt dieper weg in de stoel en laat haar hoofd tegen de muur rusten. Het valt Ted weer op hoe bleek ze is, hoe donker en diep de kringen onder haar ogen zijn, hoe dun haar armen en benen lijken. Hij voelt een behoefte om zich te verontschuldigen – waarvoor weet hij eigenlijk niet. Hij pijnigt zijn hersens om iets te zeggen, iets luchtigs en misschien geestigs, iets wat hen afleidt, iets wat hen eraan herinnert dat het leven niet alleen maar hieruit bestaat. Maar hij weet niets te bedenken en op dat moment kromt de baby zijn rug, huilt, beweegt onrustig, zwaait met zijn vuistjes, en Elina moet haar ogen opendoen, rechtop gaan zitten, hem over haar schouder leggen, over zijn ruggetje wrijven, zijn handjes uit haar haar losmaken, en Ted kan het niet verdragen. Hij kan het niet aanzien hoe ze weer in beweging moet komen, dat vermoeide hoofd van de muur los moet maken, zichzelf tot actie aan moet zetten. Hij grijpt naar een over het hoofd gezien gebaksschoteltje en vlucht naar de keuken.

De baby blijft onrustig. Elina duwt zich naar voren en gaat overeind staan. Soms is het enige wat werkt dat ze hem de borst geeft terwijl ze rondloopt. De beweging lijkt hem kalmeren, lijkt beter te zijn voor zijn spijsvertering. Of zoiets. Ze loopt langzaam, langzaam naar het raam en weer terug. De baby is ongedurig, draait zijn hoofdje de ene kant op, dan de andere kant, en hapt dan in haar tepel. Elina blijft rondlopen en laat stukje bij beetje haar adem ontsnappen. Ted staat nu in de keuken, met zijn handen in de afwasteil.

'Ted,' zegt ze als ze langs hem loopt op weg naar de televisie, waar ze zich omdraait en weer terugloopt, omdat ze iets tegen hem wil zeggen, hen allebei eraan wil herinneren dat ze meer voor elkaar zijn dan alleen maar de ouders van hetzelfde kind.

'Hm?' Hij tilt een druipend kopje uit het water.

Het lastige is dat ze niets weet te zeggen. 'Hoe gaat het met je?' probeert ze.

Hij kijkt haar verbaasd aan. 'Het gaat goed met me. En met jou?'

'Met mij gaat het ook goed.'

'Mooi. Moe?'

'Natuurlijk. En jij?'

'Natuurlijk.' Hij haalt een bord uit het schuimende water en legt dat boven op het kopje. 'Misschien moet je even gaan rusten nadat hij gedronken heeft.'

'Misschien,' zegt ze. 'Misschien valt hij in slaap. Dan kunnen we allemaal een dutje doen.'

Ted knikt. 'Klinkt goed.'

Elina kan er niet tegen. Waarom praten ze zo tegen elkaar? Wat is er met hen gebeurd? Ze probeert één ding te bedenken, één interessante zin om te zeggen, om hen hieruit te krijgen, maar haar hersens laten haar in de steek. Ze draait zich om en loopt de kamer door met de baby – hoe kan het dat ze een kind heeft voortgebracht dat alleen maar kan drinken als het in beweging blijft? – van de bank, langs de tafel, door de keuken en naar het raam.

Het is niet altijd zo geweest. Dat wil ze graag vaststellen: ze zijn niet altijd zo geweest.

Ze legt de baby tegen haar schouder, zijn voorhoofd rust in de holte van haar hals, de vochtige warmte van zijn ademhaling verspreidt zich over haar kraag. Ze had Ted leren kennen omdat ze op zoek was naar een woning; ze was op zoek naar een woning omdat ze besloten had bij Oscar weg te gaan; ze had besloten om bij Oscar weg te gaan omdat hij nooit zijn eigen verfspullen kocht en altijd die van haar pikte, omdat hij alleen maar een gebakken ei met spek kon maken, omdat hij met een serveerster naar bed was geweest; hij was met de serveerster naar bed geweest, zo had Oscar gezegd, omdat hij zich bedreigd voelde door het succes van Elina's laatste expositie. En daarom – vanwege een kettingreactie van spek, gegapte penselen, seks met serveersters, en een plek om te wonen – had ze het nummer gebeld waarmee een kamer in Gospel Oak werd aangeboden. Vlak bij de Heath, stond erbij, en daarom had ze die gekozen. En daar, in dat huis vlak bij de Heath, was een zolderkamer die via een ladder bereikbaar was, met het allermooiste pure, egale Londense licht dat je je kon voorstellen. De man, Ted, had haar geholpen haar kisten naar binnen te dragen, haar verf, haar rollen schilderslinnen. Er was een tuin aan de achterkant van het huis, een blauw geschilderde keuken en soms een vriendin die Yvette heette, een magere vrouw met de oplettende blik van een kat. Elina werkte en sliep op haar zolderkamer, ze stopte met roken, ze reageerde niet op telefoontjes van Oscar, ze had weer een expositie, deze keer groter en alleen rond haar werk, ze begon weer te roken, beneden liep Ted in en uit, en Yvette ook. Als Elina hen in de slaapkamer onder zich hoorde, deed ze haar oortjes in en zette de muziek harder. En opeens was Yvette weg. Had Ted verlaten voor een acteur. Ted kwam de ladder op om het Elina te vertellen. Elina zei: acteurs zijn nooit te vertrouwen. Ze nam Ted mee naar een besloten expositie met foto's van travestieten en daarna gingen ze naar een bar. Ted werd dronken. Ted viel op de grond. Elina belde een taxi en hielp hem naar binnen. De volgende dag zochten ze de acteur op internet op met Elina's laptop – Elina zei dat hij het soort schoonheid bezat die niet lang meeging, en droeg hij zijn broek niet een tikkeltje te hoog? Ted begon haar bezoekjes te brengen op haar kamer. Hij lag graag op haar bed en vertelde dan over de film waar hij aan bezig was of over de rushes die hij die dag had gemonteerd. Elina moest dan ophouden met werken – ze kon niet schilderen als iemand toekeek – maar ze kon altijd haar penselen schoonmaken, een doek opspannen, haar werktafel schoonmaken. Soms gingen ze in de schemering een wandeling over de Heath maken. Soms gingen ze naar de bioscoop. Dan praatten ze over de films. Hij leende haar boeken. Dan praatten ze over de boeken. Hij kookte voor haar als ze thuis was; als ze er niet was, legde hij een briefje neer waarin stond dat het eten in de koelkast stond. Ze ruimde de schoenen op die hij in de woonkamer had laten slingeren, zette ze keurig op een rijtje op het schoenenrek. Ze hing zijn sleutels terug aan het haakje. Als hij de deur uit was gegaan naar zijn werk maakte ze graag tekeningetjes op de spiegel die beslagen was van de douche die hij iedere ochtend nam – abstracte lijnen die naar een enkel middelpunt liepen. Ze vond het heerlijk om 's ochtends beneden te komen en te ontdekken dat het water in de ketel nog warm was van de kop thee die hij had gedronken. Op een keer, toen ze het laat in de middag koud had gekregen, had ze het eerste het beste aangetrokken dat ze zag – een trui van hem die hij op de trap had laten liggen – en was ze weer aan het werk gegaan. Maar ze kon zich niet concentreren, kon de verf niet laten doen wat zij wilde, kon niets anders zijn dan wat ze was: een vrouw in een kamer met een penseel in haar hand. Ze smeet het penseel op de grond en liep naar het schuine raam en daar merkte ze dat ze de mouw van de trui tegen haar neus hield en diep inademde. Zijn geur vulde haar gezicht, omringde haar. Geschokt trok ze de trui over haar hoofd uit en liet hem door het luik op de vloer daaronder vallen. Een week lang ging ze hem uit de weg, zorgde ervoor dat ze niet thuis was, bracht haar avonden door in bars, cafés, en galeries. Ze at zijn maaltijden midden in de nacht, sliep tot het middaguur, werkte 's middags. Ze verzamelde de briefjes die hij haar schreef, kookinstructies, een verzoek om geld voor de verwarming, een telefoontje dat ze had gemist, en bewaarde ze tussen de bladzijden van haar boeken. Ze begon aan een reeks kleinere schilderijen, allemaal in zwart en rood. Toen, op een dag, weer een briefje, dit keer wat langer, waarin hij schreef dat hij naar Berlijn ging naar het filmfestival, dat hij een extra ticket had en of ze zin had om mee te gaan? Ze ging. Berlijn was koud, de lucht gevuld met natte sneeuw, de trams zwoegend door bergen vuile sneeuw. Ze aten appeltaart in cafés, gingen 's middags films kijken, brachten een bezoek aan de overblijfselen van de muur. Ze verbleven in een hotel met een lits-jumeaux en getinte ramen waardoor de hemel theekleurig leek. De spreien waren van nylon en gleden 's nachts van het bed. Elina luisterde naar zijn ademhaling als hij lag te slapen. Stiekem bekeek ze de foto in zijn paspoort toen hij in de badkamer was. Ze keek naar zijn lege kleren die gekreukeld op een stoel lagen. Ze brachten een bezoek aan een kunstgalerie, zagen nog meer films, gingen naar een paar feestjes waar de mensen bevroren wodka dronken waarvan Ted zei dat hij er kiespijn van kreeg, ze sloeg hem gade terwijl hij stond te kletsen met een producente uit Canada die Cindy heette en e-mailadressen met haar uitwisselde. Elina werd dronken. Elina viel op de grond. Ted bracht haar naar het hotel en legde haar in bed. De volgende ochtend bracht hij haar een glas water. Ze gingen op zoek naar de Potzdammerplatz en troffen daar alleen maar een winkelgalerij aan. Ze aten tortilla's die veel te vet waren, ze schreven ansichtkaarten. Ze vroeg Ted aan wie hij de zijne schreef en hij vertelde het haar; hij stelde geen vragen over die van haar. Ze zagen nog een film, ze aten nog meer appeltaart, ze gingen weer naar een feest. Ze luisterde 's nachts naar zijn ademhaling. 's Nachts gleden hun spreien van hun bedden af, in de ruimte ertussen. Elina werd vroeg wakker, toen de lucht donker looizuurbruin zag, en zag ze daar rommelig op een hoop liggen. Ze gingen naar huis. Terug in haar zolderkamer zette ze de rood met zwarte schilderijen met de voorkant tegen de muur. Ze mengde wat verf, maar liet die op het palet opdrogen. Ze schudde de briefjes uit de boeken in de vuilnisbak. Ze lag op haar bed met haar hoofd over de rand te roken en door het dakraam naar buiten te kijken. Ze stond in de tuin een sigaret te roken toen Ted thuiskwam. Ze hoorde hem binnenkomen, door het huis lopen, het licht aandoen, de koelkast openen. Na een tijdje kwam hij naar buiten de tuin in. Hij riep haar heel zacht, Elina, met een vragende intonatie die haar naam in een vraagteken veranderde. Maar ze draaide zich niet om. Hij zei: ik dacht dat er niemand was. Hij stak het gazon over, zijn blote voeten zacht in het gras, en hij pakte het uiteinde van haar ceintuur vast – een lange stoffen ceintuur was het, die aan haar topje vastzat, en die een heleboel keer om haar middel was gewikkeld – en hij trok haar naar zich toe, hand over hand, als een man die zich uit diep water omhooghijst.

Dus ze zijn niet altijd zo geweest. Elina zegt dat tegen zichzelf terwijl ze Ted het afwaswater ziet weggooien, terwijl ze de baby in slaap probeert te krijgen, terwijl ze de ravage in de kamer overziet.

exie hoort minder snel weer iets van Innes dan ze had gedacht. Na afloop van het etentje was hij met haar meegelopen naar het station van Leicester Square en had de hele weg lopen praten. Hij was nog steeds aan het praten – over een schilderij dat hij een keer in Rome had gekocht, over een appartement waar hij had gewoond hier in de buurt, over een boek waarover hij een recensie moest schrijven en dat ze volgens hem maar eens moest lezen – toen hij haar een kus op haar wang gaf, een vederlichte kus, een licht strijken van zijn mond over haar huid, toen hij haar sjaal om haar hals schikte, toen zij hem gedag zwaaide en de trap af liep naar de ondergrondse.

Op maandag en dinsdag werkt ze: omhoog, omlaag, weer omhoog, en zo gaat het maar door. Op woensdag aanvaardt ze de uitnodiging van een man die bij de boekhoudafdeling werkt om met hem te gaan lunchen. Hij vertelt dat hij binnenkort weggaat om voor een bedrijf te gaan werken dat de nog resterende platgebombardeerde plekken in de stad opkoopt. Ze gaan naar een café – een Italiaans café en Lexie denkt aan mevrouw Collins als ze haar bestelling opgeeft – en eten lamskoteletjes die drijven in de jus. Haar collega morst jus van zijn vork op zijn pak en somt de verschillende typen bommen op die tijdens de oorlog zijn gebruikt en de specifieke schade die elk daarvan aanrichtte. Lexie knikt alsof het haar boeit, maar ze denkt aan de open plekken die ze overal in Londen heeft gezien – zwartgeblakerde kraters overwoekerd door brandnetels, rijen huizen met opeens een gapend gat ertussen, raamloze gebouwen die blind en leeg ogen – en ze bedenkt dat ze daar niet in de buurt zou willen komen, daar niets mee te maken zou willen hebben.

Ze werkt nog wat. Ze vervoert mensen van de schoenenafdeling naar de afdeling voor huishoudelijke apparaten, van de hoedenafdeling naar de korsettenafdeling, van handschoenen en sjaals naar het café op de bovenste verdieping. Op donderdag haalt ze Innes' visitekaartje uit haar tas en kijkt ernaar. Ze stopt het in de zak van haar uniform. Ze raakt het zo nu en dan even aan, tussen het bedienen van de lift door. Aan het eind van de dag stopt ze het weer in haar tas. Op vrijdag slaat ze een nieuwe uitnodiging af van de man van de boekhoudafdeling – voor een wandeling in Hyde Park.

In het weekend brengt ze een bezoek aan de Tate Gallery, en maakt ze een wandeling langs de rivier. Samen met Hannah gaat ze naar de bioscoop in Hampstead. Ze richt haar kamer opnieuw in, poetst haar schoenen en maakt een boodschappenlijstje. Het weer slaat om en het wordt nat en bewolkt, en Lexie zit bij het open raam, waar haar kousen op de vensterbank liggen te drogen, naar de lucht te staren en verbaast zich erover dat die er gek genoeg precies hetzelfde uitziet als de lucht thuis.

Op maandagavond om vijf over zes komt Lexie door de deuren van het warenhuis naar buiten gestapt met de boekhouder, en daar, met twee wielen op het trottoir geparkeerd, staat een ijsblauw en zilverkleurige MG.

De eigenaar staat geleund tegen de motorkap een krant te lezen, sigarettenrook zweeft van hem weg als een sjaal. Hij draagt opvallend puntige laarzen met een elastische inzet en een turquoise overhemd.

Lexie blijft staan. De jonge boekhouder houdt haar bij haar elleboog vast en vraagt smekend of ze met hem meegaat naar een pub in Marble Arch. Innes kijkt op. Hij laat zijn blik over haar en de boekhouder glijden. Zijn gelaatsuitdrukking ondergaat een minuscule verandering. Dan smijt hij de sigaret weg en terwijl hij over het trottoir aan komt lopen, vouwt hij de krant op.

'Schat,' zegt Innes, slaat zijn arm om haar middel en kust haar vol op de mond. 'Ik ben met de auto. Zullen we gaan?' Hij doet het portier aan de passagierskant open en Lexie, verbijsterd door de kus, door de snelheid waarmee de gebeurtenissen zich lijken te voltrekken, door zijn opmerkelijke overhemd, stapt in. 'Tot ziens.' Innes zwaait even naar de boekhouder en glijdt achter het stuur. 'Leuk kennisgemaakt te hebben.'

Lexie is vastbesloten om niet als eerste iets te zeggen. Hoe durft deze man haar in zijn auto te proppen? Hoe durft hij meer dan een week uit beeld te verdwijnen en haar dan op haar mond te kussen?

'Wie is die trol?' mompelt Innes terwijl ze met piepende banden van het trottoir wegrijden.

'Die trol?'

Met een ruk van zijn hoofd gebaart Innes naar het trottoir. 'Je vriend in het flanellen pak.'

'Hij… ik…' ze probeert te bedenken wat ze eigenlijk wil zeggen. 'Hij is geen trol,' komt er uiteindelijk tamelijk hooghartig uit. 'Hij is zelfs een heel interessante man. Hij gaat zoveel gebombardeerde plekken in de stad opkopen als hij kan…'

'O, een zakenman.' Innes laat een lange, schaterende lach horen. 'Ik had het kunnen raden. De klassieke fout van iemand in jouw positie.'

'Hoezo?' schreeuwt Lexie die onmiddellijk kwaad wordt. 'Welke fout? En hoezo, in mijn positie?'

'Een jong meisje dat net in de grote stad is gearriveerd. Verblind door de agressieve mentaliteit van de zakenwereld.' Hoofdschuddend slaat hij Charing Cross Road in. 'Zo gaat het steeds. Je weet best,' zegt hij, en hij reikt opzij en pakt haar hand vast, 'dat ik alle reden heb om gegriefd te zijn.'

'Waarom?'

'Ik draai vijf minuten mijn rug om en het volgende moment heb je een vastgoedmakelaar aan de haak geslagen. Ik bedoel, hoe zit het dan met onze…'

'Vijf minuten?' ze rukt haar hand los. Ze schreeuwt weer. Dat zou ze liever niet doen, maar ze lijkt niet op normale toon te kunnen spreken. 'Het is al meer dan een week geleden. En trouwens, jij hebt niet het recht om…'

Maar Innes glimlacht in zichzelf en wrijft met zijn hand over zijn kin. 'Aha, dus je hebt me gemist.'

'Absoluut niet. Helemaal niet. En als jij denkt…' Ze zwijgt. De auto is een smalle straat ingedraaid met verduisterde ramen en vaag verlichte uithangborden boven de deuren. 'Waar gaan we naartoe?'

'Naar een jazzclub, dacht ik. Maar pas later op de avond. Eerst moet ik nog even terug naar kantoor.' Voor het eerst kijkt hij haar lichtelijk ongerust aan. 'Vind je dat goed? Ik kan mijn personeel niet in de steek laten op de dag dat het tijdschrift verschijnt, snap je. Je kunt een boek lezen, als je wilt, tot ik klaar ben. Het duurt niet lang. Er staan genoeg boeken, maar misschien heb je zelf een boek bij je. Het is een mager aanbod, dat weet ik, maar ik wilde er zeker van zijn dat je me niet zou ontglippen.'

Lexie kromt een vinger in haar handschoen. Ze kijkt naar de natte straten van Soho, naar de lichten in de kamers daarboven terwijl ze voorbij rijden, naar een man op een fiets met een mand achterop waarin kranten hoog zijn opgestapeld. Ze wil hem niet laten merken dat ze het kantoor dolgraag eens van binnen zou willen zien, in die hectische ruimte zou willen staan waarvan ze laatst een glimp opving. 'Wat je wilt,' zegt ze onverschillig.

Het is rustig op het kantoor van *Elsewhere* als ze daar aankomen. Heel even denkt Lexie dat er niemand is. Maar Innes beent door de ruimten tussen de krappe bureaus en zegt: 'Schieten jullie al op?' tegen iemand en Lexie loopt verder en ziet drie mensen – een man en twee vrouwen – op de vloer geknield zitten, omringd door stapels tijdschriften en enveloppen. Ze kijkt hoe Innes naast hen op zijn knieën gaat zitten, een tijdschrift pakt, het in een envelop stopt en die op een stapel gooit.

'Innes, wat doe je nou!' roept een van de vrouwen en ze grijpt met haar handen in haar haar, nogal overdreven vindt Lexie.

'Hier,' zegt de man en hij geeft een klopje op een andere stapel. 'De enveloppen die klaar zijn gaan hierop. Daphne heeft de lijst. Zij heeft het duidelijkste handschrift. We hebben ze vergeleken en dat van haar was veruit het best leesbaar.'

Innes steekt weer een exemplaar van het tijdschrift in een envelop en gooit die naar de vrouw die met haar rug naar Lexie toe staat.

'Kan ik helpen?' zegt Lexie.

Alle hoofden draaien zich om en kijken haar aan. Daphne, de vrouw met de lijst, haalt de pen uit haar mond.

'Mensen, dit is Lexie,' zegt Innes en wijst naar haar. 'Lexie, dit zijn de mensen.'

Lexie brengt haar hand omhoog en zwaait even. 'Dag, mensen.'

Het blijft even stil. De man schraapt zijn keel; de vrouw werpt een blik op Daphne en kijkt dan de andere kant op. Lexie strijkt haar liftbediende-uniform glad en veegt haar haar uit haar gezicht.

'Kom hier maar zitten.' Innes geeft een klopje op de grond naast hem. 'Je kunt me helpen ze in de enveloppen te doen, maar alleen als je wilt. Lexie zwoegt in de machinerie van een warenhuis,' zegt hij tegen de anderen. 'We willen haar niet afbeulen maar we zeggen geen nee als we hulp kunnen krijgen, toch?'

Lexie en Innes stoppen de tijdschriften in de enveloppen,

Daphne schrijft de adressen erop en werkt de lijst af. De man die zich voorstelt als Laurence plakt de postzegels erop. De andere vrouw, Amelia, haalt nog meer tijdschriften en nog meer enveloppen, zet thee voor iedereen en haalt de inktpot als Daphnes pen leeg is. Innes vertelt over een galeriehouder met wie hij de dag daarvoor heeft geluncht en dat de man zijn haar heeft geverfd sinds de laatste keer dat Innes hem heeft gezien. Laurence stelt Lexie vragen over haar werk en vraagt waar ze woont. Innes geeft hun een beschrijving van het pension waar Lexie woont, en zegt dat het uit een verhaal van Colette zou kunnen komen. Laurence en Amelia ruziën wat over een expositie in Parijs. Daphne zegt dat ze allebei onzin praten. Het is een van de weinige dingen die ze zegt en Lexie maakt van de gelegenheid gebruik om haar stiekem te bestuderen: een tengere vrouw met mooi donker haar, die een lange wijde dirndljurk draagt. Ze draait haar hoofd om en vangt Lexies blik.

Als alle enveloppen zijn geadresseerd en alle postzegels erop zijn geplakt, doet Laurence ze allemaal in een grote postzak. Dan zet hij zijn broekspijpen vast met fietsclips en neemt met een zwaai afscheid. Amelia's vriendje komt haar afhalen. Daphne doet er lang over om haar spullen bij elkaar te zoeken, trekt haar jas aan, en haalt een kam door haar haar. Lexie en Innes zwijgen terwijl ze daarmee bezig is, en Lexie staart naar de groezelige blauwe bloemen op het vloerkleed. Vlak voordat Daphne de deur uit loopt, draait ze zich om.

'Tussen haakjes, Innes,' zegt ze met een zweem van een glimlach om haar mond, 'je vrouw heeft vandaag nog gebeld.'

Als Innes al in verlegenheid is gebracht, laat hij het niet merken. Hij is iets in een dossier aan het bestuderen. 'Dank je, Daphne,' zegt hij zonder op te kijken.

Daphne stapt iets verder in het licht. 'Ik had het je eerder willen zeggen,' zegt ze met opgeheven kin, 'maar ik ben het vergeten. Ze vroeg of je haar wilde terugbellen.'

'Ik begrijp het.' Hij slaat een bladzijde in het dossier om. 'Goed, nog een prettige avond. Bedankt, zoals altijd, voor je inzet.'

Ze loopt de deur uit, met haar jas achter haar aan fladderend. Innes zet het dossier terug op de plank, strijkt met zijn vinger langs de schoorsteenmantel, gaat op een stoel zitten, en staat dan weer op. Lexie blijft op haar stoel zitten, met gekruiste benen, handen in haar schoot. Ze staart naar de blauwe bloemen die uit zichzelf lijken te bewegen, hun blaadjes trillen tegen de grijze achtergrond, de blauwe meeldraden sidderen.

Ze is zich ervan bewust dat Innes tegenover haar komt zitten, tussen hen in staat een bureau.

'Goed,' zegt hij op zachte toon, 'tijd om de kaarten op tafel te leggen, geloof ik.' Hij pakt een stapeltje visitekaartjes van het bureau en begint die te schudden alsof ze gaan kaarten. Hij doet het goed, de kaarten maken een ritselend en ratelend geluid terwijl hij ze tussen zijn handen uit elkaar trekt en in elkaar schuift.

Hij legt een enkele kaart op het bureau met de voorzijde naar beneden. 'Nummer een,' zegt hij, 'ik heb een vrouw. Ik was van plan om het je te vertellen maar Daphne, die dondersteen, was me voor.' Hij zwijgt even en praat dan behoedzaam verder. 'Ik ben met Gloria getrouwd toen ik nog erg jong was, zo jong als jij nu bent, om precies te zijn. Dat was tijdens de oorlog en het leek toen een goed idee. Ze is… hoe kan ik het verwoorden zonder onhoffelijk te klinken? Ze is de meest monsterlijke persoon die je ongelukkigerwijs tegen zou kunnen komen. Vragen tot dusver?'

Lexie schudt haar hoofd. Innes legt weer een kaart op tafel.

'Twee,' zegt hij, 'je moet ook weten dat er een dochter is. Alleen in naam de mijne.' Hij legt een derde kaart op tafel. 'Ik heb heel weinig geld en ik slaap nauwelijks.' Er wordt een vierde kaart naast de drie andere gelegd. 'Ik krijg te horen dat ik te hard werk, te vaak.' Hij legt een vijfde kaart op tafel, dicht bij Lexies hand. 'Ik ben smoorverliefd op je vanaf het eerste moment dat ik je zag.

Misschien heb je dat al gemerkt. Ik geloof dat "bezeten" het juiste woord is. Ik ben bezeten van Lexie.'

Ze kijkt hem aan, zijn handen grijpen in zijn haar, het kraagje van zijn overhemd zit scheef. 'Echt waar?' zegt ze.

Hij zucht. 'Ja.' Hij legt zijn hand op zijn hart. 'Honderd procent ja.'

'Ik wil iets weten.'

'Wat je maar wilt.'

'Ben je met Daphne naar bed geweest?'

'Ja,' antwoordt hij onmiddellijk. 'Nog meer vragen?'

'Was je verliefd op haar?'

'Nee. En zij ook niet op mij.'

Lexie fronst haar wenkbrauwen. 'Volgens mij zou je je daar wel eens in kunnen vergissen.'

'Nee,' hij schudt zijn hoofd. 'Daphne is al jaren verliefd op Laurence. Maar Laurence voelt zich niet op die manier tot haar aangetrokken. Hij valt niet op vrouwen.'

Lexie zegt: 'En Amelia?'

Hij zwijgt even, wat duidt op aarzeling. 'Wat is er met haar?'

'Ben je met haar naar bed geweest?'

Hij kijkt even melancholiek voor zich uit en knikt dan. 'Heel lang geleden.' Een plotselinge gedachte lijkt hem op te monteren. 'En het was maar één keer.'

Lexie verzamelt de kaarten die hij op het bureau heeft gelegd. Ze draait ze om in haar handen, kijkt naar zijn naam die erop gedrukt staat, denkt aan een dichte groene heg honderden kilometers van haar vandaan. Ze legt ze eerst in de lengte achter elkaar en daarna in de breedte. Ze kijkt naar Innes die een sigaret opsteekt. Ze ziet dat zijn handen lichtjes trillen. Ze kijkt weer naar de kaarten.

Ze legt er een op het bureau en legt een volgende er schuin overheen. Ze is op datzelfde moment opgelucht dat ze vorig jaar naar bed is geweest met een jongen van de universiteit. Maagdelijkheid heeft haar altijd een lastige, onplezierige toestand geleken, iets waar ze zo snel mogelijk van af moest zien te komen. Ze had de jongen gekozen omdat hij zich regelmatig waste, grappig was en heel graag wilde. Ze legt er weer een kaart bovenop en nog een en nog een, en vormt een waaier. In zekere zin hadden ze daarmee allebei hun nieuwsgierigheid bevredigd. In haar herinnering was het een serieuze en korte aangelegenheid geweest, die door onoverzichtelijke lagen kleren heen tot een goed einde werd gebracht, in het hoge gras van een vochtige weide. Ze herinnert zich een langdurig geworstel met de onbekende riemen en sluitingen van elkaars ondergoed, hoe haar haar in een knoop van zijn overhemd verstrikt raakte, het niet onaangename schommelende, glijdende gevoel daarna. Maar iets zegt haar dat het met Innes totaal anders zal zijn. Ze schuift de kaarten in elkaar en sluit de waaier, zodat ze allemaal onder de bovenste kaart komen te liggen.

'Moet je horen,' zegt hij, en hij morst as op het bureau, 'dit is een waardeloze avond voor je geweest. Wat moet je wel niet van me denken? Ik neem je mee uit en laat je dan zwoegen op mijn kantoor, en vervolgens onthul ik je mijn liederlijke verleden. Dat gaat niet. Je hebt nog niet eens gegeten. Zullen we naar die club gaan? Daar kunnen we zeker iets te eten krijgen. Of anders op weg daar naartoe. Wat vind je ervan?'

'Ik vind...' Ze kijkt hem even nadenkend aan. Hij ziet er opeens ellendig uit, met zijn haar in de war, zijn sigaret bijna helemaal opgebrand, de gespannen blik in zijn ogen, die gevestigd zijn op de hare.

'O god,' barst hij uit, 'je gaat me toch niet in de steek laten? Ik heb het helemaal verknald, hè? Ik bedoel, ik neem je hier mee naartoe en dan moet je dit allemaal aanhoren.' Hij gebaart woest om zich heen. 'Je denkt nou natuurlijk dat ik een ontaard, verloederd type ben, hè? En jij bent eigenlijk nog maar een kind, een onschuldig kind, een...'

Nu wordt ze nijdig. 'Dat ben ik helemaal niet,' snauwt ze. 'Ik ben eenentwintig en ik ben geen onschuldig kind, ik heb…'

'Ze is eenentwintig,' roept hij tegen het plafond. 'Is dat oud genoeg? Is dat eigenlijk wel legaal?' Hij leunt over het bureau naar haar toe, zo dicht dat ze zijn geur opvangt – haarolie, een zweem van zeep, verse sigarettenrook. Ze ziet dat zijn haar bij zijn voorhoofd recht omhoog groeit, ze ziet zijn kin waarop stoppels zichtbaar worden, zijn pupillen die nauwelijks waarneembaar groter en kleiner worden. 'Ik ben vierendertig,' mompelt hij, 'is dat te oud voor jou? Maak ik nog een kans?'

Haar hart bonkt zo hard dat het pijnlijk aanvoelt in haar borstkas. Zijn nabijheid doet haar terugdenken aan het gevoel van zijn lippen die tegen de hare drukten en ze ontdekt dat ze dat weer wil ervaren, maar nu harder en langer. 'Ja,' weet ze uit te brengen.

Hij glimlacht, een plotse, brede glimlach. 'Mooi.' Hij omvat haar hand met zijn beide handen. 'Mooi,' zegt hij weer.

'Ik denk,' ze haalt diep adem want haar keel voelt zo gespannen dat de woorden er nauwelijks uit komen, 'dat we die jazzclub maar moeten overslaan. Laten we in plaats daarvan naar bed gaan.'

Innes ging daarop heel kordaat en efficiënt te werk. Hij ging haar voor naar de achterkamer, en ruimde alle papieren en koffiekopjes en pennen van een canapé die daar stond. Hij liet haar plaatsnemen. Hij kuste haar, licht maar intens. Lexie veronderstelde dat het, de daad, meteen zou plaatsvinden en snel. Zo was het ook gegaan met die jongen in de wei – zodra ze het had voorgesteld had de jongen zijn schoenen uitgeschopt. Maar Innes leek absoluut geen haast te hebben. Hij raakte haar haar aan, streelde haar hals, haar armen, haar schouders en hij praatte, bleef het zoals altijd over van alles en nog wat hebben. En onder het praten trok hij haar kleren – dat wil zeggen het liftbediende-uniform – een voor een uit: het jasje met de koperen knopen en de naam van het warenhuis in gouddraad erop geborduurd, de rode sjaal, de bloes die kriebelde bij de hals. Het ging allemaal heel geleidelijk en heel plezierig. Ze kletsen nog wat, over het tijdschrift, waar ze haar schoenen vandaan had, hoe ze die dag naar haar werk was gegaan – er waren wat problemen met de ondergrondse geweest – over een lekkende leiding in zijn appartement, over de boekhandel die hij wilde benaderen met de vraag of ze *Elsewhere* in voorraad wilden houden. Op dat moment leek het heel gewoon. Ze zaten daar te praten zoals mensen dat doen, en op een vreemde manier leek het helemaal niet vreemd dat zij geen kleren aan had, dat hij bijna naakt was, dat hij – mijn god – volledig naakt was, dat hij daar was, naast haar, over haar heen, in haar. Hij wiegde haar hoofd in zijn handen. Hij zei: 'mijn liefste,' hij zei: 'mijn lieveling.'

Zelfs nadien bleef hij praten. Innes kon altijd praten. Lexie luisterde naar hem terwijl hij een van zijn moeders pekinezen beschreef, dat die onder het eten over tafel mocht lopen; ze liep de kamer door om een deken te zoeken omdat het tochtte in de achterkamer. Ze kwam terug en legde de deken over hen heen. Hij sloeg zijn arm weer om haar heen en vroeg of ze lekker zat, en ging toen verder met een verhaal over een Rus die bij hen op bezoek was en aanbood de pekinees met een klappertjespistool neer te schieten. Hij stak twee sigaretten voor hen aan en toen ze de sigaret uit zijn mond trok en tussen haar eigen lippen stak, was het alsof op dat moment de enorme omvang van wat er was gebeurd pas tot haar doordrong. Ze voelde tranen achter haar ogen opwellen. Wat deed ze hier, naakt op een sofa met een man? Een man met een vrouw en een dochter? Ze moest slikken en nam een trek van de sigaret.

Hij had het blijkbaar gemerkt, want hij hield op met praten en de arm om haar middel spande zich en trok haar dichter tegen zich aan.

'Weet je?' zei hij, en hij gaf een kus op haar haar. 'Ik vind…' Hij zweeg en ging wat verzitten. 'Dit ding zit verdomd ongemakkelijk. De volgende keer vrijen we in een bed. Dat moet dan maar bij mij. Ik betwijfel of je hospita dat soort liederlijke handelingen zou toestaan.' Hij gaf haar weer een kus op haar slaap. 'Ik vind dat je maar voor mij moet komen werken.'

Ze ging rechtop zitten en morste daarbij as over hun tweeën en over de deken. 'Wat zeg je?'

Innes glimlachte en nam een lange trek van zijn sigaret. 'Je hebt het goed gehoord.' Hij stak zijn arm uit en terwijl hij de deken van haar schouders af trok, liet hij een blije zucht ontsnappen. 'Weet je, ik wilde dolgraag weten hoe je borsten eruit zouden zien en ik moet zeggen dat ze me absoluut niet teleurstellen.'

'Innes…'

'Niet te klein, niet te groot, en van onderen zijn ze volmaakt gevormd – wist je dat? – dat gevoel had ik al. Ik ben altijd een groot bewonderaar geweest van borsten die pront omhoog wijzen naar het plafond, zoals die van jou. Ben nooit dol geweest op borsten die naar de grond turen.'

Ze raakte zijn arm aan. 'Luister eens…'

Onmiddellijk legde hij zijn hand over de hare en hield hem daar. 'Je moet hier komen werken,' zei hij, 'waarom niet? Je verspilt je tijd bij die leveranciers van luxe prullen. Dat ziet iedereen. En het bevalt me niet hoe die collega van jou naar je kijkt.' Hij vertrok zijn gezicht tot een grimas, als een buldog. 'Je bent een slimme meid. Je hoeft geen verschrikkelijk moeilijk werk te doen, tenminste niet in het begin. Allerhande klusjes, je kent het wel. Typen en van alles regelen. Hoe gaat het met typen, trouwens?'

'Beter,' zei ze. 'Ik heb geoefend. Ik ben bij hoofdstuk vier van mijn leerboek. Ik weet nu hoe ik kantlijnen moet zetten om waslijsten te maken.'

'Fantastisch. Dat komt goed van pas bij *Elsewhere*.'

Ze boog voorover zodat haar gezicht dicht bij het zijne kwam en hij bleef haar recht aankijken. 'Niet nee zeggen,' mompelde hij, 'ik haat het om afgewezen te worden, dat moet je ondertussen toch weten en ik neem geen genoegen met nee. Ik blijf net zo lang door-zeuren tot je ja zegt. Kom op, bel die prullenleveranciers morgen-ochtend op en dien je ontslag in.'

'Hmm,' zei ze en ging weer rechtop zitten, 'misschien.' Ze streek haar haar uit haar gezicht en gooide het over haar schou-ders. 'Maar het hangt ervanaf.'

'Waarvan dan?'

'Van wat je me gaat betalen.'

Voor het eerst betrok Innes' gezicht. 'Jij op geld beluste kleine je-weet-wel. Ik bied je een gouden kans, een kans om jezelf om-hoog te werken – om het zo maar te zeggen – uit een dodelijk saaie baan en…'

'Ik ben helemaal niet op geld belust. Alleen maar praktisch. Ik kan niet van de lucht leven. Ik moet de huur betalen, ik moet eten, ik moet mijn kaartjes voor de ondergrondse kunnen betalen. Ik moet voor…'

'Al goed, al goed,' zei hij korzelig, 'spaar me de lijst van je uitga-ven.' Hij bracht de sigaret naar zijn mond en nam met gefronste wenkbrauwen een trek. 'Hmm,' zei hij en richtte zich tot het pla-fond. 'Ze wil betaald worden.' Hij dacht nog wat na. 'Er is geen geld natuurlijk, geen cent. Ik zou natuurlijk een van mijn schilderijen kunnen verkopen. Daar kun je wel een tijdje nylonkousen van dra-gen en…'

'Ik draag geen nylonkousen,' onderbrak ze hem.

Hij keek haar aan. 'O nee? Mooi. Kan die dingen niet uitstaan.' Hij keek weer naar het plafond. 'Goed. Ik verkoop een schilderij. Daar kunnen we je van betalen tot ik met een betere oplossing kom. En je moet natuurlijk bij me intrekken.'

'Wat?' zei ze.

'Om op de huur te besparen. Ik vraag niets voor kost en inwo-ning.'

'Innes, ik kan echt niet…'

'We moeten allemaal een offertje brengen,' zei hij grinnikend, met een hand achter zijn hoofd. 'Ik ga mijn schets van Hepworth verkopen met die in tweeën gedeelde bol, het minste wat jij kan doen is een tijdje met me naar bed gaan.'

'Maar... maar...' hakkelde ze. Innes maakte van de gelegenheid gebruik om zijn hand omhoog te brengen en haar rechterborst te strelen. 'Hou op,' zei ze, 'ik probeer een serieus gesprek te voeren.' Ze duwde zijn hand weg. 'Maar hoe zit het dan met je vrouw?' vroeg ze.

De hand was terug. 'Hoe het met haar zit? Ik hoef haar geen toestemming te vragen over wie ik in dienst neem,' mompelde hij en liefkoosde de onderkant van haar borst.

'Ik bedoel dat ik dan bij jou kom wonen.'

'O.' Hij liet zich weer achterover op de sofa vallen. Hij blies een wolk rook uit en staarde even naar de omhoog zwevende kringen, richtte zich toen op en drukte zijn sigaret op een bordje uit. 'Daar hoef je je geen zorgen over te maken. We wonen niet samen – al een hele tijd niet meer. Dat gaat haar niets aan.'

Ze zei niets maar begon de kwastjes van de deken in elkaar te vlechten.

'Dat gaat haar niets aan,' zei hij weer.

Lexie ging verder met vlechten. 'Vraag je wel vaker of mensen bij je komen wonen?' vroeg ze zonder hem aan te kijken. Die andere vrouwen konden haar niet zoveel schelen maar ze wilde wel graag weten welke plaats ze in de hiërarchie innam.

'Nooit,' verklaarde hij. 'Ik heb het nog nooit aan iemand anders gevraagd. Ik heb nog nooit eerder iemand meegenomen naar mijn appartement, zelfs niet om er te slapen. Ik prop mijn huis niet graag vol met... met...' hij maakte een wuivend gebaar door de lucht, '... mensen.' Daar dachten ze allebei even over na en toen sprong Innes onverwacht van de sofa omhoog. 'Kom, dan gaan we,' zei hij, en hij begon zijn kleren aan te trekken.

'Waarheen?' vroeg ze verbijsterd. Ze was nog niet gewend aan Innes' impulsieve gedrag.

'Je spullen ophalen,' hij pakte haar bij de hand en trok haar om-hoog.

'Welke spullen?'

'Uit je kamer.' Hij gaf haar haar jas aan, zonder er blijkbaar bij stil te staan dat ze nog naakt was. 'Je hebt lang genoeg in die tempel van maagdelijkheid gewoond. Je komt bij mij wonen.'

Vandaag de dag is Innes' appartement geen appartement meer. Op het eerste gezicht is het onherkenbaar, vijftig jaar later. Maar de deurstijlen zijn nog hetzelfde, de sluitingen van de ramen, de licht-knopjes, de kroonlijsten op het plafond. De textuur van zijn be-hang is nog net zichtbaar onder de afzichtelijke lila verf die op de muren is gekwakt. Op de overloop ligt nog steeds de losse plank waar mensen altijd over struikelden en waar nu een beige tapijt overheen ligt, en niemand die hier woont weet dat daaronder nog altijd een reservesleutel van het kantoor van *Elsewhere* ligt. De open haard heeft de verschillende renovaties en incarnaties van de vertrekken overleefd. Het is nog steeds hetzelfde smalle, vroeg-victoriaanse geval met de contouren van bladeren en stengels in het ijzer geperst. Aan de linkerkant zit een schroeiplek van een on-gelukje met een kaars die Lexie in de winter van 1959 had aangesto-ken, toen ze geen kleingeld voor de meter meer hadden. Onder het tapijt bij de deur zit een vlek op de planken die is ontstaan tijdens een feestje dat ze later dat jaar hielden. Er hangt een bijna tastbare herinnering aan hen beiden in deze kamers – en je krijgt het gevoel dat de tijd vervaagt en in elkaar schuift en dat als je je snel genoeg en op het juiste moment omdraait, je een glimp opvangt van In-nes. Gezeten in een stoel, een boek op zijn schoot, zijn benen over elkaar geslagen, sigarettenrook die omhoog kringelt naar het pla-fond. Staand bij het raam, op straat kijkend. Gezeten achter een bureau, vloekend terwijl hij een nieuw lint in de typemachine pro-beert te plaatsen.

Maar hij is er niet meer. En Lexie ook niet. Momenteel woont hier een jonge vrouw uit Tsjechië. Ze draait blikkerige elektronische muziek op de stereo-installatie en schrijft brieven met een blauwe balpen op vierkant postpapier. Ze is de au pair van het gezin dat nu in dit huis woont – het appartement is in de oude staat hersteld en vormt nu de zolderverdieping van een groot huis, wat Innes wel aangesproken zou hebben. Hij zei altijd dat ze in de voormalige bediendevertrekken woonden.

Tegenwoordig is het een ander huis. Anders en tegelijkertijd hetzelfde. Het heeft radiatoren, geverfde muren, vloerbedekking, jaloezieën voor de ramen. De piepkleine keuken met het gasfornuis, de onberekenbare boiler en de zinken badkuip zijn weg, doorgebroken om de overloop groter te maken. Het kleine kamertje aan de achterkant waar ze aten en waar Innes altijd zat te werken is nu een badkamer met een reusachtig hoekbad. Het wandje met de deur en zijn verroeste klink en slot dat hun opgang van de andere appartementen in het gebouw scheidde, is verdwenen en tegenwoordig rennen en buitelen de kinderen die hier wonen de trap op en af. De au pair zit soms op de plek waar Innes de deurmat had liggen en praat huilerig in het Tsjechisch in haar mobieltje met haar ver weg wonende vriendje.

Lexie trok niet diezelfde avond bij Innes in. Innes was er veel te veel aan gewend om zijn zin te krijgen, dat mensen sprongen als hij riep: spring. Lexie hield haar poot stijf. Wat koppigheid betreft deden ze niet voor elkaar onder. Hij reed Lexie terug naar haar kamer. Ze kregen hooglopende ruzie in de auto toen ze weigerde haar koffer te pakken. De discussie werd voortgezet tot op de stoep van het huis en ze stormde door de voordeur naar binnen. De volgende avond stond hij weer met zijn MG voor het warenhuis. Ze hadden weer een sessie op de canapé en deze keer slaagden ze er ook in ergens te gaan eten. Lexie diende haar ontslag in en ging voor *Elsewhere* werken. Ze hield haar kamer aan.

Bij *Elsewhere* begon ze met de telefoon aannemen en boodschappen doen, heen en weer naar de drukker, boekhandels, kunstgaleries en theaters. De hele heen- en terugweg daar naartoe dacht ze na over de dingen die ze had gehoord, over de dingen die de anderen tegen elkaar hadden gezegd, over de dingen die ze nog moest leren. 'De beroerdste intro die ik ooit van je gelezen heb,' had Daphne tegen Laurence geroepen. Innes stond soms op en zei: 'Waar is de drukproef?' 'Ik zie geen subtitel,' zei Laurence, wijzend op iets waarvan zij had geleerd dat het een in pagina's opgemaakte proef was. Weduwe, wees, hoerenjong, spiegel, teaser: al die woorden hadden op het kantoor van *Elsewhere* een geheel eigen betekenis, die ze nog niet helemaal vatte. En dus liep ze heen en weer over het blauw gebloemde tapijt met dat nieuwe vocabulaire in haar hoofd en zette ze kopjes thee (dit met tegenzin en vaak met zure melk) en na een paar weken mocht ze de handgeschreven kopij voor het tijdschrift uittypen. Typen was nooit haar sterkste kant geweest. Innes ging vaak tekeer. 'Wat betekent Dructuralisme, Lex?' brulde hij haar dan toe in het kleine kantoortje. 'Heeft iemand weleens gehoord van Dructuralisme? En "piminale"? Wat betekent "piminale ruimte" in godsnaam?' Laurence werd heel goed in het decoderen van haar fouten. 'Liminale, Innes,' antwoordde hij dan zonder op te kijken van zijn werk, 'ze bedoelt "liminale ruimte".' En zij zette dan een kop thee voor hem, ongevraagd, en niet zuur, als bedankje.

Innes was voortdurend woest omdat Lexie weigerde bij hem in te trekken. Maar ze wilde niet dat hij de baas over haar speelde. Hij was haar baas, zei ze tegen hem, wat wilde hij nog meer? Waarom wilde hij ook haar huisbaas zijn? Minnaar, dat wel, antwoordde hij dan, maar huisbaas, nooit. Dus schoten Lexie en Innes als metalen ballen in een flipperkast heen en weer, ruziënd over waar ze woonde en waarom, vanaf de canapé in Bayton Street naar jazzclubs, naar restaurants, naar Innes' appartement, naar galerie-openingen, naar een kroeg aan Frith Street die Jimmy's heette, naar poëzieavonden in een rokerige kelder waar magere meisjes met zwarte coltruien en een middenscheiding in hun haar als motten rond de dichters zwermden die een baard droegen en bier dronken. Op het trottoir buiten de Coach and Horses zagen ze haar vroegere collega voorbijlopen, arm in arm met een meisje dat Lexie van de parfumerieafdeling herkende. Daar had jij kunnen lopen, merkte Innes op, en onder de tafel vol bierkringen legde hij zijn hand op haar dij. Lexie boog zich voorover en pikte de sigaret uit zijn mond.

Net als een reiziger die van het ene naar het andere continent reist, moest ze haar levensritme bijstellen. Ze stond laat op, probeerde halverwege de ochtend of soms rond lunchtijd op kantoor te zijn. Mevrouw Collins toonde zich regelmatig ontsteld als ze Lexie rond een uur of tien, elf naar de badkamer zag gaan. 'Ik wist het!' riep ze op een ochtend uit. 'Ik wist dat je een ommezwaai zou maken!' Lexie had de deur dichtgedaan, de kraan helemaal opengedraaid en in zichzelf geglimlacht. Op het kantoor van *Elsewhere* werkten ze tot 's avonds door en gingen dan uit in Soho – soms met z'n allen, soms in versplinterde groepjes van drie of vier – en keken dan wel waar ze zouden eindigen. Laurence kwam graag in de Mandrake Club, waar ze een tafeltje konden zoeken en naar optredens konden luisteren, maar Daphne klaagde dat Laurence 'oersaai' werd zodra hij over de drempel van de Mandrake stapte, omdat hij zo in de ban van de muziek raakte dat hij geen gesprek meer voerde. Zij probeerde hen altijd mee te krijgen naar de French Pub; ze hield van die benauwde, bedompte omgeving met al die hoeren en zeelieden, van de eigenaar die haar met een handkus begroette, en van het apparaat op de bar dat water door een suikerklontje in een glas absint liet druppelen. Innes stelde altijd voor om naar de Colony Room te gaan. Hij was doorgaans geen grote drinker, maar hij beweerde dat er binnen die groen met gouden muren heel wat werk kon worden verzet. Laurence was echter te vaak in aanvaring gekomen met de scherpe tong van de eigenaresse en Daphne noemde haar 'dat gestoorde Belcherwijf'. Je kon de staf van *Elsewhere* regelmatig zien harrewarren op de hoek van een straat over wie waarheen ging en of ze elkaar later op de avond nog zouden treffen.

Die nachten eindigden meestal om een uur of twee, drie in de ochtend, zodat Lexie regelmatig bij mevrouw Collins voor een gesloten deur stond. Nadat ze een week lang geen enkele nacht op haar kamer was geweest, pakte Lexie haar spullen bij elkaar terwijl Innes op het trottoir met draaiende motor in de auto zat te wachten, met een zonnebril op en een sigaret in de hand. Mevrouw Collins was zo verontwaardigd dat ze niets tegen Lexie zei en haar zelfs niet aankeek. Ze schreeuwde haar 'Jezabel' na toen Lexie de voordeur achter zich dichtdeed waarop Innes begon te brullen van de lach. Nog jaren daarna zou hij haar zo noemen.

Het appartement van Innes was een openbaring voor haar. Het was nergens mee te vergelijken. Het had geen gordijnen voor de ramen, het had een kale planken vloer, de muren waren gewit en de weinige meubels die er stonden waren vervaardigd van glad, licht hout dat in de vorm van een stoel, een boekenplank of een dressoir was gebogen. Scandinavisch, riep Innes over zijn schouder toen ze met haar vingers over het gladde oppervlak streek als iemand die een hond aaide. Hij had een boekenplank laten maken die ter hoogte van het plafond door de hele kamer liep. Zodat niemand ze kan pikken, zei hij toen ze hem vroeg waarom. De muren waren behangen met kunst: een John Minton, wees hij, een Nicholson, een de Kooning, een Klein, een paar Bacons, een Lucian Freud, een Pollock. Toen pakte hij haar hand. Maar genoeg daarover, zei hij, kom eens naar de slaapkamer kijken, die is hier.

Innes nam haar mee naar een winkel in Chelsea en kocht daar een scharlakenrode jas voor haar met gigantische knopen, een groene jurk van wollen crêpe met ruches rond de polsen, een paar pauwblauwe kousen – 'jij bent een blauwkous,' zei Innes, 'dus dan kun je ze net zo goed dragen' – en een trui met een brede capuchonkraag. Hij nam haar mee naar de kapper en bleef naast de stoel staan. 'Zo,' zei hij, en streek met zijn vinger langs haar kaak, 'en zo.'

Toen haar ouders hoorden dat Lexie met een man samenwoonde, zeiden ze dat ze dood was voor hen, dat ze nooit meer contact met hen mocht opnemen. En dus deed ze dat ook niet.

Het is warmer dan Elina had gedacht. Binnen, voordat ze de deur uitgingen, had het huis zijn gebruikelijke temperatuur gehad – koel, ietwat klam, de lucht stil en roerloos. Nu ze buiten is, in haar jeans en rode sandalen en bloes met een appeltjespatroon, heeft ze het te warm. Zweet kruipt naar de oppervlakte van haar huid; ze voelt het langs de holte van haar ruggengraat naar beneden lopen. De jeans die ze draagt is een jeans van daarvoor – hij heeft geen elastieken tailleband, het is een gewone broek die door gewone mensen wordt gedragen. Hij zit iets te strak in de taille, maar ze draagt hem. Ze draagt de juiste kleren. In die kleren ervaart ze een vleugje, een spoor van de mogelijkheid om zich weer normaal te voelen.

Naast haar heeft Ted het stratenplan in zijn hand waarin een brief van de arts is gestopt. Ze gaan naar een consultatiebureau aan de andere kant van de Heath waar de baby medisch onderzocht zal worden. Ted heeft voorgesteld om te gaan lopen, maar Elina heeft hem niet verteld dat ze twee dagen geleden de baby in de kinderwagen mee naar buiten heeft genomen en niet verder dan de hoek is gekomen omdat ze de zijkanten van de kinderwagen zag bewegen, de sterren op het dekentje zag glinsteren en wegschieten. Ze moest op het trottoir gaan zitten, met haar voeten in de goot, haar hoofd tussen haar knieën, voordat ze in staat was om terug naar huis te gaan. In plaats daarvan zegt ze: 'Laten we anders een taxi nemen.'

Geen van beiden zijn ze bekend in deze buurt, een wirwar van straten die is weggestopt achter een drukke weg die naar het noorden loopt. Dartmoor Park heet het hier, zegt Ted. De taxichauffeur had hen op de hoofdweg afgezet omdat het volgens hem hier eenrichtingverkeer was, en nu lopen ze een straat door op zoek naar het consultatiebureau. Ted is er zeker van dat ze deze kant op moeten. Dan verandert hij van gedachten en zegt dat ze de andere kant op moeten. Ze moeten rechtsomkeert maken. Hij geeft de baby aan Elina terwijl hij de plattegrond raadpleegt.

'Hierheen,' zegt hij en hij steekt een weg over. Elina strompelt achter hem aan, bang dat de baby in de zon komt, dat het dekentje te heet is, dat ze misschien flauwvalt in deze hitte als Ted haar nog veel verder laat lopen.

Op de volgende hoek blijft Ted staan. Hij kijkt de ene kant van de straat af, hij kijkt de andere kant van de straat af. De kaart bungelt in zijn hand. Elina wacht. Ze haalt diep adem en de lucht lijkt haar keel te verbranden. Ze gaat niet flauwvallen. Het gaat goed. Niets dat niet hoort te bewegen, beweegt; de sterren op het babydekentje zijn gewoon borduurseltjes, meer niet. De baby slaapt, lipjes getuit, een handje opgevouwen tegen zijn wang, alsof hij de onzichtbare hoorn van een telefoon tegen zijn oor houdt. Elina glimlacht om die gedachte als het tot haar doordringt dat Ted iets zegt.

'… ergens anders…'

'Wat zeg je?'

Hij geeft geen antwoord. Ze ziet hoe de brief uit het stratenplan glijdt en op het trottoir valt. Hij bukt zich niet om hem op te rapen maar staat daar maar, met zijn rug naar haar toe, zijn handen langs zijn zij.

Elina fronst haar voorhoofd. Ze gaat op haar hurken zitten en graait naar de brief terwijl ze de slapende baby op haar ene arm zorgvuldig in evenwicht houdt. 'Ted?' zegt ze. Ze trekt aan zijn mouw. 'Ted, we moeten opschieten, over twee minuten hebben we een afspraak.' Ze pakt het stratenplan uit zijn handen. Ze kijkt naar de brief, ze kijkt naar de kaart. 'Het is hierlangs en dan links.'

Hij loopt de verkeerde kant op en lijkt naar een hek aan de overkant van de weg te staren.

'Ted!' zegt ze nu op scherpere toon. 'We hebben nog precies twee minuten voor onze afspraak.'

'Ga jij maar,' zegt hij zonder zich om te draaien.

'Wat?'

'Ik zei, ga jij maar. Ik wacht hier wel.'

'Ga je me nou vertellen… dat je… niet mee wilt om je zoon…' Elina is zo kwaad dat ze haar zin niet kan afmaken. Ze kan zijn aanwezigheid geen seconde langer velen. Ze schuift de lus van de tas verder omhoog over haar schouder, klemt de baby dichter tegen zich aan en loopt de straat in. Haar voeten voelen branderig aan in haar rode sandalen en ze voelt nog meer zweet in de tailleband van haar jeans sijpelen.

'Ik wacht hier wel,' mompelt ze in zichzelf terwijl ze door de klapdeuren naar binnen stapt. 'Ik wacht hier wel, egoïstische klootzak van een…' ze stopt want ze moet de receptioniste haar naam geven. Binnen in het consultatiebureau is het koel en ruikt het naar linoleum. Ze gaat op een plastic stoel zitten, nog steeds ziedend van woede, half en half verwachtend dat Ted alsnog verschijnt. Ze bestudeert de folders over borstvoeding, roken, meningitis, inentingen en denkt ondertussen na over de tirade die ze gaat afsteken over ouderlijke betrokkenheid als Ted besluit alsnog zijn opwachting te maken. Ze heeft net de zin *afstand doen van je verantwoordelijkheid* bedacht als ze aan de beurt is.

'Naam?' zegt de verpleegster die zich naar haar computerscherm buigt.

'Eh,' Elina speelt wat met haar armband, 'daar hebben we nog geen beslissing over genomen. Het klinkt belachelijk, ik weet het,' hoort ze zichzelf met een gespannen lachje uitbrengen, 'ik bedoel, hij is al bijna zes weken maar…'

'Ik bedoel úw naam,' zegt de verpleegster.

'O.' Weer dat rare, hoge lachje. Wat is er met haar aan de hand? 'Die is…' Verbaasd merkt Elina dat haar puberachtige gestotter weer even terug schijnt te zijn gekomen. Ze had altijd moeite met woorden die met een 'E' beginnen, die kon ze nooit uitspreken, die wist ze nooit uit haar keel te persen. Ze slikt en kucht om dat te verbloemen en weet 'Elina Vilkuna' uit te brengen.

'Bent u Zweedse?'

'Finse.' Haar stem klinkt normaal, hoort ze tot haar opluchting. Misschien is de stotteraarster weer teruggegaan naar de plaats waar ze zich verborgen hield. 'Maar mijn moeder is Zweedse,' voegt ze eraan toe zonder te weten waarom.

'O. Wilt u het even voor me spellen?'

Elina spelt het en moet tot twee keer toe uitleggen dat Vilkuna met een 'k' wordt geschreven, niet met een 'c'.

'U spreekt heel goed Engels,' zegt de verpleegster terwijl ze de baby van haar overneemt.

Elina ziet hoe de verpleegster de armpjes van de baby buigt, zijn beentjes, haar hand op de bovenkant van zijn hoofd legt. 'Ja, ik woon hier al een tijd, weet u, en…'

'In Londen?' zegt de verpleegster, terwijl ze een piepklein elektronisch apparaatje in het oor van de baby stopt.

'Het grootste deel van de tijd.' Elina wordt er moe van dit verhaal te vertellen, moe van mensen die erachter proberen te komen waar ze vandaan komt. 'Maar eigenlijk overal een beetje,' zegt ze vaag. 'Verschillende plaatsen.'

'Ik kon uw accent niet thuisbrengen. Ik dacht eerst dat u misschien uit Australië kwam.'

De verpleegster haalt het apparaatje uit het oor van de baby. 'Het is in orde. Hij is in orde. U hebt een mooi, gezond jongetje.'

Elina zweeft naar buiten; ze heeft de baby in haar armen, en heeft het dekentje over hem heen gelegd om hem tegen de felle zon te beschermen. Ze houdt van die verpleegster, ze houdt van haar. De woorden *mooi* en *gezond* en *jongetje* cirkelen als vlinders rond in haar hoofd. Ze zou ze graag hardop zeggen, ze zou graag weer naar binnen willen gaan en de verpleegster vragen om het nog eens te zeggen.

Teruglopend naar de hoofdweg fluistert ze de woorden met een glimlach en ze bedenkt dat je aan de telefoon altijd aan de klank van iemands stem kunt horen of hij glimlacht, en dat dat bepaald wordt door de stand van de lippen.

Op de hoek van de straat, waar ze Ted had achtergelaten, blijft ze staan en kijkt om zich heen. *Mooi*, hoort ze weer, *gezond*. Ze slaat linksaf en daarna rechtsaf. Geen spoor van Ted. De zon brandt op haar schouders, op het gedeelte van haar nek dat niet bedekt wordt door haar appelbloes. Ze fronst haar wenkbrauwen. Waar is hij? Ze steekt de straat over en haar irritatie maakt nu plaats voor verwarring. Waar is hij verdomme heen gegaan? En wat heeft hij toch vandaag?

Ze slaat een hoek om en daar ziet ze hem staan, op het trottoir, hij kijkt omhoog met zijn hand boven zijn ogen.

'Wat doe je?' zegt ze nijdig als ze bij hem is. 'Ik heb je overal gezocht.'

Hij draait zich om en kijkt haar aan alsof hij haar of de baby nog nooit gezien heeft.

'Wat doe je nou?' vraagt ze weer. 'Wat is er aan de hand?'

Hij tuurt met samengeknepen ogen naar de boom achter haar, tegen de zon in. 'Ken je dat liedje,' zegt hij, 'over die drie kraaien?'

Elina staart hem aan. 'Wat?'

'Ken je dat niet?' zegt hij en dan begint hij met krakende stem te zingen: '*Drie kraaien zaten op een muur, zaten op een muur, zaten op een muur, drie kraaien zaten op een muur op een koude winterdag.*'

'Ted…'

Hij gaat op het tuinmuurtje achter hem zitten. 'De volgende regel gaat zo: *De eerste kraai krijt om zijn moeder, krijt om zijn moeder* – enzovoort. Maar ik kan me niet herinneren wat er daarna komt.'

Ze neemt de baby op haar andere arm en legt het dekentje over hem heen. Ondanks zichzelf ziet ze in gedachten drie kraaien op het muurtje naast Ted zitten, op een rijtje, met hun glanzende groenzwarte veren, hun sterke snavels en hun geschubde poten die de baksteen vastgrijpen.

'Het moet beginnen met *De tweede kraai.*' Ted sluit zijn ogen. Doet ze dan weer open en houdt afwisselend de ene hand voor het ene oog en de andere hand voor het andere, alsof hij zijn gezichtsvermogen wil testen. Hij schudt zijn hoofd. 'Ik kan het me niet herinneren.'

Elina gaat naast hem zitten. Ze legt haar hand op zijn been, voelt de spieren onder de stof trillen.

'Gaat het wel goed met je?'

'Gaat het goed met me?' herhaalt hij.

'Heb je weer die flitsen voor je ogen?'

Hij fronst zijn voorhoofd alsof hij diep over die vraag moet nadenken. 'Ik dacht dat ik het had,' zegt hij langzaam, 'of dat ik het zou krijgen. Maar het lijkt verdwenen te zijn.'

'Dat is juist goed.'

'Is dat zo?'

Elina slikt. Ze voelt tranen opkomen. Ze moet haar hoofd opzij draaien zodat hij het niet ziet. Wat is er toch met hem aan de hand? Misschien raken sommige mannen even het spoor bijster als hun vrouw een baby krijgt – Elina weet het niet en ze weet niet aan wie ze het moet vragen. Misschien is het normaal dat ze wat verstrooid worden, enigszins in zichzelf gekeerd. Het lijkt alsof op het moment dat zij omhoog begint te rijzen, zich met knipperende ogen en snakkend naar adem naar de oppervlakte worstelt, hij begint te zinken. Ze pakt zijn dij steviger vast alsof ze iets van zichzelf op hem wil overbrengen. Alsjeblieft, wil ze zeggen, wees alsjeblieft niet zo, ik kan dit niet alleen. Een ander deel van haar wil schreeuwen: kom verdomme van die muur af en help me een taxi zoeken. Maar ze dwingt zichzelf een neutrale toon aan te slaan. 'Waarom *krijten?*' zegt ze. 'Wat betekent dat?'

'Het betekent luid roepen,' zegt hij, terwijl hij nog steeds eerst het ene oog bedekt en dan het andere. 'Geloof ik. Het is dialect of zo. Het betekent dat hij om zijn moeder roept.'

'O.' Elina kijkt omlaag en springt dan bijna overeind omdat de baby wakker is geworden. Zijn ogen zijn wijd open en hij kijkt haar recht aan.

'Dat zong mijn moeder altijd voor me,' zegt Ted, 'toen ik nog klein was. Zij zal de rest van het liedje ook wel kennen. Ik zal het haar de volgende keer eens vragen.'

Elina knikt, raakt het wangetje van de baby aan met haar vinger en Ted buigt zich voorover om te kijken.

Ted denkt na over zijn ouderschapsverlof. Het is een loze, kronkelige gedachtegang die hem bezighoudt sinds hij van huis ging met een lijst boodschappen die Elina nodig heeft voor de baby. Of een lijst boodschappen die zíj nodig hebben. Babydoekjes, watten, beschermende babycrème – er komt geen eind aan de lijst. Wie had kunnen denken dat zo'n klein mensje zulke grote hopen, zulke bergen spullen produceert, van dingen die hij nodig heeft?

Hij heeft zitten denken dat zijn rol als kersverse vader in die twee weken ouderschapsverlof overeenkomsten vertoont met die van een loopjongen op een filmset. De baby is de ster, zonder twijfel, op wiens grillen onmiddellijk wordt ingespeeld, naar wiens verlangens en schema iedereen zich te allen tijde slaafs voegt. Elina is de regisseur, degene die er verantwoordelijk voor is dat alles goed verloopt, degene die alles op de rails moet houden. En hij, Ted, is de loopjongen. Die haalt en brengt, de regisseur in haar werk assisteert, vlekken opdweilt, thee zet.

Ted is eigenlijk wel in zijn nopjes met deze analogie. Hij glimlacht in zichzelf terwijl hij over het trottoir loopt, tussen de platanen door zigzagt, hier en daar een hondendrol uit de weg gaat, en de boodschappentassen heen en weer zwaait.

Hij loopt zijn voortuin in, tast naar zijn sleutels. Hij maakt de deur open, veegt zijn voeten af aan de mat en roept: 'Hoi. Ik ben het. Ik heb de spullen. Alles, op de biologisch afbreekbare babydoekjes na. Die hadden ze niet. Dus ik heb de gewone genomen. Ik weet dat je die niet goed vindt maar ik dacht dat het beter was dan helemaal niets.' Hij zwijgt even om haar te laten antwoorden. Maar het is stil in huis. 'Elina?' roept hij. Dan houdt hij zijn mond. Misschien ligt ze te slapen. Hij brengt de boodschappentassen naar de keuken en kwakt ze op het aanrecht. Hij steekt zijn hoofd om de hoek van de zitkamer, maar daar is niemand, niemand die languit op de bank ligt. De kinderwagen staat in de gang, leeg, de lakentjes gekreukeld, alsof de baby er net uit is getild. Ted legt zijn hand op de plaats waar het hoofdje van de baby ligt, en verbeeldt hij het zich nou of voelt het nog een beetje warm?

Een geluid – iets dat valt, een voetstap, een klik – op de verdieping boven hem doet hem omhoogkijken. 'Elina?' zegt hij weer. Maar opnieuw komt er geen antwoord.

Hij loopt de trap op, eerst langzaam, dan met twee treden tegelijk. 'El,' zegt hij op de overloop, 'waar ben je?' Ze moet hier ergens zijn, ze kan niet naar buiten zijn gegaan.

En toch is de slaapkamer leeg, het dekbed strak over de kussens getrokken, de kasten dicht, de spiegel boven de schoorsteen leeg en zilverkleurig. In de badkamer is het raam opengelaten en het gordijn zweeft als een rookwolk de kamer in.

Hij staat weer op de overloop, verbijsterd. Waar zou ze kunnen zijn? Hij kijkt nog eens in de slaapkamer, in de zitkamer, de keuken, gewoon om er zeker van te zijn dat ze niet ergens in slaap is gevallen. Na even te hebben nagedacht kijkt hij ook in de ruimte achter het bed, voor het geval dat. Hij weigert tot zich door te laten dringen wat 'voor het geval dat' zou kunnen betekenen. Maar daar is ze ook niet. Ze is weg – en de baby ook.

In de gang voelt hij in zijn achterzak naar zijn mobiel. Terwijl hij gejaagd zijn vingers over de toetsen beweegt, haar nummer opzoekt in de lijst, ziet hij de kinderwagen weer staan. Waar zou ze heen kunnen gaan, denkt hij, met de baby maar zonder de kinderwagen? Hij schraapt zijn keel als hij de telefoon tegen zijn oor houdt. Hij moet, besluit hij, ervoor zorgen ontspannen, achteloos over te komen; zijn stem mag niet paniekerig klinken; hij mag niet laten merken hoe bang hij is.

Hij hoort een klik in de lijn en dan het blikkerige gerinkel van een telefoon die overgaat. En daarna, ergens vlakbij, een echoënd gerinkel. Ted haalt de telefoon van zijn oor en luistert. In de kamer ernaast is een andere telefoon aan het rinkelen en rinkelen. Ted verbreekt de verbinding en hoort Elina's telefoon stilvallen. Hij gaat op de trap zitten met zijn ellebogen steunend op zijn knieën, met zijn handen in zijn haar. Waar zou ze kunnen zijn? Wat moet hij doen? Moet hij de politie bellen? Maar wat zou hij dan moeten zeggen? Hij zegt tegen zichzelf dat hij kalm moet blijven, hij moet rustig blijven, hij mag niet in paniek raken, hij moet goed nadenken, maar ondertussen schreeuwt zijn geest, ze is weg, ze heeft de baby meegenomen, ze is verdwenen en ze is zo zwak dat ze niet eens tot de…

Een oorverdovend schril geluid maakt dat hij met één sprong de trap af is. Heel even weet hij niet wat het is of waarom het zo luid klinkt. Dan realiseert hij zich dat het de deurbel is die recht boven zijn hoofd rinkelt. Zij is het. Ze is terug. Opluchting stroomt door hem heen, hij pakt de klink vast en rukt de deur open en zegt: 'God, je hebt me de stuipen op het lijf gejaagd. Ik was…'

Hij valt stil. Op de stoep staat zijn moeder.

'Schat,' zegt ze, 'ik kwam toevallig langs. Ik had met Joan afgesproken – ken je Joan nog van de overkant, met de cocker spaniël – om koffie te drinken in South End Green. Daar hebben ze dat leuke, nieuwe café, ben je er al eens geweest?' Ze stapt haastig naar binnen, drukt haar wang tegen de zijne en omklemt daarbij zijn beide schouders. 'Maar goed, ik kon jullie straat niet zomaar voorbijrijden zonder even gedag te komen zeggen en mijn kleinzoon een knuffel te geven. Dus,' ze steekt haar armen in de lucht, alsof ze op het toneel staat, 'hier ben ik dan.'

'Eh,' zegt Ted. Hij strijkt met zijn hand door zijn haar. Hij grijpt de rand van de deur vast. 'Ik ben net thuis,' mompelt hij. 'Ik... eh...' Hij wil de deur dichtdoen, maar kijkt dan naar buiten, het pad af, het trottoir af, om te zien of ze daar is, of ze eraan komt. 'Ik weet eigenlijk niet,' begint hij voorzichtig te zeggen terwijl hij de deur sluit, 'waar Elina is.'

'O.' Zijn moeder maakt de zijden sjaal los die om haar hals zit en knoopt haar jasje open. 'Is ze ertussenuit gepiept?'

'Misschien.' Hij leunt met zijn rug tegen de deur en staart zijn moeder aan. Ze ziet er anders uit en hij kan niet zeggen wat het is. Hij kijkt naar haar haar, haar wangen, haar neus, de huid van haar hals, haar handen die haar jas aan een knaapje hangen en naar haar in lakleren schoenen gestoken voeten. Hij wordt bekropen door het merkwaardige gevoel dat hij haar niet herkent, dat hij niet weet wie ze is, dat ze een vreemde voor hem is en niet de persoon met wie hij meer tijd op deze wereld heeft doorgebracht dan met wie dan ook. 'Ik weet niet... eh... ik weet het niet. Je ziet er anders uit,' gooit hij eruit. 'Heb je iets aan jezelf gedaan?'

Ze draait zich naar hem om en strijkt haar rok glad. 'Wat dan?'

'Ik weet het niet. Je haar. Heb je iets aan je haar veranderd?'

Ze brengt met een zelfbewust gebaar haar hand naar haar platinablonde helm. 'Nee.'

'Is die nieuw?' Hij wijst naar haar bloes.

'Nee.' Ze maakt een miniem gebaar waaruit ongeduld spreekt – met de zijkant van haar vinger raakt ze haar wenkbrauw aan, en Ted herkent dat gebaar. 'Wanneer verwacht je Elina terug?'

Hij staart haar nog steeds aan. Hij kan er niet de vinger op leggen. De moedervlek in haar hals, de lijn van haar kaak, de ringen aan haar vingers: het is alsof hij die nooit eerder gezien heeft.

'Ze heeft de baby meegenomen, neem ik aan?' zegt zijn moeder.

'Ja.'

'Schat, kun je haar anders even bellen en zeggen dat ik er ben? Want ik moet om zes uur weer terug zijn, je vader heeft zijn…'

'Ze heeft haar mobiel niet bij zich.' Ted gebaart naar de zitkamer. 'Die ligt daar.'

Zijn moeder laat een geërgerd zuchtje ontsnappen. 'Nou, dat is dan jammer. Ik wilde zo graag even…'

'Ik weet niet waar ze is, mam.'

Ze kijkt hem scherp aan. De trilling in zijn stem is haar niet ontgaan. 'Wat bedoel je?'

'Ik bedoel dat ze weg is. Ik weet niet waar ze is.'

'Met de baby?'

'Ja.'

'Nou, ze is waarschijnlijk even met hem gaan wandelen. Ze zal straks wel terugkomen. We drinken een kopje thee in de tuin en…'

'Mam, ze kan nauwelijks de trap op komen.'

Ze fronst haar wenkbrauwen. 'Waar heb je het over?'

'Sinds het gebeurd is. De bevalling. Weet je wel. Ze is heel… zwak. Ze is erg ziek. Ze is bijna doodgegaan, mam. Weet je nog? En ik kom terug van boodschappen doen en ze is er niet en ik heb geen flauw idee waar ze heen is of hoe ze daar zou kunnen komen want…' Ted houdt op met praten. 'Ik weet niet wat ik moet doen.'

Zijn moeder loopt de zitkamer in, loopt weer naar buiten, loopt naar de keuken. 'Ben je er zeker van dat ze niet thuis is?'

Ted rolt met zijn ogen. 'Ja.'

Zijn moeder loopt naar de gootsteen, draait de kraan open en begint de ketel met water te vullen.

'Mam, wat ben je nou aan het doen?' zegt hij ontzet. 'Hoe kun je nou thee gaan zetten als…' Hij stopt weer. Hij heeft opeens gezien dat de sleutel in de achterdeur steekt. Hij hangt niet aan het haakje.

Hij zit in de deur. Ted snelt er naartoe. Hij duwt de deur open en de geur van de tuin komt hem onmiddellijk tegemoet. Hij stapt de houten veranda op en ziet dat er ook een sleutel in de deur van het atelier steekt en zijn hart bonkt van vreugde terwijl hij over het gazon naar het raam van het atelier rent.

Daardoorheen ziet hij iets ongelooflijks. Elina, van opzij gezien, staat bij de gootsteen. Ze draagt haar overall en ze is iets aan het doen, een kleur aan het mengen of een penseel aan het afspoelen, Ted kan het niet precies zien. Maar haar bewegingen zijn vaardig, geoefend en de uitdrukking op haar gezicht is van een serene concentratie. Ze kijkt, ziet Ted, zoals ze vroeger keek. Zoals ze keek toen hij haar leerde kennen, toen ze bij hem aankwam in een geleend aftands busje, helemaal in haar eentje, er helemaal op voorbereid om verbazingwekkend zware dozen en spullen twee trappen op te zeulen naar de zolder. Hij had deze frêle, elfachtige vrouw met het kortgeknipte geblondeerde haar kalmpjes zien voortzwoegen onder het gewicht van een reusachtige lichtbak en hij was naar buiten gelopen en had haar zijn hulp aangeboden. Ze had zich verbaasd getoond. 'Ik red het wel,' had ze gezegd en hij had bijna moeten lachen omdat ze het duidelijk niet redde. In de weken die daarop volgden had hij haar zien komen en gaan – 's avonds de deur uit zien gaan, hij wist niet waarheen, naar boven zien lopen en naar beneden, naar de keuken zien komen om op rare tijdstippen te eten. Hij had haar midden in de nacht boven zijn hoofd heen en weer horen lopen en vroeg zich dan af wat ze aan het doen was, voelde zich op een merkwaardige manier bevoorrecht omdat hij er getuige van mocht zijn hoe ze haar ongebruikelijke leven inrichtte. Vaak had ze na zo'n nacht heen en weer lopen de volgende dag die blik in haar ogen: een vrouw die volledig in gedachten was verzonken, een vrouw met een tevredenstemmend geheim, en hij wilde haar vragen: wat is het, wat doe je daar boven?

Hij houdt van die blik. Hij heeft hem gemist. Door de blik realiseerde hij zich wat er moest gebeuren, wat hij moest doen. Na een tijdje begon hij te begrijpen dat Elina hem vooral deed denken aan van die ballonnen die kinderen hebben – felgekleurde ballonnen gevuld met helium, die aan hun touwtje op en neer bewegen en rukken. Eén moment van onoplettendheid en weg zijn ze, de lucht in, om nooit meer te worden teruggezien. Hij zag dat Elina overal gewoond had, over de hele wereld, dat ze aankwam en weer vertrok en verderging. Dat geheim van haar, wat ze daar op zolder deed wanneer niemand keek, met haar verftubes en haar terpentine en haar doeken, was het enige wat ze nodig had, verder miste ze niets, geen anker, geen zwaartekracht. En hij begreep dat als hij haar niet vastpakte, haar niet in de kluisters sloeg, als hij haar niet aan zich bond, ze weer vertrokken zou zijn. En dus deed hij dat. Hij pakte haar beet en hield haar stevig vast; soms stelt hij zich dat voor alsof hij het touwtje van een ballon om zijn pols heeft gebonden en met zijn leven verder gaat terwijl die ballon daar zweeft, vlak boven zijn hoofd. Hij heeft haar sindsdien stevig vastgehouden. Toen ze elkaar pas kenden, duurde het een tijdje voordat hij eraan gewend was om soms 's nachts wakker te worden en te merken dat ze weg was, dat het bed leeg was. In het begin was hij dan klaarwakker en rende in paniek door het huis. Maar toen ontdekte hij dat ze 's nachts soms uit bed glipte om te gaan werken, om haar andere leven te leiden. Hij controleerde het altijd, keek altijd door de ramen aan de achterkant van het huis om te zien of het licht in het atelier brandde en dan ging hij weer naar bed, alleen.

Die blik is terug! Hij moet de impuls onderdrukken om in zijn handen te klappen terwijl hij haar door het raam van haar atelier gadeslaat. Het komt weer goed met haar, ziet hij, ze heeft het overleefd, niets van dit alles – het bloedbad in het ziekenhuis, zijn gefluisterde *zullen we het voor een keer laten zitten* – heeft haar eronder weten te krijgen. Het komt goed met haar. Hij ziet het aan die speciale uitdrukking op haar gezicht, aan de manier waarop haar schouders bewegen, aan de stand van haar mond. Ze is aan het werk. Hij voelt de opwinding van haar af stralen. Ze is aan het werk.

Dan hoort hij links van zich een stem: 'Ze is hier, hè?' en Ted gaat zo op in het beeld dat hij door het raam ziet dat hij er niet snel genoeg bij is om te voorkomen dat zijn moeder de deur van het atelier openduwt en naar binnen stapt.

Er gebeuren verschillende dingen tegelijk. De atelierdeur, die altijd een beetje los in zijn scharnieren hangt, slaat met een harde klap tegen de houten wand. Ted ziet Elina zich bij de gootsteen razendsnel omdraaien en een porseleinen schoteltje omstoten dat op de grond kapot valt. De baby die bij haar in het atelier is schrikt wakker en slaakt een doordringende kreet.

'O,' roept Elina, een hand vol blauwe vlekken tegen haar borst gedrukt, 'wat doe jij hier?'

Ted staat een seconde later binnen, heeft het over zijn moeder, probeert het uit te leggen, maar Elina snelt op de baby af om hem op te pakken en stapt met haar blote voeten in de scherven porselein zodat Ted de baby optilt, maar de baby is woest, wakker gerukt uit zijn dutje, en Elina zit op een stoel en probeert de splinters met haar blauwe handen uit haar voeten te peuteren terwijl ze zegt: ik kan niet geloven dat je hem wakker hebt gemaakt, ik had hem net in slaap gekregen, en haar voet bloedt en ze klinkt alsof ze gaat huilen. Ze mompelt een Fins woord dat Ted als een vloek in de oren klinkt, terwijl ze een stukje schotel uit haar hiel trekt.

'Ga jij maar weer aan het werk,' zegt Ted weinig overtuigend boven het lawaai uit, en hij probeert niet naar het bloed te kijken dat uit haar wond drupt, 'als je wilt. Wij nemen de baby wel en…'

Elina mompelt een ander Fins vloekwoord en mikt een scherfje in de vuilnisbak. 'Hoe kan ik nou weer aan het werk gaan?' schreeuwt ze, naar de krijsende baby gebarend. 'Ga jij hem voeden? Gaat je moeder dat doen?'

Ted wiegt zijn zoon op en neer. 'Het is niet onze schuld,' zegt hij boven het lawaai uit. 'We wisten niet waar je was. Ik kwam thuis en je was weg. Ik heb me ontzettend ongerust gemaakt. Ik heb overal gekeken en…'

'Overal?' herhaalt Elina.

'Ik dacht… ik dacht…'

'Je dacht wat?' Ze staren elkaar even aan en slaan op hetzelfde moment hun ogen neer. 'Geef me de baby,' zegt ze rustig en begint haar overall los te knopen.

'Elina, kom mee naar binnen. Je moet er een pleister op doen en…'

'Geef me de baby.'

'Voed hem dan binnen. Mijn moeder is op bezoek. Kom mee naar binnen en…'

'Dat doe ik niet!' schreeuwt ze weer. 'Ik blijf hier. En geef me godverdomme de baby!'

Vanuit zijn ooghoek ziet Ted zijn moeder bij de deur staan. Ze schudt haar hoofd. 'Lieve hemel,' zegt ze, 'wat een lawaai.' Ted ziet Elina in elkaar krimpen bij het geluid van haar stem en hij voelt zich schuldig omdat hij weet dat ze niemand in haar atelier wil hebben, niemand, zelfs hem niet, zelfs haar kunsthandelaar niet. Maar Teds moeder kijkt niet naar Elina's werk, kijkt niet naar de ruwe schetsen en de opgespannen doeken en de foto's en de dia's op de lichtbak en het gereedschap aan de muur, ze kijkt alleen maar naar de baby, op die hongerige, behoeftige manier van haar.

'Wat is er dan?' kweelt ze tegen hem. 'Wat is er allemaal, manne-tje?' Ze pakt hem uit Teds handen; hij voelt haar gelakte nagels over zijn handpalmen krassen terwijl ze hem vastpakt. 'Ben je van streek omdat pappie en mammie tegen elkaar schreeuwen? Ja, ben je dat? Kom maar. Kom maar mee met oma en dan komt alles goed.'

Ze loopt met hem de deur uit. Ted en Elina kijken elkaar aan in de lege ruimte. Elina's gezicht ziet krijtwit, haar mond staat half-open alsof ze op het punt staat iets te zeggen.

'Ik was ongerust,' zegt Ted weer, en schuift met zijn schoenen over de rand van het vloerkleed.

Elina veert omhoog en komt recht op hem afgelopen. 'Zal ik je eens wat zeggen, Ted?' Ze neemt zijn gezicht tussen haar handen. 'Het gaat goed met me. Echt. Het ging een tijdje niet goed met me, maar nu voel ik me weer prima. Jíj bent degene over wie we ons zorgen moeten maken.'

Hij staart haar in de ogen zonder iets te zeggen. Hij ziet de vertrouwde grijsblauwe kleur ervan, de linker iris iets donkerder dan de rechter, hij ziet een mini-uitvoering van zichzelf, die naar hem terugkijkt. Zo blijven ze een hele tijd staan. Door de open deur horen ze het gekrijs van de baby aanzwellen, schriller worden.

Ted trekt zich los uit Elina's greep. Hij slaat zijn ogen neer. Hij draait zich half om. Hij weet dat Elina hem nog steeds aan staat te kijken. Hij gaat naar buiten. 'De baby heeft honger,' mompelt hij terwijl hij wegloopt. 'Ik breng hem wel even bij je.'

exie werkte al een paar maanden bij *Elsewhere* en woonde sinds een paar weken met Innes samen. Elke ochtend reden ze ronkend in de MG door Wardour Street, sloegen Bayton Street in en arriveerden samen op kantoor; Lexie zou deze ochtendlijke ritjes altijd blijven associëren met een aangenaam schrijnende pijn in haar schaamstreek, waar haar dijen samenkwamen – Innes vrijde graag 's nachts en ook weer 's ochtends. Hij zei dat hij er helder van werd in zijn hoofd. 'Anders zou ik de hele dag aan seks denken in plaats van aan werk.' Hij had het er naar eigen zeggen erg moeilijk mee sinds Lexie, het object van zijn lust, bij hem werkte. 'Snap je dan niet dat je me daar de hele dag loopt te tergen, naakt onder je kleren?' klaagde hij vaak. 'Parkeer de auto nou maar, Innes,' antwoordde ze dan, 'en hou op met zeuren.'

Op een middag was het rustig op het meestal drukke kantoor – Laurence was naar de drukker, Daphne was op stap om een opdracht te doen en Amelia was naar een fotograaf om hem aanwijzingen te geven. Lexie en Innes waren samen alleen op kantoor. Ze zeiden niets tegen elkaar. Of liever gezegd, Lexie zei niets tegen Innes. Ze zat bozig op de typemachine te rammen en keek niet in zijn richting. Hij, wist ze, zat achter zijn bureau een krant te lezen met een glimlachje op zijn gezicht dat haar tot razernij dreef.

Lexie duwde met een klap de wagen van de typemachine naar rechts, liet haar hoofd op haar handen steunen en staarde naar beneden naar de plooien van haar groene wollen jurk.

'Een journalist wordt niet in één dag geboren, Lex,' merkte Innes op vanaf de andere kant van de kamer.

Ze maakte een geluid dat het midden hield tussen een grom en een schreeuw, rukte het papier uit de machine, verfrommelde het tot een prop en smeet die naar Innes' hoofd. 'Kop dicht!' schreeuwde ze. 'Ik haat je!'

De prop papier viel met een zielig boogje op het tapijt, kwam nog niet in de verste verte in de buurt van het doelwit. Innes sloeg met een zwierig gebaar een pagina van de krant om. 'Welnee. Je houdt van me.'

'Niet waar! Ik haat die kop van je!'

Hij glimlachte, vouwde de krant op en legde die op zijn bureau. 'Luister eens, als je niet tegen kritiek kan – opbouwende kritiek – van je uitgever, dan kom je er niet. Dan blijf je de rest van je leven een overgekwalificeerde typiste.'

Lexie keek hem woest aan. 'Opbouwend? Noem je dat opbouwend? Dat was gemeen en hatelijk en…'

'Het enige wat ik zei was dat je nog in de kinderschoenen staat, dat…'

'Hou op!' ze legde haar handen over haar oren. 'Ik wil het niet meer horen! Ik wil je niets meer horen zeggen!'

Hij moest lachen, stond op vanachter zijn bureau en liep naar het achterkamertje. 'Nou, ik blijf maar uit de buurt. Ik zit hier als je me nodig hebt. Maar rond lunchtijd wil ik tweehonderd woorden zien.'

Ze gromde nog iets achter zijn rug. Toen wierp ze opnieuw een blik op het stuk dat ze Innes de avond daarvoor had laten zien. Hij had gezegd dat het tijd werd dat ze 'een poging' deed om zelf iets te schrijven, had haar naar een kleine expositie in een kunstgalerie gestuurd en haar opgedragen een recensie van tweehonderd woorden te schrijven. Ze was vroeg gekomen, had rondgelopen, elk schilderij aandachtig bestudeerd en haar bevindingen in haar notitieboekje opgeschreven. Ze hoorde iemand vragen wie 'dat meisje' was en toen ze het antwoord van de galeriehouder hoorde – Kents nieuwe speeltje – had ze zich omgedraaid en hem een woedende blik toegeworpen. Speeltje? Mooi niet. Ze was weer verder gegaan met van alles in haar boekje te krabbelen, alsof het haar niet deerde, en had uiteindelijk een heleboel bladzijden vol onleesbaar gekriebel geproduceerd. Ze had er een week over gedaan om het stuk te schrijven en te herschrijven. Vervolgens had Innes er misschien vijf minuten voor nodig gehad om het te lezen en het haar vol correcties teruggegeven.

Wat bedoelde hij trouwens met 'in de kinderschoenen'? En wat was er mis met de zin 'krachtige kleurschakeringen'? Wat bedoelde hij met 'een pakkender openingszin'?

Zuchtend draaide ze een nieuw vel papier in de typemachine. Terwijl ze daarmee bezig was, ging de deur van het kantoor open en kwam er een vrouw binnen. Of misschien was 'dame' een betere omschrijving. Ze droeg een rode pillbox met een voile die haar gezicht deels bedekte, een marineblauwe mantel die nauw aansloot in de taille, en marineblauwe schoenen. In haar gehandschoende handen klemde ze een glanzende tas. Haar gezicht was bleek, onberispelijk opgemaakt, haar met lippenstift aangezette mond halfopen alsof ze iets wilde zeggen als ze de woorden daarvoor maar kon vinden.

'Goedemorgen,' zei Lexie. De vrouw zou zich over een seconde natuurlijk realiseren dat ze het verkeerde kantoor was binnengestapt. 'Kan ik u helpen?'

De vrouw wierp haar een snelle, oplettende blik toe. 'Ben jij Lexie?'

'Ja.'

Vervolgens bestudeerde de vrouw Lexie met haar ene hand op haar heup alsof ze een etalagepop was en zij de kritische koper.

'Tja,' zei ze toen ze klaar was en liet een harde lach horen, 'het enige wat ik ervan kan zeggen is dat ze er steeds jonger op worden. Vind je ook niet, schatje?' Onder het spreken draaide de vrouw zich om en tot haar verbazing zag Lexie een meisje van een jaar of twaalf, dertien achter haar staan. Ze was bleek, haar haren waren zorgvuldig in pijpenkrullen gemodelleerd – Lexie bedacht dat ze 's nachts vast en zeker met papillotten in haar haar moest slapen om dat effect te bereiken – en haar mond stond open alsof ze niet door haar neus kon ademhalen.

'Ja, moeder,' mompelde ze.

Lexie richtte zich in haar volle lengte op en bleek tot haar genoegen veel langer te zijn dan de vrouw. 'Neem me niet kwalijk, maar mag ik u vragen wat u hier te zoeken hebt?'

'Nou nou,' zei de vrouw en ze barstte weer in lachen uit, 'je steekt wel met kop en schouders boven de rest uit. Hij heeft het deze keer goed getroffen door zo'n jong ding in zijn netten te verstrikken, en ook nog eens welbespraakt. Wat hebt u hier te zoeken?' deed ze haar na en keek naar haar dochter die Lexie nog steeds met open mond stond aan te staren. 'Waar heeft hij jou opgeduikeld? Beslist niet in een of andere morsige kroeg, zoals alle anderen. Kijk maar goed, liefje,' zei ze en draaide zich weer naar haar dochter om, 'voor deze vrouw heeft je vader ons verlaten.' Bij die laatste woorden begon haar perfect opgemaakte gezicht te verschrompelen. Lexie keek ontzet toe hoe Gloria – want zij moest het wel zijn – haar hoofd boog en naar iets in haar tas zocht, een zakdoek tevoorschijn trok en die tegen haar gezicht drukte.

Achter Lexie klonk het geluid van een slaande deur en dreunende voetstappen. Innes kwam uit de achterkamer tevoorschijn en beende op hen af met een gezicht dat strak stond van woede.

Hij bleef naast Lexie staan. Hij nam zijn vrouw even op, het hoedje, de zakdoek, de tranen. Hij haalde zijn sigaret uit zijn mond en streek met zijn hand door zijn haar. 'Wat kom je hier doen, Gloria?' zei hij met opeengeklemde tanden.

'Ik moest komen,' fluisterde Gloria en bette haar ogen onder haar voile. 'Misschien vind je me dwaas, maar een vrouw wil zoiets weten. Ik moest haar zien. Margot moest haar zien.' Ze keek met een smekende blik naar Innes op maar Innes keek over haar schouder. Hij knikte tegen het meisje.

'Hallo, Margot,' zei hij rustig. 'Hoe gaat het?'

'Goed, dank u, vader.'

Hij leek even in elkaar te krimpen bij dat woord, maar toen deed hij een stap opzij om het meisje beter te zien. 'Ik hoorde dat je op een nieuwe school zit. Hoe is het daar?'

Gloria draaide zich snel om en haar marineblauwe mantel zwiepte tegen Innes' broekspijpen. 'Alsof dat jou iets kan schelen,' siste ze, en zonder haar dochter aan te kijken zei ze: 'Geen antwoord geven, Margot.' Innes en zij wierpen elkaar een woeste blik toe vanaf hun nieuwe positie, dichter bij elkaar. 'Niets vertellen. Waarom zou je, als hij ons zo behandelt?'

'Gloria…' begon Innes.

'Vraag het hem maar, liefje,' zei Gloria en Lexie keek geschokt toe hoe Gloria achter zich reikte, haar dochter bij de arm pakte en haar naar voren duwde, 'stel hem de vraag waarvoor we hier naartoe zijn gekomen.'

Margot durfde haar vader niet aan te kijken, ze had haar ogen neergeslagen, haar gezicht leek van steen.

'Vraag het hem!' drong Gloria aan. 'Want ik kan het niet.' Nog meer gewapper en gebet met de zakdoek.

Margot schraapte haar keel. 'Vader,' zei ze monotoon, en nog steeds zonder hem aan te kijken, 'wilt u alstublieft thuiskomen?'

Innes maakte een kleine beweging met zijn hand alsof hij een trek van zijn sigaret wilde nemen, maar toch van gedachten veranderde. Hij wierp het meisje een lange blik toe. Toen legde hij zijn sigaret in een asbak op Lexies bureau. Hij sloeg zijn armen om zichzelf heen. 'Gloria,' zei hij op een zachte, gespannen toon, 'deze vertoning is bijzonder onverstandig. En om Margot hier zo bij te betrekken. Het is echt te…'

'Vertoning?' gilde Gloria en ze trok het meisje met een ruk weer achter zich. 'Denk je soms dat ik van steen ben? Denk je soms dat ik geen gevoelens heb? Die anderen dat kon ik nog door de vingers zien – en God weet dat het er een hoop zijn geweest – maar dit! Dit gaat te ver. De hele stad weet het.'

Innes zuchtte, drukte zijn vingers tegen zijn voorhoofd. 'Wat weten ze?'

'Dat ze bij jou is ingetrokken! Dat je ons hebt verlaten en nu met een minnares samenwoont. Een meisje dat half zo oud is als jij. In het appartement dat eigenlijk aan ons toebehoort, aan Margot en mij. En terwijl je bij ons hoort te zijn, bij je vrouw en kind…'

'Ten eerste,' begon Innes op vlakke toon te zeggen, 'is vierendertig gedeeld door twee, zoals jij ongetwijfeld heel goed weet, zeventien.' Hij gebaarde naar Lexie. 'Ziet zij eruit als zeventien? Ten tweede, ik ben niet bij jou weggegaan om met haar te gaan samenwonen, zoals je maar al te goed weet. Jij en ik wonen al een hele tijd apart. Laten we niet net doen alsof dat niet zo is. Ten derde, het appartement is strikt genomen niet jouw eigendom. Jij hebt het huis gekregen – mijn moeders huis, moet ik dat er nog aan toevoegen? – en ik heb een appartement genomen. Zo hadden we het afgesproken. Ten vierde, Gloria, zie ik niet in wat jij hiermee te maken hebt. Ik laat jou je leven leiden. Sta mij dat dan ook toe.'

Tijdens die toespraak had Lexie een stiekeme blik op Margot geworpen. Ze voelde een merkwaardig soort verbondenheid met haar – allebei toeschouwers van een al vaak gevoerde ruzie. Toen ze Margots blik ving, keek het meisje niet weg. Ze bewoog niet, vertrok geen spier. Ze bleef Lexie alleen maar strak aanstaren met een starre, kille blik en haar mond halfopen. Na een paar seconden zag Lexie zich gedwongen haar blik van haar los te maken en keek ze weer naar Gloria, wier hoedje nu een tikje scheef op haar hoofd stond, en die stond te krijsen over fatsoen en betamelijkheid.

'Gloria,' zei Innes op dodelijk zachte toon, 'als Margot er niet bij was, zou ik wel een weerwoord hebben op jouw beschuldigingen van morele verdorvenheid. Alleen omwille van haar en haar alleen zal ik me inhouden.'

Er viel een korte stilte. Gloria keek lichtjes hijgend naar haar echtgenoot op. Het was een merkwaardig beeld, vond Lexie. Als je het geluid, de woorden, en het kind dat achter hen stond weghaalde, oogde dit tafereel als een gepassioneerd hoogtepunt, in plaats van het omgekeerde. Het leek alsof Innes en Gloria op het punt stonden elkaar hartstochtelijk in de armen te vallen.

Innes maakte zich als eerste los. Hij deed twee stappen naar de deur en rukte die open. 'Ik denk dat je nu maar moet gaan,' zei hij tegen de vloer.

Gloria draaide zich weer om waarbij haar mantel een ruisend geluid maakte, en keek naar Lexie, alsof ze haar een laatste blik wilde toewerpen, alsof ze haar in haar geheugen wilde griffen. Ze bekeek haar van top tot teen, streek haar haar glad, zette haar hoedje recht en schraapte haar keel. Toen draaide ze zich om, pakte haar dochter bij de arm en stevende de deur uit die Innes openhield.

Hij knikte tegen het meisje, maakte bijna een buiging voor haar. 'Tot ziens, Margot. Leuk je gezien te hebben.' Er kwam geen antwoord. Margot Kent liep met gebogen hoofd achter haar moeder aan.

Innes duwde de deur dicht. Hij haalde diep adem en liet zijn adem met een zucht weer ontsnappen. Hij zette een paar snelle stappen de kamer in, haalde uit met zijn voet en schopte een prullenmand omver. De mand en zijn inhoud zeilden over de vloer.

'Dat,' zei hij, ogenschijnlijk tegen niemand, 'was mijn vrouw. Mijn teerbeminde. Dat zag er fraai uit, hè?' Bij de muur aangekomen sloeg hij keihard met zijn hand tegen de wand, één keer, twee keer. Lexie keek toe, en wist niet goed wat ze moest doen.

Innes schudde zijn hand en boog zijn vingers. 'Au,' zei hij verrast. 'Verdomme.'

Lexie liep op hem af. Ze nam zijn hand in de hare en begon erover te wrijven. 'Idioot,' zei ze.

Hij trok haar naar zich toe en sloeg zijn goede arm om haar heen. 'Omdat ik de muur heb geslagen?' mompelde hij in haar oor. 'Of omdat ik die maenade heb gehuwd?'

'Om het even,' zei ze. 'Allebei.'

Hij omhelsde haar even heel stevig en maakte zich toen los. 'Godallemachtig,' zei hij. 'Ik heb behoefte aan een borrel. En jij?'

'Eh,' Lexie fronste haar wenkbrauwen, 'is het niet een beetje te vroeg voor…'

'Je hebt gelijk! Verdomme. Is er wel iets open?'

'Nee, ik bedoelde…'

'Hoe laat is het?' Hij keek op zijn horloge, zocht in zijn zakken naar kleingeld, haalde zijn hand door zijn haar. 'De Coach and Horses? Nee. Niet op dit tijdstip. We zouden de French Pub kunnen proberen. Wat vind jij? Verdomme.' Hij greep haar hand en rukte de deur open. 'Kom op.'

Ze stapten met stevige tred door Bayton Street en aan het eind van de straat, waar Dean Street begon, bleef Innes stilstaan. Hij keek de ene kant van de straat af en daarna de andere kant. Hij zocht in zijn zak naar een sigaret. 'We proberen Muriel,' zei hij binnensmonds. 'Ik heb nog iets van haar te goed.'

'Wat dan?' vroeg Lexie, maar Innes beende al weer weg over het trottoir.

Enkele minuten later zaten ze in een hoekje van de Colony Room, waar Innes een whisky achteroversloeg. De gordijnen waren dichtgetrokken om het middaglicht buiten te houden en Muriel Belcher overzag haar rijk vanaf een kruk bij de deur. 'Wat is er vandaag met juffrouw Kent aan de hand?' had ze opgemerkt toen Innes binnen stapte.

Lexie sloeg de gekleurde vissen gade die in een aquarium boven de kassa om elkaar heen zwommen en schreef met een roerstokje keer op keer haar naam in gin en tonic op de plakkerige tafel. Aan de bar zat een man met een breed, asymmetrisch gezicht luidruchtig en op enigszins honende toon te praten met iemand die door Innes als MacBryde was begroet. In de hoek stond een tamelijk knappe, lange man in zijn eentje te dansen bij een opwindgrammofoon. Aan het tafeltje naast hen zat een vrouw op leeftijd in een sjofele jas, omringd door haar tassen, in zichzelf te praten en nipte van het drankje dat Innes voor haar had betaald.

'Je hebt je niet voor de gek laten houden, hè?' zei Innes opeens.

Lexie keek op van haar roerstokje. 'Waardoor?'

'Door die theatrale vertoning.'

Lexie gaf geen antwoord, maar doopte het stokje weer in haar drankje.

Innes drukte zijn sigaret uit. 'Ze is een volleerd actrice. Dat zie je toch wel? De tranen en die woede-uitbarstingen, dat is allemaal komedie. Voor haar is het alleen maar een spel. Ze geeft geen zier om me. Ze wil alleen niet de verliezende partij zijn. Ze kan de gedachte niet verdragen dat ik met jou samenleef.'

Lexie zweeg nog steeds.

'Ze geeft niet om me,' zei Innes nadrukkelijk.

Lexie nam een slokje van haar gin en voelde het warme spoor ervan door haar lichaam naar beneden zakken. De dansende man had een andere plaat opgezet en stond nu op een snel, onstuimig ritme rond te draaien, waarbij hij heftige bewegingen met zijn hoofd maakte. 'Daar ben ik niet zo zeker van.'

'Nou, ik wel.'

'En hoe zit het met Margot?'

Voor de verandering zweeg Innes. Hij pakte zijn glas whisky en dronk het achter elkaar leeg. 'Ze is niet van mij,' zei hij uiteindelijk.

'Weet je dat zeker?'

'Honderd procent.'

'Hoe kun je daar zo zeker van zijn?'

Hij keek op. Er gleed een snelle glimlach over zijn gezicht en toen keek hij weer naar de tafel. Hij pakte zijn lege glas en rolde het tussen zijn handen heen en weer. De bejaarde vrouw koos dit moment om zich over de ruimte tussen hun tafeltjes te buigen en een tabaksblikje rammelend voor Innes' gezicht te houden. 'Zou ik je misschien mogen vragen,' zei ze met een schalkse, bekakte stem, 'of je me een drankje wilt aanbieden?'

Innes zuchtte, maar liet een shilling in het blikje vallen. 'Alsjeblieft, Nina,' zei hij. Toen wendde hij zich weer tot Lexie. 'Ik ben twee jaar weggeweest,' zei hij, 'in die tijd is Margot geboren.'

'Maar ze weet niet dat jij haar vader niet bent?'

Innes speelde met een pluk haar van Lexie, stopte die achter haar oor en trok hem weer tevoorschijn.

'Innes,' hield Lexie aan en ze schoof achteruit, 'waarom weet ze het niet?'

'Ze…' begon Innes en zweeg toen. 'Omdat ik altijd heb gedacht dat de waarheid nog erger was om te weten. Zij kan er per slot van rekening niets aan doen. Als ik haar niet zou erkennen, is er helemaal geen vader. En iemand hebben, ook al is hij nog zo'n lamlendeling, is beter dan niemand hebben. Vind je niet?'

'Ik weet het niet. Ik weet het echt niet. Ik vind dat ze eigenlijk de waarheid moet weten.'

'Ach.' Innes maakte een wegwuivend gebaar en stond op om naar de bar te lopen. 'Jullie jonge mensen worden altijd zo geobsedeerd door de waarheid. De waarheid wordt vaak zwaar overschat.'

Innes' huwelijk was grotendeels een mysterie voor Lexie. Hij praatte niet vaak over Gloria, en als hij het deed was dat voornamelijk om te schelden en te vloeken en steeds ingewikkelder beschimpingen te bedenken.

Lexie wist slechts een paar feiten bijeen te sprokkelen. Dat Innes zeventien was toen de oorlog begon, dat zijn moeder Ferdinanda weigerde hun huis in Myddleton Square te verlaten, zelfs niet toen overal om hen heen het luchtalarm afging. Hij ging naar school,

Ferdinanda bleef thuis met haar dienstmeisje Consuela. Wat deden ze dan, vroeg Lexie op een avond aan Innes, toen het raam naar zijn verleden heel even werd opengezet. Borduursels wrochten, antwoordde hij, zowel van merklappen als van de waarheid. Op zijn achttiende vertrok hij naar Oxford om kunstgeschiedenis te studeren. Op zijn twintigste kwam hij weer terug, opgeroepen om bij de RAF te dienen.

Stel je een twintigjarige Innes voor in zijn blauwe gekeperde uniform, in het gelid staand in een of ander trainingskamp, weggerukt uit zijn studie kunstgeschiedenis om op een landingsstrook ergens in de buurt van Londen exercities te doen. Zijn misère moet als een geur om hem heen hebben gehangen. Hij had niet het juiste temperament voor het leger, voor oorlog.

Dus dit zijn de naakte feiten. Maar daartussen liggen heel wat subtielere laagjes, strata waar niets over bekend is. Lexie heeft nooit zeker geweten hoe Innes er toen uitzag, wat hij droeg, of hij zat of stond of rondliep toen hij Gloria voor het eerst zag.

Het was in de Tate Gallery, liet hij zich een keer ontvallen, en hij was thuis met verlof. Ze stonden allebei voor de prerafaëlieten en bekeken Beatrice met haar vlammend rode haar. Laten we ons Gloria voorstellen voor het schilderij van Beatrice, met haar haar dat over haar schouders valt. Wat kleurlozer dan anders – vergeet niet dat dit Gloria in oorlogstijd is – met lage veterschoenen, een praktische jas. Waarschijnlijk krulde haar haar aan de punten om en had het een scheiding opzij. Ze droeg vast felrode lippenstift. Misschien een sjaal. Een krokodillenleren handtas om haar arm.

Zou ze zijn aanwezigheid hebben gevoeld? Zou ze zich ervan bewust zijn geweest dat hij een stap opzij deed in haar richting? Zou ze haar hoofd misschien heel even snel hebben omgedraaid om daarna weer voor zich te kijken naar het schilderij? Innes zou haar wel als eerste hebben aangesproken. Hoe zou zijn openingszin hebben geluid? Iets over het schilderij? Ze raakten in gesprek, ze wandelden samen naar de volgende zaal, misschien hebben ze samen de plattegrond van de galerie bestudeerd. Misschien hebben ze daarna in de cafetaria een kop thee met een broodje genomen. En daarna misschien een wandeling langs de rivier gemaakt.

Een maand later waren ze getrouwd. Innes deed ontwijkend en raakte geïrriteerd als ze vroeg waarom, of hij van haar had gehouden, wat hij in die tijd dacht. Het kan zijn dat hij vooral in beslag werd genomen door de Europese val die een zekere dood betekende, maar dat zei hij nooit. Hij gaf niet graag toe dat hij bang was, dacht graag van zichzelf dat hij onoverwinnelijk was, onverstoorbaar.

Van Ferdinanda, die opgetogen was bij het vooruitzicht kleinkinderen te krijgen, mochten ze in het souterrain van het huis komen wonen. Haar nieuwe schoondochter zou haar gezelschap kunnen houden. Lexie heeft Ferdinanda nooit ontmoet – ze was al gestorven voordat zij Innes leerde kennen – maar laten we ervan uitgaan dat ze een lange vrouw was met staalgrijs, opgestoken haar, die met een zijden omslagdoek om haar schouders in de kamer op de verdieping daarboven aan Myddleton Square zit (een schitterend vertrek met dubbele, hoge, van de grond tot het plafond reikende ramen die uitkeken op het plein, op de bomen en de banken daar), met Gloria in een stoel tegenover haar terwijl Ferdinanda haar trouwe dienstmeid opdracht geeft om thee in te schenken.

Kort daarna werd Innes overgeplaatst naar een vliegveld in Norfolk. In de tweede week dat hij daar zat nam hij deel aan een luchtaanval op Duitsland, toen zijn vliegtuig werd neergeschoten. Iedereen kwam daarbij om het leven, behalve boordschutter Kent, tweeëntwintig jaar oud, die zijn parachute opende en als een distelpluis naar beneden zweefde in vijandelijk gebied.

In werkelijkheid is hij helemaal niet als een distelpluis naar beneden gezweefd. Het moet pijlsnel en angstaanjagend zijn geweest, de koude nachtlucht die tegen zijn gezicht aan sloeg, de stekende, kloppende pijn in zijn been waarin splinters van de vliegtuigromp en stukjes van de verbrijzelde schedel van zijn collega-boordschutter waren binnengedrongen, en al die tijd hing hij als een pop aan zijn riemen, en zag hij hoe de boomtoppen steeds dichterbij kwamen.

De daaropvolgende twee jaar, tot het eind van de oorlog, zat Innes in een krijgsgevangenkamp. Innes wilde daar niet over praten, nooit, wat voor trucjes Lexie ook uit de kast trok. 'Dat wil je niet horen,' zei hij altijd. 'Jawel, dat wil ik echt,' antwoordde ze dan, maar hij was niet te vermurwen.

Wat wel bekend is, is dat toen hij naar Myddleton Square terugkeerde, Gloria het hele huis in beslag had genomen. Ferdinanda was weg, in een katholiek bejaardentehuis opgeborgen. Consuela was in de chaos van het naoorlogse Londen verdwenen. Gloria had het hele huis leeggeruimd, alle kleren, foto's, waaiers van struisvogelveren, hoeden en schoenen waren in de achtertuin verbrand. Op het gras was de zwartgeblakerde kring nog steeds zichtbaar. In het huis woonden ook een vier maanden oude baby en een jurist die Charles heette. Toen Innes daar aankwam en de voordeur openmaakte met zijn sleutel, verscheen Charles boven aan de trap in de ochtendjas van Innes' vader en vroeg op hoge toon wie hij was.

De details van de scène die zich vervolgens afspeelde zijn niet bekend, maar als Innes kwaad werd, klonk hij altijd bijzonder welbespraakt en bloemrijk. Er waren ongetwijfeld lange, venijnige tirades van Innes, tranen en gegil van Gloria, tegenwerpingen van een verbijsterde Charles. Hoe dan ook, Gloria stemde toe in een scheiding van tafel en bed maar wilde het huwelijk niet laten ontbinden. Zij hield het huis aan Myddleton Square en bleef daar met de baby, Margot, wonen. Er moet ergens geld vandaan zijn gekomen – van Gloria misschien? – want Innes nam een appartement aan Haverstock Hill en Ferdinanda heeft nog een tijd bij hem in huis gewoond.

Zij is het echte slachtoffer in dit verhaal. Toen Innes haar ging zoeken, herkende ze hem niet meer. Gloria had haar verteld dat Innes dood was, gesneuveld, afgeslacht in de donkere Duitse hemel. En daar zit hem de kneep, daar wringt hem de schoen, dat is nou precies de reden waarom Innes zoveel haat en bitterheid voelt jegens zijn vrouw. Waarom had ze dat gedaan? Alleen Gloria wist het en zij liet niets los. Misschien dacht ze dat haar jonge echtgenoot niet meer terug zou keren, misschien was ze verzot geraakt op dat mooie, grote huis. Misschien irriteerde Ferdinanda haar, misschien maakte ze haar het leven zuur. Misschien besefte ze toen ze zwanger raakte dat ze het onmogelijk voor het kind van Innes kon laten doorgaan zolang Ferdinanda in de buurt was. Ferdinanda hield een kalender bij en vinkte de dagen af die aangaven hoe lang ze haar geliefde zoon al niet meer gezien had. Ze had zich nooit voor de gek laten houden door een twintig maanden durende zwangerschap. Dus moest ze haar zien te lozen.

Toen ze het nieuws over de dood van haar zoon vernam, begon Ferdinanda's geest te dwalen om nooit meer terug te keren. Innes haalde haar uit het katholieke bejaardentehuis en bleef voor haar zorgen tot ze stierf. Ze was altijd, zei hij, afstandelijk maar uiterst beleefd. Ze sprak hem aan als 'jonge man' en vertelde hem verhalen over haar zoon die tijdens de oorlog gesneuveld was.

De aanwezigheid van Lexie in Innes' leven leek Gloria te kwellen op een manier zoals geen van zijn andere vrouwen ooit had gedaan. Ze maakte regelmatig haar opwachting op zijn kantoor, soms in tranen, soms om geld te eisen; ze belde 's ochtends vroeg bij het appartement aan. Ze schopte scènes in trappenhuizen, in restaurants, in theaterfoyers, voor de deur van een bar, huilend en beschuldigend, terwijl haar dochter stilletjes achter haar stond. Ze leken in golven te komen, die bezoeken: soms twee keer per week en vervolgens zagen ze Gloria maandenlang niet. Dan dook ze weer op en hoorde je haar op haar hoge hakken door Bayton Street klikken. Ze schreef Innes brieven waarin ze hem smeekte zich aan zijn huwelijksgelofte te houden. Die scheurde Innes aan stukken die hij vervolgens in de haard opstookte. Lexie zag de dochter een zomer lang vaak op een muurtje aan de overkant van de weg zitten als ze 's ochtend van huis ging. Margot zei nooit iets en kwam nooit op haar af, en Lexie vertelde Innes er nooit iets over. Op een keer toen Lexie opkeek van een krant die ze in de ondergrondse aan het lezen was, zag ze het meisje tegenover haar zitten, met een schooltas op haar schoot die ze stevig vasthield, en haar bleke ogen strak op Lexies gezicht gericht. Lexie stond op en pakte de stang boven hun hoofd vast.

'Waarom doe je dit?' vroeg ze haar rustig. 'Wat wil je van me?'

Het meisje verplaatste haar blik van Lexies gezicht naar een plek ergens bij haar schouder. Op haar wasbleke wangen verschenen rode vlekken.

'Hier bereik je niets mee, Margot,' zei Lexie. De trein maakte een slingerbeweging in een bocht en Lexie moest zich stevig vastklampen aan de stang om niet naar voren gegooid te worden, boven op het meisje. 'Ik heb geen schuld aan deze toestand. Dat moet je van me aannemen.'

Dat leek het meisje te pikeren. Ze keek op en klemde haar schooltas nog steviger vast. 'Maar dat doe ik niet,' zei ze. 'Dat neem ik niet van je aan.'

'Ik verzeker je dat het niet mijn schuld is.'

Margot kwam overeind. De trein reed net Euston binnen. 'Het is wel jouw schuld,' siste ze. 'Welles. Jij hebt hem van ons afgepakt en ik ga ervoor zorgen dat je daar spijt van krijgt. Daar ga ik voor zorgen. Let maar op.' Toen was ze verdwenen en het duurde heel lang voordat Lexie haar weer terugzag.

Nadat hij van de hoofdweg is afgeslagen, trekt Ted de laatste tweehonderd meter een sprintje. Zijn voeten zetten zich af tegen het wegdek, zijn armen zwaaien naar voren en naar achteren, het bloed wordt in zijn lichaam rondgepompt en zijn longen happen met tussenpozen naar lucht. Hij arriveert bedekt met een laagje stof en zweet bij het huis van zijn ouders en hij moet zich aan de spijlen van het hek vasthouden terwijl zijn longen zich vullen en leeglopen, vullen en leeglopen, voordat hij rechtop kan staan om aan te bellen.

Zijn moeder doet er lang over voordat ze opendoet.

'Schat,' zegt ze en draait hem automatisch haar wang toe voor een kus voordat ze het joggingpak van haar zoon monstert. Ze doet een stap achteruit en trekt een vies gezicht. 'Wil je niet even douchen?'

'Nee, het is goed.' Ted schudt zichzelf als een hond die uit het water komt, en veegt zijn haar uit zijn gezicht. 'Ik kan niet blijven. Ik ben alleen even gekomen omdat pap zei…'

'Ben je helemaal komen rennen?' vraagt ze terwijl ze hem voorgaat naar de keuken.

'Ja.'

'Vanaf je werk?'

'Hmm.'

'Is dat wel verstandig?'

'Verstandig?'

'Met al die…' ze haalt een met kasjmier bedekte schouder op, '… ik weet het niet, met die milieuvervuiling. En je gewrichten.'

'Mijn gewrichten?'

'Ja, ik heb gehoord dat joggen erg slecht voor je kan zijn.'

Ted moet lachen en laat zich op een stoel bij de keukentafel vallen. 'Mam, ik kan je vertellen dat iedereen het erover eens is dat lichaamsbeweging zelfs erg goed voor je is.'

'Nou,' zijn moeder kijkt bedenkelijk, 'dat weet ik zo net nog niet. Weet je zeker dat je niet even wilt douchen?'

'Ik weet het zeker. Ik kan niet blijven. Moet weer naar huis.'

'We hebben handdoeken. Ze liggen in de…'

'Ik weet dat je handdoeken hebt, mam, en ze zijn ongetwijfeld heel mooi maar ik kan niet blijven. Pap zei dat hij me een paar papieren wilde laten tekenen, dus daar ben ik nu voor gekomen en daarna moet ik weer weg.'

'Wil je niet blijven eten?'

'Ik hoef geen eten.'

'Maar je blijft wel koffie drinken. En wil je een sandwich? Ik kan een lekkere sandwich voor je maken met ham en…'

'Mam, ik zou het graag willen maar het gaat niet…'

'Maar je gaat toch wel even naar boven om je grootmoeder gedag te zeggen? Dan is haar dag weer helemaal goed, lieverd, dat weet je.'

'Mam.' Ted pakt zijn wenkbrauwen tussen zijn vingers vast en masseert zijn slapen. 'Een andere keer, dat beloof ik. Ik moet nu weg. Elina zit al de hele dag alleen…'

'Nou, je grootmoeder anders ook.'

Ted haalt diep adem en laat zijn adem weer ontsnappen. 'Elina zit alleen met een pasgeboren baby. Het voeden gaat niet zo geweldig en…'

'O nee?' Zijn moeder draait zich om bij de koffiemolen en er verschijnt meteen een ontstelde uitdrukking op haar gezicht. 'Wat is er gebeurd? Wat is er mis?'

'Er is niets mis. Hij…'

'Drinkt hij niet? Valt hij af?'

'Het gaat prima met hem. Alleen huilt hij veel, dat is alles. Hij zal wel last hebben van winderigheid of buikkramp, denkt Elina.'

'Buikkramp, is dat ernstig?'

'Nee,' zegt hij, 'een heleboel baby's hebben daar last van. Waarschijnlijk had ik het ook. Herinner je je dat niet?'

Zijn moeder draait zich weer om naar de koffiemolen en zet hem aan, haar antwoord klinkt onverstaanbaar door het malen van de bonen.

'Wat zei je?' Ted komt naar voren in zijn stoel. 'Zeg weet je wat? Ik neem alleen een glas water. Dat is ook prima.'

'Geen koffie?'

'Nee. Water.'

Zijn moeder doet de koelkast open. 'Met of zonder belletjes?'

'Heb jij me borstvoeding gegeven of…'

'Met of zonder belletjes?'

'Maakt niet uit. Wat je hebt. Kraanwater is ook best. Ik snap trouwens niet waarom je die gore troep koopt.'

'Ted, let een beetje op je taalgebruik.'

'Maar, heb je me dat gegeven?'

Zijn moeder zoekt in een hoge keukenkast naar een glas, met haar rug naar hem toegekeerd. 'Heb ik je wat?'

'Borstvoeding gegeven.'

'Wil je er een schijfje citroen in?'

'Ja, goed.'

'Een ijsblokje?'

'Wat je wilt. Maakt niet uit.'

Ze zet het glas neer en begint in de vriezer te rommelen. 'Ik zei laatst nog tegen je vader dat hij de ijsbakjes moest vullen maar ik durf te wedden dat hij dat niet heeft gedaan.' Ze haalt er een hele vis uit, keihard bevroren in zijn verpakking, een plastic doos met een heldere, onsmakelijk uitziende vloeistof erin. 'Hier heb ik er een,' mompelt ze, 'leeg, natuurlijk, maar waar is de andere?'

'Mam, vergeet die ijsblokjes. Ik drink het zo wel.'

'Ik vraag hem om dat te doen en het lijkt wel alsof hij niet eens… Aha!' Ze houdt triomfantelijk een ijsbakje omhoog. 'En ik maar kwaadspreken van je arme vader, moet je eens zien – ijsblokjes.' Ze laat drie blokjes in Teds glas vallen en ze splijten onmiddellijk als ze in aanraking komen met het water. Ze legt de bevroren vis eerst terug voordat ze Ted zijn glas aanreikt.

'Dank je wel,' zegt hij, en hij neemt een flinke teug. 'Dus, kreeg ik nou borstvoeding?'

Zijn moeder gaat tegenover hem aan tafel zitten. Ze schudt haar hoofd, met haar lippen vol afkeer samengeknepen. 'Nee hoor. Jij hebt alleen maar flesvoeding gekregen.'

'Echt waar?'

Zijn moeder springt weer overeind. 'Waar heb ik die papieren nou gelaten?'

'Dat is eigenlijk wel gek,' zegt Ted terwijl ze een stapel kranten van een stoel haalt en die weer terug legt, 'tegenwoordig hoor je altijd dat je borstvoeding moet geven omdat je daarmee het immuunsysteem van de baby versterkt. Elina zegt altijd dat ik beter bestand ben tegen ziekte dan wie ook. En als ik geen borstvoeding heb gekregen, bewijst dat dat die hele theorie niet klopt, toch?'

Zijn moeder doet een kastdeurtje open, tuurt erin en doet het weer dicht. 'Ik weet dat ze hier ergens moeten liggen, ik heb ze vanmiddag nog in mijn handen gehad, maar waar…' Ze schiet naar voren en duikt boven op een bundel witte documenten. 'Daar zijn ze! Ik wist dat ze hier ergens moesten liggen.' Ze legt ze voor Ted neer.

'Wat zijn dat eigenlijk voor papieren?'

'Een of andere financiële transactie van je vader.'

'Ja, maar wat dan?' Ted drinkt zijn glas leeg en pakt het vel papier dat bovenop ligt.

'Dat moet je mij niet vragen, schat. Dat soort dingen bespreekt hij niet met mij. Iets van een fonds. Voor de baby. Dan krijg je geld terug van de overheid of zo.'

'Dus hij zet een fonds op voor de baby?'

'Ik geloof dat het zo zit. We maken ons weleens zorgen, zie je. Vooral nu je een baby hebt gekregen.'

'Zorgen waarover?'

'Nou ja. Het inkomen van jou en Elina is nogal…'

'Nogal wat?'

'Onbetrouwbaar.'

'Onbetrouwbaar?'

'Niet onbetrouwbaar. Wisselend. Onregelmatig. Dus hadden we bedacht om wat geld vast te zetten voor de baby, voor het geval dat.'

'Juist, ja,' mompelt Ted en hij probeert zijn glimlach te verbergen. Hij weerhoudt zichzelf ervan te vragen, in geval van wat? 'Dat is heel aardig van jullie. Heb je een pen?' Zijn moeder overhandigt hem een vulpen en Ted krabbelt zijn naam in het vakje 'toestemming'.

Bij de deur is zijn moeder nog steeds aan het praten over de douche en handdoeken en even naar boven wippen om zijn grootmoeder gedag te zeggen.

'Sorry,' zegt Ted en kust haar op de wang, 'ik moet echt gaan.'

'Je gaat toch niet de hele weg joggen naar Gospel Oak?'

Ted loopt achteruit en zwaait naar haar. 'Nee. Ik neem de bus.'

'De bus? Ik geef je wel een lift. Je hoeft de bus niet te nemen. Ik breng je wel en dan kan ik meteen…'

'Ik neem de bus wel,' zegt Ted, nog steeds zwaaiend, nog steeds achteruit lopend. Dan blijft hij staan. Zijn moeder kijkt hem aan en houdt met een hand de deur vast.

'Wat is er?'

'Herinner jij je nog…?' vraagt hij en moet dan zijn zin afbreken om na te denken. 'Er is een keer een man aan de deur geweest. En jij… jij hebt hem weggestuurd. Geloof ik. Ik weet zeker dat je hem hebt weggestuurd.'

'Wanneer?'

'Jaren geleden. Toen ik nog klein was. Een man in een bruin colbertje. Met ongekamd haar. Ik was boven. Jij stond met hem te discussiëren. Je zei – dat herinner ik me – je zei: nee, u mag niet binnenkomen, u moet weggaan. Herinner je je dat?'

Zijn moeder schudt nadrukkelijk met haar hoofd. 'Nee.'

'Wie zou dat geweest kunnen zijn? Hij keek omhoog naar het huis terwijl hij wegliep. En hij zwaaide naar me. Herinner je je dat niet?'

Ze kijkt hem niet aan. Ze laat haar hand over het verfwerk van de deur glijden als om het op barsten te controleren. 'Absoluut niet,' zegt ze, met afgewend gezicht.

'Hij zwaaide naar me alsof hij…'

'Klinkt alsof het een handelsreiziger was of zo. In die tijd kreeg je die vaak aan de deur. Opdringerige types waren dat.' Zijn moeder draait zich naar hem om en glimlacht haar tanden bloot. 'Dat lijkt me de meest voor de hand liggende verklaring.'

'Ja, dat zal het wel zijn geweest.'

'Tot ziens, schat. Tot gauw.' Ze doet snel de deur dicht en even later draait Ted zich om en steekt de straat over.

Elina hoort niet dat Ted de sleutel in de deur steekt omdat de baby weer aan het krijsen is, met zijn vuistje in zijn mond gedrukt en zijn hoofd in haar hals begraven. Ze maakt rondjes door de zitkamer met dat karakteristieke langzaam deinende loopje, net als iemand die op de maan loopt, denkt ze, of in diepe sneeuw. Het afgelopen uur heeft de baby twee keer een halve minuut aan de borst gelegen: hij hapt gretig toe, maar laat dan krijsend los. Heeft hij pijn? Is er iets mis met haar melk? Vindt hij het niet lekker? Is er iets mis met hem? Of is er iets mis met haar?

Elina werpt een blik op het babyboek op de bank. Ze heeft het gekocht omdat de vrouw in de winkel had gezegd dat dit de 'ultieme babybijbel' was. Ze heeft 'winderigheid' opgezocht, ze heeft 'huilen' opgezocht, ze heeft 'voedingsproblemen' en 'buikkrampen' opgezocht; ze heeft 'wanhoop' opgezocht en 'angst' en daarna 'peilloos verdriet' maar ze heeft niets gevonden waar ze iets aan had.

Ze verlegt de baby zodat hij langs haar onderarm ligt en zijn hoofdje in haar handpalm rust. Met haar andere hand wrijft ze over zijn ruggetje. Hij lijkt deze verandering van positie te aanvaarden met een zekere ernst, een geconcentreerde fronsende blik, alsof hij wil zeggen: ja, laten we dit maar eens proberen, misschien helpt het. Lasse, dwingt ze zichzelf te denken terwijl ze op zijn zijdezachte hoofdje neerkijkt, Arto, Paarvo, Nils, Stefan. Hoe moet je nou een naam voor je kind kiezen? Hoe beslis je dat? Ziet hij eruit als een Peter, een Sebastian, een Mikael? Of is hij een Sam, een Jeremy of een David? Langs de pezen en aderen in haar armen voelt ze minieme bewegingen, peristaltisch gegorgel, het samentrekken en ontspannen van zijn piepkleine spijsverteringskanaal, en ze gaat daar zo in op, dat als ze opkijkt en de contouren van twee gezichten in het donkere raam voor haar ziet, ze een gil slaakt en zich razendsnel omdraait, terwijl ze het kleine lijfje van de baby tegen zich aan klemt om hem niet te laten vallen.

Het is Ted, die achter haar de kamer is binnengekomen in zijn joggingkleren, en er speelt een wrange glimlach om zijn mond terwijl hij de sleutels op de bank smijt.

'Nou, nou,' zegt hij, 'wat een begroeting.'

De baby die geschrokken is van haar gil begint weer te huilen. Niet met van die raspende, rauwe kreetjes van het afgelopen uur maar met een nieuw, zenuwslopend, in volume toenemend gejammer.

'Ik schrok van je,' mimet ze boven het lawaai uit.

'Sorry,' mimet hij terug. 'Hoe is het met jullie?'

Ze haalt haar schouders op, alsof ze wil zeggen: zie je dat dan niet?

'Zal ik hem van je overnemen?'

Elina knikt en geeft hem de baby. Haar armen voelen licht, op een merkwaardige manier gevoelloos, net als bij dat spelletje waarbij je je handen stevig zijwaarts tegen de deurpost duwt en vervolgens achteruit stapt, en dan zweven je armen als vanzelf omhoog.

Ze laat zich op de bank vallen, sluit haar ogen en laat haar hoofd op de lage kussens rusten. Na twee, misschien drie seconden in een gelukzalig niets te hebben vertoefd, voelt ze een hand op haar arm.

'Volgens mij heeft hij honger.' Ted reikt haar de baby aan. 'Misschien moet je hem voeden.'

'Verdomme,' schreeuwt ze terwijl ze aan haar truitje rukt, het omhoog probeert te trekken en onder haar kin klemt en ondertussen in de weer is met de sluiting van haar beha, het zoogcompres, het richten van haar tepel en het vuistje van de baby dat gevaarlijk dicht langs de gezwollen, strakgespannen, branderige huid van haar borst maait. 'Waar denk je dat ik het afgelopen uur mee bezig ben geweest?'

Ted staart haar aan, geschrokken van haar plotselinge woede. Ze ziet hem diep ademhalen voordat hij begint te spreken. 'Ik zou het niet weten,' zegt hij met een zachte, sussende stem. 'Ik kom net binnen.'

De baby voelt glibberig aan in haar greep, hij maakt puffende geluidjes en ligt te kronkelen van ongedurigheid, van de honger, en zij wil alleen maar gaan liggen, sorry zeggen tegen Ted, deze borst verlossen van zijn pijnlijke, hete melk, zij wil dat iemand iets voor haar te drinken haalt, dat iemand tegen haar zegt dat het allemaal goed zal komen. De baby staart aarzelend naar de borst, dan hapt hij met zijn tandeloze mondje stevig toe en Elina's hele lichaam krimpt ineen van de pijn. Hij lijkt nog een paar seconden na te denken en begint dan eindelijk te zuigen, met de concentratie van iemand die er serieus werk van maakt, zijn oogjes gaan heen en weer, alsof hij een onzichtbare tekst in de lucht leest.

Heel langzaam laat ze haar schouders zakken, stukje bij beetje. Ze kijkt de kamer in. Ted zit in de stoel tegenover haar en slaat hen gade, met gefronste wenkbrauwen en zijn ene been over het andere geslagen. Ze doet een poging tegen hem te glimlachen en ziet dat hij eigenlijk niet naar hen kijkt maar langs hen heen kijkt. Hij heeft die merkwaardige, starende blik in zijn ogen.

'Alles goed met je?'

Hij knippert met zijn ogen en kijkt haar aan, met een verdwaasde blik. 'Wat?'

'Alles – goed – met – je?'

Hij lijkt zichzelf wakker te schudden. 'Natuurlijk. Hoezo?'

'Zomaar,' ze haalt haar schouders op, 'gewoon even checken.'

'Nou, ik heb liever dat je dat niet doet.'

'Dat ik wat niet doe?'

'Checken. Dat je me steeds vraagt of het wel goed gaat.'

'Waarom niet?'

'Het is irritant. Ik zeg het je toch – er is niks met me aan de hand.'

'Irritant?' herhaalt ze. 'Dus het is irritant dat ik om jou geef, is dat het?'

Ted komt overeind. 'Ik ga douchen,' mompelt hij, en hij loopt de kamer uit.

Ze liggen op bed, alle drie, op hun rug, Elina ligt naar het plafond te staren, de baby ligt tussen hen in te slapen met gestrekte armpjes.

'Ik vraag me af,' zegt Ted, 'wanneer hij zich dingen begint te herinneren.'

Ze draait haar hoofd opzij en kijkt hem aan. Ted ligt met zijn hoofd op zijn arm naar de baby te kijken.

'Dat wisselt, toch?' zegt ze. 'Vanaf dat hij een jaar of drie, vier is, denk ik.'

'Drie, vier,' mompelt hij en staart haar met opgetrokken wenkbrauwen aan.

Ze glimlacht tegen hem. 'Ik heb het niet over jou, meneer de Vergeetachtige, ik heb het over normale mensen met normale hersenen.'

'Wat zijn normale hersenen, mevrouw de Slapeloze?'

Ze doet net of ze dat niet hoort. 'Ik kan me nog herinneren dat mijn broertje werd geboren…'

'Hoe oud was je toen?'

'Eh…' Ze moet even nadenken. 'Twee. Twee jaar en vijf maanden.'

'Echt waar?' Ted toont zich oprecht verbaasd. 'Kun jij je iets herinneren van toen je twee jaar was?'

'Ja. Maar dat was een heel belangrijke gebeurtenis. De geboorte van een broertje. Iedereen zou zich dat herinneren.'

Hij legt zijn hand om het voetje van de baby. 'Ik niet.'

'Ik heb gelezen dat mensen met jongere broertjes of zusjes een beter geheugen hebben omdat ze daar, ik weet het niet, daar meer in getraind zijn. Ze kunnen hun herinneringen makkelijker plaatsen.'

'Dat heb ik weer.' Hij grinnikt, laat het voetje van de baby los en gaat weer op zijn rug liggen met zijn handen onder zijn hoofd. 'Maar het is een volmaakt excuus voor mijn waardeloze geheugen. Geen broertjes of zusjes gehad.' Elina kijkt hem van opzij aan. Ze ziet de witte strepen op zijn arm die niet door de zon zijn gebruind, rond zijn pols waar zijn horloge zit, de spieren die onder de huid van zijn benen opbollen, de manier waarop de donkere haartjes rond zijn navel en op zijn borst samenkomen. Het is een hete avond en hij draagt alleen een korte broek. Wat vreemd, denkt ze, dat zijn lichaam zo hetzelfde is gebleven. Terwijl ik onherkenbaar ben.

Ted is weer aan het praten. '… heeft iets te maken met dat ik hem nu heb, dat ik hem en jou samen observeer en dat ik die dingen nu opeens bijna kan zien. Bijna maar niet helemaal. Ik kon me laatst iets herinneren – het is niet veel zaaks, niet te hard juichen – maar ik herinnerde me dat ik over een pad liep en dat mijn hand werd vastgehouden door iemand die veel langer was dan ik, iemand met groene schoenen, je weet wel, van die hoge schoenen, geen naaldhakken, maar met zo'n dikke zool.'

'Plateauzolen?'

'Ja. Groene, met een houten zool.'

'Echt waar? En wat nog meer?'

'Dat was alles. Ik herinnerde me alleen dat gevoel van je arm die boven je hoofd werd vastgehouden.'

'Je gaat me toch niet vertellen,' ze draait zich om en legt haar hand op zijn borst; hij bedekt die onmiddellijk met zijn beide handen, 'dat je geheugen terugkomt? Zou dat kunnen?'

'Blijkbaar,' zegt hij. Hij brengt haar hand naar zijn mond en drukt er afwezig een kus op. 'De wonderen zijn de wereld nog niet uit.'

Op een avond bleef Lexie in haar eentje achter op kantoor. Ines was verdwenen, iets mompelend over het bekijken van een nieuwe triptiek in iemands atelier, en Laurence was naar de Mandrake gegaan. Lexie was vastbesloten om niet eerder weg te gaan voordat ze nog eens tweehonderd woorden uit een tamelijk wijdlopig verhaal over George Barker had geschrapt. Ze klemde een blauw potlood tussen haar tanden en boog zich over de dicht getypte tekst.

De wezenlijke kwaliteit, toon en eigenheid van Barkers cadansen... las ze. Moest hier nou echt *kwaliteit* en *toon* staan? En *eigenheid*? Betekende *wezenlijke kwaliteit* in feite niet hetzelfde als *eigenheid*? Lexie zuchtte en beet op het uiteinde van het potlood en proefde lood en hout. Ze had dit al zo vaak gelezen dat het artikel geen enkele betekenis meer had, de woorden haar zo vertrouwd voorkwamen dat ze nergens meer op sloegen. Haar potlood hing aarzelend boven *eigenheid* en daarna boven *wezenlijke kwaliteit*, bewoog toen weer terug, tot ze opnieuw zuchtte en een definitieve beslissing nam. Ze schrapte *eigenheid*, op grond van het feit dat het een lelijk woord was, dat bestond uit...

De deur ging piepend open en Daphne kwam binnen, terwijl ze de regen van haar jas en haar haar schudde.

'Godallemachtig,' riep ze uit, 'wat een pokkenweer is het van-avond.' Ze keek om zich heen. 'Waar is iedereen? Wat is er ge-beurd? Zit je hier helemaal alleen?'

'Ja,' zei Lexie. Daphne en zij keken elkaar aan, tussen hen in stond het bureau. Lexie legde haar blauwe potlood neer en pakte het toen weer op. 'Ik maak dit even af en dan ga ik naar…'

Daphne kwam over haar schouder meekijken. 'Is dat de boek-recensie van Venables? Zijn tekst is altijd één grote knoeiboel. Ik snap niet waarom Innes hem aanhoudt. Hij zal wel goedkoop zijn, maar dat is dan ook het enige wat je van hem kunt zeggen. Dat daar is een zwevende bepaling,' Dapne wees met een afgebeten vinger-nagel op de tweede alinea. 'En het woord "strofe" komt hier twee keer in dezelfde zin voor,' en ze wees ergens anders. 'Luie donder-steen. Soms vraag ik me weleens af of hij zijn stukken wel naleest als hij klaar is.'

Daphne ging op Lexies bureau zitten en Lexie, die zich scherp bewust was van Daphnes starende blik, begon iets aan de zweven-de bepaling te veranderen.

'Het zegt anders wel wat, dat hij je dat laat doen,' merkte Daphne op.

Lexie keek naar haar op, naar haar met lippenstift aangezette lippen die ze nadenkend had getuit, naar de groene sjaal die om haar hals zat geknoopt. 'Vind je?'

Daphne bestudeerde een nagel, beet erop, en bekeek hem toen weer. 'Hmm,' zei ze. 'Als hij jou Venables rotzooi geeft om nieuw leven in te blazen, moet hij je talenten wel hoog aanslaan.'

Lexie gaapte en werd plotseling overmand door vermoeidheid. 'Ik zou niet weten waarom,' zei ze. 'Ik heb niet het gevoel dat ik enig talent bezit.'

Daphne boog zich voorover en trok het potlood uit haar vin-gers. 'Kom mee,' zei ze, 'het is mooi geweest. We hebben volgens mij allebei behoefte aan een borrel.'

'Ik moet dit eerst afmaken,' protesteerde Lexie, omdat het de waarheid was en ook omdat ze nog niet eerder met Daphne alleen op stap was geweest en niet zeker wist of ze dat wilde. 'Ik moet nog honderddertig woorden schrappen. Ik heb Innes beloofd dat ik…'

'Trek je nou maar niets aan van Innes. Je kunt er zeker van zijn dat hij op dit moment met Colquhoun een fles whisky soldaat maakt. Kom mee.'

Ze probeerden de French Pub – Daphnes eerste keus – maar die zat zo vol dat de mensen op de stoep stonden. 'Het duurt eeuwen voordat we iets kunnen bestellen,' mompelde Daphne terwijl ze het tafereel vanaf de overkant gadesloegen. Ze overwogen even om naar de Mandrake te gaan, maar verwierpen dat idee. Bij de ingang van de Colony Room hield Muriel Belcher hen tegen met een boze blik. 'Alleen voor leden, het spijt me,' zei ze met een krakende stem.

Daphne haalde haar sigaret uit haar mond. 'Hé, kom op, Muriel, alleen voor deze ene keer.'

'Als ik het me goed herinner, genieten jullie dames niet de eer lid te zijn van deze club.'

'Alsjeblieft,' zei Lexie smekend, 'het is al laat. Alles zit vol. We blijven niet lang. We zullen ons keurig gedragen, dat beloven we. Je krijgt een drankje van ons.'

'Waar is juffrouw Kent vanavond?'

'Op stap met Colquhoun,' zei Daphne.

Muriel trok een wenkbrauw op en keek naar Lexie. 'Juist ja. Dus ze is naar de andere kant overgestapt?'

'Eh,' hakkelde Lexie, die niet helemaal snapte waar Muriel op doelde, 'hij is…'

Daphne schoot haar te hulp. 'Dat is net zo waarschijnlijk als dat de aarde alsnog plat blijkt te zijn,' kwam ze tussenbeide.

'Nou ja, jullie tweeën zouden het moeten weten,' zei Muriel met een kakelend lachje, 'jullie zouden het moeten weten.'

'Dus mogen we naar binnen?' vroeg Daphne. 'Alsjeblieft?'

Ze gaf Lexie een zet naar voren zodat die bijna boven op Muriel viel. Lexie moest naar achteren duwen om niet bij de vrouw op schoot te belanden. 'Zij doet het met een lid,' zei Daphne terwijl ze Lexie in haar ribben bleef duwen; Lexie stapte hard op Daphnes teen. 'Telt dat niet?'

Muriel bekeek hen allebei van top tot teen. 'Best, maar alleen voor deze ene keer. Zorg ervoor dat je dat lekkere ding de volgende keer weer bij je hebt.'

'Lekkere ding?' fluisterde Lexie terwijl ze tussen de tafeltjes door naar de bar liepen.

'Ze bedoelt Innes,' fluisterde Daphne terug.

Die benaming voor Innes trof Lexie als reuze grappig en ze schoot in de lach. 'Waarom noemt ze hem zo? En waarom noemt ze hem een "zij"?'

'Sst,' Daphne pakte haar arm vast, 'straks denkt ze nog dat je haar uitlacht. En dan gooit ze ons eruit.'

Lexie kon niet ophouden met lachen. 'Doet ze dat echt?'

'Godallemachtig,' kreunde Daphne. 'En dan te bedenken dat je nog niet eens iets te drinken hebt gehad. Ze noemt alle mannen "zij". Is je dat nog niet opgevallen?'

'Waarom dan?'

'Dat doet ze nu eenmaal,' liet Daphne zich ongeduldig ontvallen. 'Goed,' zei ze toen ze bij de bar waren aangekomen. 'Wat gaan we drinken? Gin, denk ik. Ik heb helemaal geen geld bij me. En jij?'

Ze gingen aan een tafeltje vlak bij de bar zitten, ingeklemd tussen een man in een smerige schaapsleren jas, twee jonge mannen, van wie de ene een fraaie lakleren handtas om zijn arm had hangen, en de oude vrouw die Lexie daar al eens eerder had gezien.

Lexie schoof een glas gin naar Daphne toe, roerde in haar eigen glas met het tinkelende roerstokje en zei: 'ad fundum,' en dronk haar eigen glas in één keer leeg. De alcohol stroomde tot achter in haar keel waardoor ze moest hoesten en haar ogen begonnen te tranen. 'Oef,' zei ze, gevolgd door een proestend 'ah. Zullen we er nog een nemen?'

Daphne keek haar aan en nam een slok van haar eigen drankje. 'Jij doet de dingen niet half, hè, Lexie Sinclair?'

Lexie viste een ijsklontje uit haar glas en stopte het in haar mond. 'Hoe bedoel je?'

Daphne haalde haar schouders op. 'Je stort je overal met overgave in.'

'O ja?'

'Ja.' Ze zoog nadenkend op haar roerstokje. 'Het is wel duidelijk waarom Innes en jij... ja... samen een succes zijn. Hij is net als jij.'

Lexie beet op het ijsklontje en voelde het tussen haar tanden in stukken breken. Ze vermaalde het tot steeds kleinere stukjes. Ze keek naar Daphne, naar de groene sjaal om haar hals, de gladde huid van haar voorhoofd, haar volle mond terwijl ze een slok nam. Heel even kreeg ze een beeld van Innes boven Daphne in bed; ze zag zijn handen en lippen die huid, dat haar aanraken, hun monden die elkaar vonden. Lexie slikte de stukjes ijs door en haalde diep adem. Ze vond dat het moment was aangebroken om iets te zeggen, dat als Daphne en zij verder wilden, dit eerst gezegd moest worden.

'Het spijt me,' begon ze, 'als ik je, nou ja, in de weg heb gezeten of... of... op jouw tenen ben gaan staan. Met jou en Innes, bedoel ik... Het is nooit mijn bedoeling geweest om...'

'O, alsjeblieft,' Daphne maakte een korte beweging met haar pols alsof ze een vlieg wegjoeg, 'je hoeft je nergens voor te verontschuldigen. Hij en ik waren... nou ja, het was gewoon een prettige regeling. Niet zoals met jou. Hij en jij zijn anders, of niet soms? Dat ziet iedereen.' Daphne grinnikte tegen haar alsof de wending van het gesprek haar wel beviel. 'Hij is een heel ander mens geworden sinds hij jou kent.'

'Ik ook,' zei Lexie. 'Hoewel ik natuurlijk geen man ben.' Ze werd opnieuw overvallen door een niet te stoppen giechelbui. Het beeld van de Colony Room – de man met de lakleren handtas in de stoel naast haar, de oude vrouw die haar tabaksblikje rammelend onder de neus van de man in de schaapsleren jas hield, de vissen die sprongetjes maakten in hun troebele aquarium, Muriel die tegen een ongelukkige klant schreeuwde dat hij 'zijn kralentas open moet maken', een kunstenaar die ze vaag herkende met zijn arm om de hals van een vrouw in een strakke, paarse jurk – leek zo ver af te staan van alles wat haar opvoeding haar had doen verwachten dat ze alleen maar kon lachen.

Daphne rolde met haar ogen. 'Wat is er nou zo grappig?'

'Ik weet het niet,' wist Lexie uit te brengen. 'Ik weet het niet. Soms kan ik maar moeilijk geloven dat ik vroeger in Devon heb gewoond.'

'Wat?' Daphne staarde haar verbijsterd aan. 'Waar heb je het over? Wat heeft Devon hiermee te maken?'

'Niets!' Lexie leunde over de tafel heen. 'Dat is het 'em juist!'

Daphne stak een sigaret op en doofde de lucifer door ermee te wapperen.

'Je bent een merkwaardig meisje, Lexie.' Toen gaf ze een klap op tafel. 'Goed, nog een drankje dus. Deakin,' riep ze over tafel naar de man in de schaapsleren jas, 'heb je een paar pond voor ons te leen, dan ben je een schat. Ik weet dat je het hebt.'

Deakin draaide zich langzaam naar hen toe en trok zijn lippen smalend op. 'Sodemieter op,' zei hij met dubbele tong. 'Koop je eigen drank.'

Het kantoor waar *Elsewhere* vroeger zat is tegenwoordig een café. Of een bar. Het is niet zo duidelijk welke van de twee. Boven de deur staat Café Bar The Lagoon, dus je mag kiezen. Het ontbreken van enige punctuatie in dat uithangbord zou Innes geërgerd hebben. Het moet Café/Bar zijn, zou hij nadrukkelijk hebben gezegd, of Café, Bar, of op zijn minst Café-Bar, als je dat woord in zijn samengestelde betekenis gebruikt.

Enfin, het is zo'n tent met een gladde houten vloer, zachte verlichting, donkerblauwe muren, op iedere tafel een kaars en sofa's achterin. Er liggen boeken en er slingeren tijdschriften rond, onder andere *London Nights*, ironisch genoeg. *London Nights* is de huidige naam van *Elsewhere*. Een vreselijke naamsverandering. Maar de mensen die *Elsewhere* in het begin van de jaren zestig overnamen vonden de oorspronkelijke naam 'te zwaar'. Het ziet er natuurlijk totaal anders uit dan het tijdschrift dat Innes in die tijd had. Vier keer zo dik, stampvol reclame, kleine annonces, en interviews met televisiesterren die banale geheimen onthullen. Voor de kunstrecensies, die weinig om het lijf hebben, wordt heel weinig plek ingeruimd. Laatst kreeg een National Theatre-productie van *Medea* slechts honderd woorden toebedeeld.

In Café Bar The Lagoon (of Café/Bar of Café-Bar) staat een tafel ongeveer op de plek waar Lexies bureau – een oude keukentafel vol meskerven en inktvlekken – vroeger stond, bij de deur, uitkijkend over de straat. De deur is tegenwoordig een andere deur, maar deze klemt ook bij vochtig weer. De open haard die Innes had dichtgetimmerd omdat hij in de winter niet tegen de tocht kon die langs de ijskoude pijp naar beneden trok, is door de mensen van het café opengemaakt, gepolijst en gerenoveerd. Wat kunnen de dingen toch veranderen. Ze gebruiken hem niet als open haard maar als een soort altaar, gevuld met kaarsen. Een altaar waarvoor is niet zo duidelijk. Enkele planken aan de muur uit de *Elsewhere*-tijd hebben het overleefd – wat opmerkelijk is, aangezien ze een keer tijdens een weekend in 1960 onvakkundig zijn opgehangen door Laurence en Lexie. Er staan wat boeken van het café op, en achteraan zijn rijen glazen neergezet, omgekeerd en druipend van de vaatwasmachine. Waar vroeger Innes' achterkamer was, waar hij zijn schilderijen had staan en waar zijn canapé stond en allerlei andere rommel, is nu een keuken. Ze grillen daar panini, maken hummus klaar en vlelen olijven in kleine bakjes – de keuken van The Lagoon is vaag mediterraan en in de bediening lopen Bosniërs, Polen en Australiërs rond. Innes zou het geweldig hebben gevonden.

Vanaf de tafel waar vroeger Lexies bureau stond heb je uitzicht op Bayton Street. Het is ongewoon koud voor de maand juli, grijze regengordijnen vallen schuin op het asfalt en kletteren tegen de ramen. De tafeltjes buiten op het trottoir zijn leeg, een enkele achtergelaten koffiekop vult zich langzaam met regenwater. De Australische serveerster of 'barista' zoals er op haar badge staat te lezen, heeft een oud nummer van Edith Piaf opgezet. Het is vroeg in de middag, vlak na de lunchdrukte. En aan het tafeltje waar vroeger Lexies bureau stond, zit Ted.

Hij komt hier regelmatig. Zijn kantoor ligt vlak om de hoek, in Wardour Street. Hij zit te lunchen, een panino met geitenkaas en rode pepers. Zijn vingers tikken mee op de maat van Ediths lied, heel zachtjes, en de vibraties zijn voelbaar door het hout.

Hij lijkt te staren naar de plek waar vroeger Lexies prikbord hing. Een rommelige verzameling aantekeningen, drukproeven, lijsten, ansichtkaarten en dia's die alleen zij begreep. Maar hij staart natuurlijk alleen maar naar de regen.

Hij is net aan het uitleggen dat de baby de afgelopen nacht veel wakker is geweest, en dat verklaart misschien enigszins waarom hij er zo verdwaasd uitziet. Hij draagt een overhemd waarvan de kraag scheef zit, en een trui met gerafelde boorden.

'Het wordt tijd dat jullie dat kind eens een naam geven,' zegt Simmy, zijn metgezel, met een snerpende stem. 'Jullie kunnen hem toch niet nog steeds "de baby" noemen als hij naar de universiteit gaat?'

Ted glimlacht, haalt dan zijn schouders op en het scheve kraagje beweegt op en neer terwijl hij dat doet. 'Misschien gaat hij wel niet naar de universiteit.' Hij neemt een grote hap van zijn panino.

Simmy rolt met zijn ogen. 'Je weet best wat ik wil zeggen. Wat zit je nou verdomme...'

'Als je het weten wilt,' valt Ted hem in de rede, nadat hij zijn hap heeft doorgeslikt, 'we hebben gisteravond een naam bedacht.'

'Echt?' Simmy is zo verbaasd dat hij zijn glas neer moet zetten. 'Hoe heet hij?'

Ted gebaart met een ronddraaiend gebaar dat hij zit te kauwen.

'Is het zo'n Finse naam waar je je tong over breekt?' houdt Simmy aan. 'Met zeven klinkers erin? Of is het zo'n lange naam, zoals James James Morrison Morrison Wetherby George Weetikveel? Of is het Ted? Ted de Tweede?'

'Hij heet Jonah,' zegt Ted.

Simmy denkt even na. 'Zoals in de walvis?'

'Ja.'

'Je realiseert je toch,' zegt Simmy, 'dat de mensen dat tot in lengte van dagen tegen hem zullen blijven zeggen?'

'Wat? Van die walvis?'

'Ja.'

Ted haalt zijn schouders weer op. 'Nou ja. Daar went hij wel aan. Iedere naam roept associaties op. En hij ziet eruit als een Jonah. En ik vind Jonah een mooie naam.'

'Dat lijkt me logisch,' onderbreekt Simmy hem, 'want je hebt hem tenslotte gekozen.'

'En,' vervolgt Ted alsof hij niet onderbroken is, 'hij klinkt zowel goed in het Fins als in het Engels. In het Engels is het, nou ja, gewoon Jonah; in het Fins wordt het als Jurnah uitgesproken. Of als Juor-nah. Zo ongeveer.'

'Juor-nah?'

'Blijkbaar.'

'Ik zou niet durven zeggen dat dat goed klinkt.'

'Sim,' zegt Ted goedmoedig, 'niemand heeft je wat gevraagd.'

Ze eten even in stilte door. Ted begint weer met zijn vingers op de tafel te trommelen en de glazen, de messen en de kopjes op de schoteltjes beginnen mee te trillen.

'Ik vind hem mooi,' mompelt Simmy met een mond vol soepstengel. 'Het is een goede naam.'

'Dank je.'

'Hoe gaat het met Elina?'

Ted stopt met trommelen. Hij speelt met een servetje, vouwt het open en vouwt het weer dicht. 'Goed.' Hij fronst zijn wenkbrauwen halverwege dat woord. 'Ze is... nou ja... moe.'

Simmy knikt en kijkt zijn vriend aan. 'Ja. Dat zal wel.'

'Ik zou willen dat ik die verdomde film kon laten zitten en dan misschien een tijdje vrij kon nemen maar...'

'Is er dan echt helemaal niemand anders aan wie je een deel van de montage kunt overlaten?'

Ted krabt op zijn hoofd, gaapt. 'Ik sta onder contract. En, nou ja, het is een belangrijke klant. Hij vindt het niet leuk om naar iemand anders te worden doorgeschoven. Ik moet die film afmaken. En de baby is te vroeg geboren en zo... Ik zeg steeds tegen haar dat ze eens contact op moet nemen met haar praatgroep.'

'Haar praatgroep?'

'Ja. Je kent het wel. Een geboortegroep of hoe dat mag heten. Geboorteklas. Dat wordt georganiseerd door het ziekenhuis. Ze komen één keer per week bij elkaar, geloof ik. Maar ze wil er niet heen.'

'Waarom niet?'

'Dat weet ik niet.' Ted gooit zijn servetje op zijn bord. 'Ze zegt dat ze niet goed functioneert in groepen, of zoiets.'

'Misschien is dat wel zo. Ik zie Elina op een of andere manier niet als een groepsmens.'

'En ze zegt dat Jonah dan de hele tijd ligt te gillen.' Er verschijnt weer een fronsende blik op Teds gezicht. 'Hij heeft krampjes, denkt ze, en ze zegt dat ze hem alleen thuis kan voeden omdat hij alleen maar ligt te gillen en te worstelen, en zij laat... nou ja.... de boel naar buiten hangen tot hij gekalmeerd is, en dat kan wel een uur duren.' Ted stopt om adem te halen. De twee mannen staren elkaar even aan.

'Goed,' knikt Simmy. 'Misschien kom ik langs. In het weekend.'

Ted houdt zijn hoofd scheef. 'De meeste mensen zouden zeggen: "is het goed als ik langskom?" Niet "ik kom langs."'

'Ik vraag jou niet om toestemming. Ik kom niet voor jou. Ik

kom voor Elina. En voor Jonah, die net een naam heeft gekregen. En jij kan naar de hel lopen.'

Ted grinnikt. 'Best,' zegt hij. Dan werpt hij een blik op zijn horloge. 'Ik moet ervandoor.' Hij staat op en gooit een paar bankbiljetten op tafel. 'Sorry, Sim. Ik zie je nog wel.' Dan is Ted weg.

Hij loopt snel, heeft hij altijd al gedaan, met een verende tred, waarbij de bal van zijn voet omhoog komt en hem over het trottoir voortstuwt. Onderweg haalt hij zijn mobieltje tevoorschijn en belt Elina.

'Hallo… ja… hoe is het? Hoe is het met Jonah? Heeft hij goed gedronken?… O. Echt? Eh, nee. Sorry. Ja, misschien – ik snap het. Oké… Ik heb Simmy net gesproken. Ja. Ik heb hem verteld hoe we hem noemen, hij zei – … O. Goed. Spreek je straks nog wel.'

Hij klapt zijn mobieltje dicht en gaat dan het gebouw binnen. In de lift staat hij te kijken hoe de cijfers steeds veranderen, en als hij in zijn kantoor aankomt, laat hij zich op een stoel vallen. Hij schuift wat papieren heen en weer op zijn bureau, steekt een potlood achter zijn oor, legt het weer neer, hij drinkt water uit een plastic fles, hij verstelt iets aan de rugleuning van zijn stoel, hij schudt zijn rechterpols los. Dan gaat hij aan het werk.

Voor hem staan twee schermen: op beide is het stilstaande filmbeeld te zien van een man die op de rand van een gebouw balanceert en op het punt staat naar beneden te vallen.

Teds vingers bewegen de muis over het bureau en klikken beurtelings langzaam en dan weer heel snel op de beide muisknoppen, en de film begint heel traag, beeldje voor beeldje, naar voren te kruipen. De voeten van de man verliezen het contact met de rand van het gebouw, hij helt naar voren, het breekbare omhulsel van zijn schedel wijst nu naar beneden, zijn armen beginnen in de rondte te maaien, zijn kleren wapperen in de wind, we kunnen zijn gezicht niet zien, maar we kunnen het ons wel voorstellen, verlamd van afschuw met wijd opengesperde mond. Hij passeert de camera en wij volgen hem, steeds verder naar beneden, in een gruwelijke duikvlucht, en de man heeft geen parachute, er is geen koord om aan te trekken, geen zijde dat naar buiten komt en opbolt om hem te redden, hij duikt, met zijn hoofd naar voren, met maaiende armen en benen op de genadeloze grond onder hem af.

Dan raakt Ted weer heel lichtjes zijn muis aan en klikt – drie heel korte klikjes – en de man wordt gestopt in zijn val, een paar centimeter boven de grond. Je kunt zijn gezicht nu zien vanuit deze camerahoek, hij heeft zijn lippen opgetrokken zodat zijn tanden te zien zijn, zijn ogen zijn dicht, maar wie zal hem dat kwalijk nemen, en er ligt een ongelooflijk woeste uitdrukking op zijn gezicht en Ted heeft hem gered. Hij klikt weer, de film wordt teruggespoeld, de man wordt weer omhooggetrokken door de lucht, steeds hoger, weg van de grond en daar staat hij weer boven op het gebouw, nu praat hij tegen de andere man, een grote zwaargebouwde man, degene die hem geduwd heeft en hij moet voortaan gewoon geen gesprekken meer aanknopen met grote mannen op de daken van wolkenkrabbers.

Ted spoelt de film vooruit en dan weer achteruit. We zien de man vanuit verschillende hoeken op de rand van het gebouw balanceren, dan achteruit stappen.

Naar voren: op het punt om te vallen. Naar achteren: naar de grote man. Weer naar voren. Zal hij vallen of blijft hij op het gebouw staan? Gaat hij dood of niet? Gaat hij vandaag dood of morgen? Ted kan daar over beslissen.

Maar hij lijkt op dat moment geen beslissing te willen nemen. Hij gaapt, wrijft met de palm van zijn hand in zijn ogen, leunt achterover in zijn stoel. Hij klikt weer op de muis en de scène wordt teruggespoeld. Ted masseert de pezen in zijn linkerarm terwijl hij kijkt, weer gaapt, een blik werpt op de klok aan de muur – zo direct staat de regisseur hier en wil deze scène bekijken – dan fronst hij zijn voorhoofd en buigt zich voorover. Er flikkerde heel even iets, niet langer dan een onderdeel van een seconde, boven aan het scherm. Ted beweegt de muis weer en de beelden schuiven naar voren, en dan weer terug, heel, heel langzaam. Naar voren, terug.

Daar! Hij heeft het! Hij wist het! Heel even schuift een zwarte flikkering voor de camera langs. Iets van apparatuur, een bungelende draad, een stukje van een vinger, wie zal het zeggen? Maar hij heeft het gevonden en met een paar snelle muisklikken haalt hij het weg.

Ted gaat met een tevreden gevoel weer achterover zitten. Hij haat vuile beelden, vindt het vreselijk als hij die over het hoofd ziet. Dan gaapt hij weer. Hij geeft zichzelf drie zachte tikjes op zijn wang. Hij moet klaarwakker zijn als de regisseur hier staat, hij moet een kop koffie hebben, hij moet zijn vader terugbellen, straks misschien, hij moet…

Opeens moet hij zomaar aan zijn vader denken. Die hem als kind over straat meetrekt. Hij, Ted, wordt voortgetrokken, laat zich door zijn knieën zakken, zoals kinderen dat doen, en hij jammert: *nee, nee, nee*. Zoals kinderen dat doen. En zijn vader? Zijn vader zegt: *kom mee* en *je moet mee* en *doe niet zo kinderachtig* en meer van die dingen die vaders zoal zeggen. Hij moet Ted ergens mee naartoe hebben genomen zonder zijn moeder, want Ted ervaart dat gevoel – zo ver terug in de tijd nu – die allesoverheersende drang, die overweldigende behoefte om haar te zien, naar haar terug te gaan, zich aan die ijzeren reling vast te houden en vast te klampen tot ze hem hoort huilen, tot ze hem komt halen.

Ted kijkt naar het scherm, de man hangt als een donkere engel in de lucht. Hij kijkt naar de ansichtkaart van Elina's schilderij. Hij schudt zijn arm, die stijf aanvoelt en slaapt – misschien moet hij maar weer eens een afspraak maken met die osteopaat – en hij staat op. Hij kijkt naar zijn handen, naar het litteken op de bovenkant van zijn duim, naar de cijfers op het toetsenpaneel van de telefoon. Hij pakt de telefoon en houdt hem even vast. Eigenlijk zou hij zijn vader moeten terugbellen. Of misschien moet hij Elina weer bellen om te horen of alles goed is. Maar Ted toetst geen van beide nummers in. Hij zit achter zijn bureau, houdt de hoorn tegen zijn oor en luistert naar het geluid van de kiestoon, dat hem vertroost door zijn monotonie, net als de wind door de bomen, net als de zee die over kiezels stroomt.

Er wordt langdurig aangebeld. Elina staat was op te vouwen in het logeerkamertje, kleine kleertjes, piepkleine hemdjes, rompertjes, minisokjes.

'Ted?' roept ze. 'Ted!'

Er komt geen antwoord. De bel blijft maar gaan. Ze legt het hemdje dat ze in haar handen hield neer, en loopt de kamer uit.

Als ze de voordeur opendoet, staat Simmy op de stoep.

'Kleine Mie,' zegt hij, 'ik kom je ophalen.'

Elina schiet onwillekeurig in de lach. Simmy draagt een strohoed en een gigantisch overhemd bedrukt met kleurige ligstoelen. 'Je ziet eruit... ik weet niet... alsof je recht uit een musical komt gelopen,' zegt ze.

Hij spreidt zijn armen wijd uit. 'Mijn hele leven is een musical. Kom, dan gaan we.'

'Gaan we?'

'Uit. Hup, hup.' Hij rinkelt met zijn autosleutels. 'Ik heb niet de hele dag de tijd.'

'Maar...' Elina probeert na te denken, '... waar gaan we dan heen?'

'Uit, dat zei ik toch. Waar is die man van je? Is ie thuis?'

'Hij is in de tuin met de baby.'

'Je bedoelt Jonah,' zegt Simmy streng, en hij stapt naar binnen en begint tussen de jassen aan de kapstok te zoeken. 'Je moet nu eens af van die gewoonte om hem "de baby" te noemen. Ik noem jou toch ook niet "de vrouw"?' Hij reikt haar een jasje en een zonnehoed aan.

Elina pakt ze onhandig aan, en laat zich dan op de onderste trede van de trap zakken. 'Wat doe je nou, Sim?'

'Heb je geen tas?' wil hij weten, en hij houdt een kleine groene leren buideltas met een heleboel ritssluitingen omhoog en smijt die dan opzij. 'Zo'n degelijk kofferachtig geval. Waar je spullen in doet.'

'Wat voor spullen?' vraagt ze terwijl Simmy de kapstok verder doorsnuffelt.

'Babyspullen. Luiers, en zo. Van die dingen. Van die gewatteerde monsterlijke dingen waar jullie altijd mee rondsjouwen.'

Elina wijst naar de canvastas naast de deur.

'Die?' zegt Simmy en wijst ernaar met zijn teen. 'Dat kun je niet menen. Dat ziet eruit als zo'n ding waar mijn moeder het voer voor de paarden in bewaart.' Hij maakt hem open. 'Hmm. Eens even kijken. Luiers,' zegt hij. 'Aanwezig. Watten, aanwezig. Baby-doekjes, aanwezig. Niet te identificeren kleine witte dingetjes, aan-wezig. Wat hebben we nog meer nodig?'

'Sim, ik kan niet zomaar…'

'Flessen. Hoe zitten we met flessen? Hebben we die nodig?'

'Nee,' ze gebaart naar haar boezem, 'ik geef…'

'O,' er verschijnen rimpels in zijn neus, 'natuurlijk. Dat doe jij allemaal. Mooi, die kun je dan zelf dragen. Waar is Ted? Ted!' schreeuwt Simmy. 'Kom, dan gaan we.'

Kom, dan gaan we, denkt Elina terwijl ze in Simmy's auto door straten zoeven, vol mensen, met kinderen op fietsen, tieners in groepjes, bomen die volop in bloei staan. Het is een van haar favo-riete zinnetjes. Kom, dan gaan we. Het lijkt haar toe te roepen van-uit haar vroegere leven, toen ze altijd ergens aankwam of wegging of ergens daartussenin zat. Nu heeft ze het gevoel alsof ze vastzit, als een mossel, vastgesoldeerd aan het huis, aan de paar straten er-omheen. Kom, dan gaan we.

Ze houdt Jonahs vuistje in haar eigen handpalm. Hij zit in zijn autostoeltje, wakker, alert, ogen wijd open. Hij lijkt net zo ver-baasd als zij over dit onverwachte uitje. Voor in de auto zitten Ted en Simmy te harrewarren over welke cd ze zullen opzetten. Ted draagt de strohoed nu, die achter op zijn hoofd staat, en Simmy heeft een hand op het stuur en houdt de andere voor de gleuf van de cd-speler om Ted te beletten de cd erin te stoppen die hij in zijn handen houdt. Beide mannen lachen en de raampjes worden naar beneden gedraaid en er stroomt warme lucht de auto binnen.

Ze gaan naar de National Portrait Gallery. Simmy wil met alle geweld Jonah in de draagdoek dragen en Ted houdt de canvas tas met de luiers vast zodat Elina haar armen lichtjes langs haar zij kan laten zwaaien. Ted wil doorlopen naar het café op de bovenste verdieping, maar Simmy noemt hem een cultuurbarbaar. Ze zijn hier gekomen om een tentoonstelling van John Deakin te zien, zegt hij tegen hen, en niet om veel te dure cappuccino te drinken.

'Wie is John Deakin trouwens?' bromt Ted.

'Kleine Mie?' Simmy draait zich naar haar om.

'Eh,' Elina moet even denken, 'een fotograaf, denk ik. Een tijdgenoot van Francis Bacon?'

'Een tien met een griffel,' zegt Simmy. Hij pakt hen beiden bij de hand. 'Kinderen,' kondigt hij met zo'n luide stem aan dat een paar mensen hun hoofd omdraaien, 'we staan op het punt het morsige bohemien sfeertje van het naoorlogse Londen te aanschouwen. Zijn jullie er klaar voor?' Hij draait zich om naar Ted.

'Nee, ik wil een cap…'

'Ben je er klaar voor?' Simmy draait zich naar Elina om.

'Ja,' mompelt ze en houdt haar lachen in.

'Ben je er klaar voor?' vraagt hij en kijkt op Jonah neer. 'Nee, jij lijkt in slaap te zijn gevallen. Maakt niet uit. Kom, dan gaan we.' En hij trekt hen allebei aan hun handen mee door de deuren naar binnen.

De eerste keer dat Elina Simmy ontmoette was 's morgens vroeg in de woonkamer geweest. Ze huurde al een maand of wat een kamer bij Ted en was vroeg opgestaan om naar haar leraarsbaan in Oost-Londen te gaan, en op de bank lag een grote, corpulente man met zandkleurig haar te slapen, volledig gekleed in een buitenissig ensemble van sjofele kleren. Ze liep op haar tenen door de kamer naar de keuken en vulde de ketel zo zachtjes mogelijk.

'Je gaat me toch niet vertellen,' zei een bulderende stem vanaf de bank, 'dat je thee gaat zetten.'

Ze keek om en zag dat de man haar van over de rugleuning van de bank gadesloeg. 'Koffie, om precies te zijn.'

'Nog veel beter. Je bent een engel. Zou er ook een kop koffie voor mij af kunnen?'

Dat kon wel. Elina bracht hem zijn koffie op de bank en ging op het tapijt zitten om die van haar te drinken.

'Allejezus,' hijgde de man na zijn eerste slok, 'dit spul brandt mijn slokdarm bijna weg.'

'Te sterk?' vroeg Elina.

'Sterk is niet het juiste woord.' Hij begon zijn nek te masseren. 'Misschien kan ik hierna wel niet meer praten. Dus laten we maar snel beginnen.' Hij wierp haar een glimlach toe, ging overeind zitten en sloeg de deken om zich heen. 'Vertel me alles wat je weet, huurster van Ted.'

Toen ze Ted die avond zag – zijn vriendin Yvette en hij stonden samen te koken – vroeg ze hem naar de man op de bank.

'Simmy?' zei Ted zonder zich om te draaien van de wok. 'James Simpkin, zo luidt zijn volledige naam. Hij logeert hier weleens – hij heeft een sleutel van mijn huis. Ik zei dat de zolderkamer bezet was, dus in plaats daarvan is hij op de bank blijven pitten, denk ik. Ik ben blij dat hij het zich nog herinnerde,' voegde Ted eraan toe, 'en niet in het holst van de nacht bij jou is binnengevallen.'

'Zat hij op bulderende toon een eind weg te kletsen?' vroeg Yvette, terwijl ze een olijf in haar mond stopte. 'En droeg hij niet bij elkaar passende schoenen?'

'Nee, maar zijn broek werd wel opgehouden door een groen touwtje.'

'Laat je niet misleiden door zijn uiterlijk,' zei Yvette en rolde met haar ogen. 'Zijn familie bezit half Dorset.'

'Echt waar?'

Ted draaide zich om en pakte een mes uit de keukenla. 'Het is het voorrecht van de schatrijken in dit land om er als een zwerver bij te lopen. Vraag me niet waarom.'

Op de tentoonstelling staart Elina in de geloken donkere ogen van een beroemde Italiaanse beeldhouwer, de grote met kohl omrande ogen van een actrice uit de jaren vijftig die later bekend stond om haar drugsverslaving. Het uitgemergelde, knappe gezicht van Oliver Bernard. En Francis Bacon, vlak bij de camera, alsof hij die wilde kussen. Ze ziet drie strak kijkende mannen die met hun rug tegen een muur staan, op hun huid ligt een zilverbromideachtig schijnsel. Ze treft Ted voor een portret van een man en een vrouw aan. De man heeft zijn arm lichtjes om de schouders van de vrouw geslagen en heeft in zijn andere hand een sigaret. Zij is in het zwart en draagt een sjaal om haar haar, waarvan de uiteinden over haar ene schouder slierten. De man kijkt haar van opzij aan, maar zij kijkt naar voren, met een vrijmoedige, taxerende blik naar de camera. Op het bord aan de muur achter hen staat ELSEWHER, de rest van het woord verdwijnt achter het hoofd van de man.

Elina legt haar wang heel even tegen Teds mouw en loopt dan verder naar een foto van een onbekende man in een wit overhemd die een straat in Soho oversteekt met een enorm stuk vlees op zijn schouder, nog meer foto's van Bacon, in zijn atelier, op een trottoir naast dezelfde man van de foto met het bord en de vrouw.

Simmy duikt naast haar op. 'Je zou niet denken dat hij een onverbeterlijke alcoholist was, hè?' zegt hij met een stem die bij hem voor een fluistering doorgaat.

'Ik weet het niet,' zegt Elina mijmerend en ze kijkt weer naar de man die met het stuk vlees de straat oversteekt, 'ze stralen allemaal een soort verlatenheid uit, vind je niet? Een soort melancholie.'

Simmy gnuift. 'Dat komt alleen maar omdat ze tot het verleden behoren. Alle foto's uit het verleden zien er melancholisch en weemoedig uit juist omdat ze iets vastleggen dat er niet meer is.'

Elina steekt haar hand uit en raakt Jonahs hoofdje aan, om iets aan zijn mutsje te verschikken.

'Hou es op met dat friemelen, laat dat kind met rust,' zegt Simmy. 'En waar is Ted? Dan krijgt hij die kop koffie van ons.'

Ted zit in het café met Simmy en Elina. Niet het café waar hij heen wilde, boven op het dak, met uitzicht op Trafalgar Square, maar een groezelig cafeetje in het souterrain. Hij zit aan tafel koffie te drinken en met zijn vriend en zijn vriendin te kletsen, als er zich zonder enige waarschuwing iets aan hem opdringt: de herinnering aan zichzelf als kind op de knie van een vrouw. De vrouw draagt een rode jurk van een ietwat gladde stof waardoor het lastig voor hem is om op één plek te blijven zitten; hij moet zijn armen door de hare haken, wat haar aan het lachen maakt. Hij voelt de weergalm van haar lach door haar borst heen, door de stof van haar jurk.

Dit heeft hij voortdurend, merkt Ted, en vaker sinds Jonah is geboren. Flitsen van iets anders, van ergens anders, als storing of interferentie op de radio, stemmen die ertussen komen vanaf een ver, buitenlands station. Hij kan ze nauwelijks horen maar ze zijn er wel. Een zweem, een glimp, een wazig beeld, als een aanplakbiljet dat je vanuit een voortrazende trein ziet.

Het kan niet anders, besluit hij, of door de geboorte van een baby maak je je eigen kindertijd weer mee. Dingen waar je daarvoor nooit aan gedacht had, duiken plotseling weer op. Zoals het gevoel dat je op de knie van die vrouw zit, of probeert te zitten. Hij heeft geen flauw idee wie ze is – een vriendin van zijn moeder misschien, een familielid dat op bezoek was, een aantrekkelijke collega van zijn vader – maar hij kan zich plotseling nog levendig herinneren hoe het voelde toen hij zijn greep op haar verloor.

Iemand achter hem botst tegen zijn stoel aan. Ted wordt naar voren gegooid tegen de rand van de tafel aan. Hij draait zich om en ziet een man met een rugzak doodgemoedereerd langslopen, zonder zich van iets bewust te zijn. Ted verschuift zijn stoel zodat die niet meer in de weg staat, dichter naar Elina toe. Hij neemt een slokje van zijn cappuccino. Het beeld van de vrouw in haar rode jurk is verdwenen. De uitzending is afgelopen. Simmy propt walnotencake in zijn mond en zit geanimeerd te praten. Elina zit voorovergebogen naar hem te luisteren en heeft Jonah op schoot. Jonah zit rechtop met een wiebelend hoofd naar iets op tafel te kijken; hij heeft met beide handjes Elina's duim vastgegrepen, zijn vingertjes er stevig omheen geklemd, alsof hij haar nooit meer los wil laten. Ted is opeens vol empathie voor zijn zoon, voor zijn behoefte aan Elina. Hij voelt een zelfde rukje in zijn eigen borst en hij steekt zijn hand uit en legt die lichtjes op haar been. Eigenlijk wil hij haar naar zich toe trekken zodat haar schouder onder zijn arm past, zodat haar hoofd tegen zijn borst rust, zodat zij zo dicht mogelijk bij hem is, en vervolgens zou hij willen zeggen: niet weggaan, nooit weggaan.

Elina wil opstaan, ziet Ted. Ze luistert nog steeds naar Simmy maar ondertussen geeft ze Jonah aan Ted. Als hij zijn armen uitsteekt om hem van haar over te nemen, ziet hij dat ze haar duim los moet wringen.

'Waar ga je heen?' vraagt Ted.

'Naar het toilet.' Ze wendt zich weer tot Simmy. 'Ja, ik snap wat je bedoelt,' zegt ze tegen hem terwijl ze achter Teds stoel langs glijdt.

Ted pakt haar pols vast. Hij voelt zich weer onpasselijk worden, wordt zich weer gewaar van die vlakke, eindeloze zee. Heel even ziet hij een vrouw met lang haar die zich over hem heen buigt, haar haar dat in zijn gezicht zwaait, en een plastic kopje in zijn wachtende handen stopt. Hij ziet zichzelf op een overloop op een groen kleed zitten, voelt de wollen draden tussen zijn vingers, luistert naar het geluid van zijn vaders stem beneden, die smekend en verontschuldigend klinkt. Ted schudt met zijn hoofd om zich van die beelden te bevrijden. Jonah lijkt ook iets te voelen want hij begint te snikken, en zijn gezicht is een en al rimpels. Ted zit te bedenken wat hij moet zeggen. 'Waar is het toilet?' is het enige wat hij uit kan brengen.

Elina kijkt naar beneden naar haar pols waar hij haar vasthoudt. 'Daar,' prevelt ze. Ze kijkt hem verbijsterd aan. 'Ik ben zo terug.' En dan loopt ze weg, haar pols maakt zich los van zijn vingers en hij kijkt haar na terwijl ze van hem wegloopt, en hij probeert niet de operatiekamer te zien, haar niet in dat gewijde witte licht te zien liggen, in die uitgestrekte, deinende zee.

'Is alles goed met je?' vraagt Simmy hem aan de overkant van de tafel.

'Ja,' zegt Ted zonder hem in de ogen te kijken.

'Je ziet er een beetje… pips uit.'

'Ik voel me prima.' Ted staat op en legt Jonah tegen zijn schouder. 'Ik ga even naar de winkel.' Hij heeft zich plotseling herinnerd dat hij een bepaalde ansichtkaart van de tentoonstelling wil kopen.

Het was een drukke periode op het kantoor van *Elsewhere* – Lexie had Innes ertoe overgehaald om het tijdschrift uit te breiden, meer advertenties binnen te halen. Er waren meer onderwerpen bij gekomen en ze gebruikten niet langer goedkoop, mat papier. Het tijdschrift werd nu op glanzend enigszins korrelig papier gedrukt en de foto's waren groter. Ze waren net met een vaste rubriek over rock-'n-roll gestart, en waren het eerste kunsttijdschrift dat zoiets deed. Innes had eerst zijn twijfels gehad maar Lexie had voet bij stuk gehouden en zelfs een recensent gevonden, een jonge man die gitaar studeerde aan de Royal College of Music. In die tijd was het een revolutionair tijdschrift. Helaas hadden ze niet meer personeel dan daarvoor, dus moesten ze rennen en vliegen en de meeste avonden tot na tienen werken. Die winter waren ze allemaal, in meer of mindere mate, wel een keer ziek. Iemand had kou gevat en de rest van hen aangestoken. In het hele kantoor werd heel wat af geniest, gekucht en gehoest.

Lexie moest die dag naar Oxford met de trein om een professor te interviewen die een verrassend pikante sleutelroman had geschreven over het kloosterleven – met allemaal grijsharige mentors en sidderende jonge studenten. Ze stoof door het kantoor, pakte haar pen, een blocnote en een exemplaar van het boek om in de trein nog eens door te lezen. Ze bleef even stilstaan bij Innes' bureau. Hij zat over een proef gebogen, met zijn handen over zijn oren gevouwen (hij zei altijd dat hun lawaai hem afleidde).

'Tot straks,' zei ze en drukte een kus op zijn hand.

Hij ging rechtop zitten en pakte haar pols vast. 'Waar ga je naartoe?'

'Naar Oxford, weet je nog?'

Hij tikte met zijn vulpen tegen zijn tanden. 'O ja,' zei hij, 'die ontuchtige lector. Veel succes. Zorg dat je aan de andere kant van zijn bureau blijft.'

Ze glimlachte en kuste hem weer, dit keer op zijn mond. 'Dat zal ik doen.' Toen fronste ze haar wenkbrauwen, raakte zijn wang even aan, en zijn voorhoofd. 'Je bent erg warm,' zei ze. 'Denk je dat je koorts hebt?' Ze voelde weer aan zijn voorhoofd.

Hij wuifde haar weg en begon te hoesten. 'Mens, het gaat uitstekend met me, maak dat je weg komt.'

'Innes, weet je zeker…'

Hij boog zich weer over zijn drukproef. 'Wegwezen naar je zetel van geleerdheid. En kom ongeschonden terug.'

Lexie draaide zich om naar Laurence en Daphne die aan de andere kant van de ruimte samen over een of andere tekst gebogen stonden. 'Willen jullie hem in het oog houden?' vroeg ze. 'Stuur hem naar huis als hij nog zieker wordt.'

Laurence keek glimlachend op. 'Dat zullen we doen,' zei hij en ze liep tevreden naar buiten. Toen ze bij de deur nog even omkeek stak Innes net een sigaret op, trok zijn jasje om zijn schouders recht en zette een streep in de drukproef.

We hoeven niet lang uit te wijden over de details van Lexies tripje naar Oxford, over de opgeblazen gewichtigheid van de academicus, over zijn onhandige poging haar te versieren, dat haar trein op de terugweg vertraging had, dat ze in gedachten al aan het repeteren was hoe ze Innes alles over de avances van de man zou vertellen, hoe hij zou genieten van de details en het haar nog een keer zou laten vertellen. Ze stelde zich hem in bed voor, in januari van dat jaar de enige warme plek in huis, ze zou hem gloeiendhete whisky met honing laten drinken, de dekens om hem heen instoppen en hem laten uitrusten.

Lexie wist dat hij nog op kantoor zou zitten, dus hoewel het al laat was toen ze in Londen aankwam, ging ze er toch heen. Die avond hing er een dichte mist. Toen ze vanaf de ondergrondse naar Bayton Street liep, verdwaalde ze een paar keer bijna en haar haar werd vochtig rond haar gezicht. Later herinnerde ze zich dat ze dacht dat ze zich toch vergist had toen ze het kantoor binnenkwam. Innes' bureau was leeg. Ze zag door het raam alleen Laurence zitten. Het deed haar genoegen dat Innes kennelijk naar huis was gegaan.

Maar zodra ze binnenkwam stond Laurence op en greep naar zijn jasje.

'Pff, wat een dag, zeg,' zei ze. 'Ik…'

Maar Laurence viel haar in de rede. 'Lexie, Innes is naar het ziekenhuis gebracht.'

Snel telden ze hun geld na. Zij had nog precies negen stuivers in haar portemonnee zitten, Laurence zelfs nog minder. Was dat genoeg om een taxi naar het ziekenhuis te kunnen nemen? Nee. Ze zochten in Innes' bureau naar de kleine kas, rammelden ermee, en hoorden tot hun opluchting het geluid van munten, maar konden de sleutel niet vinden.

'Waar zou hij die bewaren?' zei Laurence tegen Lexie. 'Kom op, jij kent hem het beste.'

Ze dacht na. 'Die moet ergens in de la liggen,' zei ze. 'Tenzij hij hem bij zich heeft.' Ze deed een andere la open en veegde paperclips, geknakte sigaretten, afgescheurde stukjes papier waarop Innes iets gekrabbeld had opzij. Ze vond een halve stuiver en legde die op het stapeltje. Al die tijd voelde ze haar hart pijnlijk samenknijpen, pijn doen in haar borst, en terwijl ze de rotzooi in Innes' laden doorzocht trilden haar handen – wat was hij toch slordig, waarom moest de liefde van haar leven zoveel paperclips hebben, wat stond er allemaal op die vodjes papier? Innes ligt in het ziekenhuis, had Laurence gezegd en ze overdacht de andere woorden nog eens: ademhalingsproblemen, zakte in elkaar, belde een ambulance.

'Dit is te gek voor woorden,' zei ze uiteindelijk. Ze beende naar de achterkamer en kwam terug met een schroevendraaier. Ze klemde het geldkistje onder haar voet en ramde de schroevendraaier tussen het deksel en de onderkant van het kistje. Er klonk een knarsend lawaai en toen sprong het slot open en rolden er munten over de grond. Onmiddellijk zaten Laurence en Lexie op hun knieën om ze op te rapen en stopten ze in Laurence' jaszakken. Daarna renden ze de deur uit, de straat op en naar de hoofdweg waar de taxi's stonden te wachten.

In het ziekenhuis renden ze weer, de gangen door, hoeken om, de trap op. Bij de deur van de afdeling stond een verpleegster met een klembord.

'We komen voor Innes Kent,' zei Lexie buiten adem, 'waar ligt hij?'

De verpleegster wierp een blik op het horloge dat op haar borst hing. 'Het bezoekuur is een halfuur geleden afgelopen. Ik heb zijn *zus*,' ze sprak het woord met een sarcastische ondertoon uit, 'tot drie keer toe gevraagd om te vertrekken maar ze zegt dat ze pas weggaat als zijn *echtgenote* hier is. Moet ik aannemen dat u zijn echtgenote bent?'

Lexie aarzelde even. Laurence kwam tussenbeide. 'Ja, dit is zijn echtgenote.'

De verpleegster keek hem aan. 'En wie bent u? Zijn grootvader?'

Laurence, op en top een Engelsman met zijn slanke lichaamsbouw en lichte gelaatskleur, schonk haar een verblindende glimlach. 'Zijn broer.'

Ze bleef hen allebei nog even aankijken met samengeknepen ogen. 'Tien minuten,' zei ze, 'en geen seconde langer. Mijn patiënten hebben hun rust nodig. Ik kan geen types als jullie hier hebben rondlopen.' Ze wees met de punt van haar pen. 'Vierde bed aan de linkerkant, en zachtjes doen.' Ze liep in zichzelf mompelend weg: 'Echtgenote, ammehoela.'

Lexie glipte tussen de gordijnen door die waren dichtgetrokken om een afgeschermd hoekje te creëren, en daarbinnen zat Daphne op een stoel, en daar op het bed lag Innes. Hij had een zuurstofmasker over zijn neus en mond, zijn haar was naar achteren gekamd en zijn huid zag grauw.

'Lexie,' zei hij woordeloos vanachter zijn masker en ze zag dat hij glimlachte. Ze klom onmiddellijk op het bed, sloeg haar armen om hem heen en legde haar hoofd naast het zijne op het kussen. Ze was zich ervan bewust dat Daphne en Laurence op dat moment verdwenen, hoorde hun voetstappen wegsterven op de zaal.

'Ik weet het niet hoor,' fluisterde ze in Innes' oor, 'ik draai vijf minuten mijn rug om en dan lig je in het ziekenhuis. Dit is de laatste keer dat ik naar Oxford ga.'

Zijn arm kwam omhoog om haar bij haar middel te pakken. Hij bracht zijn andere hand naar haar wang, haar haar. 'Hoe was die professor?' vroeg hij vanachter zijn masker.

'Totaal niet belangrijk,' antwoordde ze, 'en jij mag niet praten.'

Innes deed het masker af. 'Ik voel me prima,' raspte hij, 'dit is een hoop gedoe om niks.'

'Daar leek het anders niet op. Laurence zei dat je in elkaar bent gezakt.'

Hij maakte een afwerend gebaar met zijn hand. 'Ik voelde even… pijn, maar het stelde eigenlijk niets voor. Een lichte vorm van pleuritis, zeggen ze. Morgen ben ik weer op de been.'

Lexie vouwde zich om hem heen, drukte haar oor tegen de zijkant van zijn borst en hoorde het kloppen en ruisen van zijn hart.

'Je controleert zeker of het nog klopt?' zei hij.

Dit was te veel voor haar. Ze klampte zich aan hem vast en voelde tranen achter haar oogleden prikken. 'Innes, Innes,' prevelde ze als een bezwering.

'Sst,' fluisterde hij en zijn hand streelde haar haar.

'*Mevrouw* Kent,' plotseling stond de verpleegster daar, 'de enige mensen die in deze bedden mogen liggen zijn mijn patiënten. Dit is hoogst ongebruikelijk. Ik moet u verzoeken onmiddellijk van het bed te komen.'

Innes pakte haar steviger vast. 'Moet ze dat echt, zuster? Want ze is heel slank zoals u wel ziet, ze neemt niet veel ruimte in.'

'Haar fysiek doet er niet toe, meneer Kent. U bent ernstig ziek en ik moet uw vrouw verzoeken de zaal te verlaten. En u!' Ze staarde Innes aan met een blik van afgrijzen op haar gezicht. 'U hebt uw zuurstofmasker afgedaan! Meneer Kent, u bent een vreselijke man.'

'Dat hebben ze al vaker tegen me gezegd,' zuchtte Innes.

Lexie liet zich onwillig van het bed afglijden maar Innes hield haar hand vast. 'Moet ik echt weg?'

'Ja.' De verpleegster was niet te vermurwen, trok de lakens recht en zette Innes' masker met een vinnig gebaar weer op zijn plaats. 'U mag morgen terugkomen, om twee uur.'

'Mag ik niet 's ochtends komen?'

'Nee. Uw echtgenoot is ziek, mevrouw Kent. Hij heeft rust nodig.'

Ze boog zich voorover om Innes op zijn wang te kussen. 'Tot ziens, echtgenoot,' fluisterde ze.

Innes pakte haar vast en trok haar naar zich toe, hij zette het masker weer af en kuste haar vol op de mond. Ze lieten elkaar los, glimlachten en kusten elkaar nog eens.

'Meneer Kent!' riep de verpleegster op schrille toon. 'Stop daarmee! Hou onmiddellijk op. Moet uw vrouw soms ook pleuritis krijgen? Zet dat masker weer op.'

'U bent een regelrechte drilsergeant,' zei hij, 'een echte meesteres. Heeft iemand dat weleens tegen u gezegd? U zou een fantastische generaal zijn geweest, als het allemaal anders was gelopen voor u.'

'Het is mijn taak om u beter te maken.' Ze trok de gordijnen met een ruk open. Lexie liep de zaal door en zwaaide bij de deur nog even. Innes zwaaide terug. Hij was nog steeds aan het kibbelen met de verpleegster.

Toen Lexie de volgende dag terugkwam, droeg hij geen masker meer en zat hij rechtop in bed met een paar kussens in zijn rug, en had hij wat papieren voor zich liggen. Hij zette snel zijn bril af toen hij haar zag en gaf een klopje naast zich op het bed.

'Snel,' zei hij, 'trek de gordijnen dicht. Voordat die heks je ziet.'

Lexie trok de gordijnen rond het bed dicht en ging naast Innes zitten. Onmiddellijk verpletterde hij haar in een stevige omhelzing. 'Wacht,' zei ze, 'ik wil naar je kijken.'

'Jammer dan,' fluisterde hij in haar oor, 'want ik wil je overal aanraken.' Zijn handen dwaalden langs haar been omlaag op zoek naar de zoom van haar jurk en glipten, toen ze die gevonden hadden, snel omhoog.

'Innes,' prevelde ze, 'ik geloof niet dat we hier nou…'

Hij liet haar even los en bestudeerde haar gezicht aandachtig. 'O, ik vind het zo heerlijk om je te zien. Ik heb een vreselijke nacht achter de rug. Ik snap niet waarom iedereen denkt dat je in een ziekenhuis beter wordt. Je wordt urenlang wakker gehouden door al die ouwe kerels die maar liggen te rochelen en te snurken, en zodra je in slaap bent gesukkeld maken de zusters je weer wakker om een thermometer bij je naar binnen te schuiven. Het is hier niet te harden. Ik moet hier weg. Vandaag. Je moet me helpen om hen te overreden.'

'Dat ga ik niet doen.'

'Waarom niet?'

'Innes, je bent ziek. Pleuritis is niet niks. Als ze zeggen dat je hier moet blijven, moet je blijven en…' ze onderbrak zichzelf om naar hem te kijken en schoot in de lach. 'Waar heb je die pyjama vandaan?' Hij droeg een blauw met grijs gestreepte pyjama die ze niet kende. Dat soort dingen droeg hij nooit en hij zag er heel gek in uit, alsof hij het lichaam van iemand anders had geleend.

'Zij,' hij gebaarde naar de zusterpost, 'hebben die ergens vandaan getoverd. Ik moet hier vandaan zien te komen, Lex. Ik moet weer aan het werk. Het volgende nummer verschijnt op…'

'Nee, dat moet je niet. We redden het wel. Hoe dan ook. Jij moet beter worden.'

Hij wilde protesteren maar werd overvallen door een hoestbui. Hij begon te hoesten en te rochelen en probeerde adem te halen. Lexie legde haar handen op zijn schouders en hield hem vast terwijl hij worstelde om adem te krijgen. Toen de hoestbui achter de rug was ging hij achterover liggen in de kussens en beet op zijn lip. Lexie kende die blik. Het was een blik van woede, van zich gedwarsboomd weten. Hij pakte haar hand en vouwde die tussen zijn eigen handen.

'Ik hou van je, Jezabel. Dat weet je toch, hè?'

Ze leunde naar voren, kuste hem en kuste hem toen nog eens. 'Natuurlijk. Ik hou ook van jou.'

Hij bewoog zijn nek heen en weer, alsof hij het zich comfortabel wilde maken. 'We hebben geluk gehad, hè?'

'Waar heb je het over?' Zijn handen die om die van haar lagen, waren warm, voelde ze, en klam.

'Dat we elkaar gevonden hebben, bedoel ik. Sommige mensen zoeken hun hele leven zonder te vinden wat jij en ik samen hebben.'

Lexie fronste haar wenkbrauwen en gaf toen een kneepje in zijn hand. 'Je hebt gelijk. We zijn gelukkig. En we gaan door met gelukkig zijn.' Ze dwong zichzelf te glimlachen.

'Het heeft je toch niet al te erg dwarsgezeten, hè, die andere kwestie?' Hij keek haar met een gespannen blik aan.

'Welke andere kwestie?'

'Dat ik getrouwd ben en zo.'

Ze schudde haar hoofd. 'Nee,' zei ze vastberaden. 'In alle eerlijkheid, nee.'

Er verscheen een glimlach op zijn gezicht. 'Mooi.' Hij begon wat aan de kussens te sjorren. 'Maar ik zat wel te denken…' Hij zweeg en reikte weer achter zich om iets aan de kussens te verschikken.

Ze stond op om hem te helpen. 'Wat zat je te denken?'

'Ik wil eens met Clifford gaan praten.'

'Clifford?' Ze stond met haar rug naar hem toe en was bezig een glas water voor hem in te schenken uit een karaf.

'Mijn advocaat.'

Ze draaide zich verbaasd om. 'Waarover in godsnaam?'

Hij gebaarde dat hij geen water hoefde. 'Over jou.'

'Over mij?'

'Ja, want ik maak me zorgen, zie je, over wat er zou gebeuren met jou als ik zou komen te overlijden.'

'Innes!' Lexie zette het glas water met een klap neer. 'Je gaat niet…'

Hij legde een vinger op haar lippen. 'Sst,' fluisterde hij. 'Mijn kleine zevenklapper,' glimlachte hij. 'Gaat altijd zonder waarschuwing af.' Hij trok haar naast zich op het bed. 'Ik bedoel niet zozeer nu. Ik bedoel ooit. Door hier te liggen ben ik er eens over na gaan denken, dat is alles. Ik heb niet eens een testament gemaakt. Het is er nooit van gekomen. En dat zou ik wel moeten doen. Vooral voor jou. Anders krijgt Gloria verdomme alles – niet dat er veel te erven valt, zoals je weet – en dan sta jij op straat.' Hij streelde haar wang even en wond een pluk haar rond zijn vinger. 'En dat zou ik niet kunnen verdragen. Ik zou niet in vrede kunnen rusten. Ik zou tot in de eeuwigheid de meest ongelukkige geest worden. Jij bent mijn vrouw en mijn leven. Dat weet je toch wel, hè?'

Ze greep zijn hand vast en drukt er bozig een kus op. 'Jij stomme idioot,' zei ze. 'waarom zeg je dit allemaal? Door jouw schuld loopt mijn mascara nu uit.' Ze liet zich naast hem vallen met haar lichaam tegen het zijne en drukte haar hoofd tegen zijn borst.

'Wil jij Clifford voor me bellen? Zijn nummer staat in mijn adresboekje. Clifford Menks.'

Ze richtte zich op haar elleboog op. 'Innes, luister. Je moet hiermee ophouden. Ik vind dit helemaal niet leuk. Je gaat niet dood. Of voorlopig althans niet.'

Hij wierp haar een scheef glimlachje toe. 'Weet ik. Maar bel hem toch maar, doe het voor mij, dan ben je een schat.'

Innes stierf diezelfde nacht. Zijn pleuritis was overgegaan in longontsteking. Hij stierf rond een uur of drie 's nachts aan koorts en ademnood. Op dat moment was er niemand bij hem. De dienstdoende verpleegster was een dokter gaan halen en toen ze er een gevonden had en terugkwam, was het al te laat.

Dat Innes, de liefde van haar leven, alleen was gestorven: daar zou Lexie nooit overheen komen. Dat zij aan de andere kant van de stad in hun bed had liggen slapen op het moment dat hij de laatste adem uitblies, op het moment dat zijn hart ophield met kloppen. Dat de dokter niet was waar hij hoorde te zijn maar in een andere kamer verderop in de gang een dutje lag te doen. Dat ze geprobeerd hadden hem te reanimeren maar daar niet in waren geslaagd. Dat ze er niet was, dat ze het niet wist, dat ze niet bij hem kon zijn en nooit meer bij hem zou kunnen zijn.

Natuurlijk stelde niemand haar op de hoogte. Zij was de onwettige, niet-bestaande minnares in dit verhaal. Ze arriveerde klokslag twee uur in het ziekenhuis, vrolijk, met een bos viooltjes, een krant, twee tijdschriften en zijn lievelingssjaal van kasjmierwol. Ze werd onderschept door twee zusters die haar naar een kamertje brachten, een van hen was de zuster die ze de eerste avond had gezien.

'Ik moet u tot mijn spijt mededelen, *juffrouw*,' ze legde veel nadruk op dat woord, ze wilde dat Lexie hoorde dat ze het wist en het misschien al die tijd al had geweten, 'dat meneer Kent vannacht is overleden.'

Lexie dacht heel even dat ze de tijdschriften uit haar handen zou laten vallen. Ze moest ze stevig vasthouden, aan hun gladde omslagen. Ze zei: 'Dat kan niet.'

De verpleegster keek naar de vloer tussen hen in. 'Ik ben bang van wel.'

Ze zei alleen maar: 'Nee.' Ze zei het weer: 'Nee.' Ze legde de viooltjes heel voorzichtig op een tafel. De tijdschriften en de krant legde ze ernaast. Ze was zich ervan bewust dat ze nog dacht dat ze zich netjes moest gedragen, dat ze beleefd moest zijn. Op de tafel, zag ze, stonden een glazen flesje, een tang, en een deksel dat niet op het flesje leek te passen.

'Waar is hij?' hoorde ze haar stem zeggen.

Het bleef stil achter haar, dus draaide ze zich om. Beide verpleegsters keken enigszins onbehaaglijk. 'Zijn echtgenote...' begon een van hen te zeggen en hield toen op.

Ze wachtte.

'Zijn echtgenote is gekomen,' zei de zuster die nog steeds haar blik ontweek. 'Zij heeft alles geregeld.'

'Geregeld?' herhaalde ze.

'In verband met het stoffelijk overschot.'

Lexie zag het tafereel glashelder voor zich. Gloria die op de zaal aankwam. Of zouden ze hem naar een andere kamer hebben overgebracht? Ja, dat deden ze toch altijd in ziekenhuizen, het bed zo snel mogelijk afhalen en in orde brengen voor de volgende patiënt. Innes was waarschijnlijk naar een mortuarium overgebracht, veronderstelde ze, of naar een of andere ruimte. Ze stelde zich Gloria voor die bij het mortuarium aankwam, dat ze in gedachten in het souterrain plaatste, haar hoge hakken die op de vloer tikten, haar opgestoken haar, haar kaarsrechte houding, haar handen in handschoenen gestoken, op de voet gevolgd door haar ziekelijk bleke kind. Met die kille ogen van haar had ze het lichaam bekeken dat haar lichaam was, Lexies lichaam, het lichaam van haar geliefde, haar liefste. Lexie zag haar dit doen met een zakdoek tegen haar mond gedrukt, meer voor het effect dan voor iets anders. Zou ze een hoed met een voile gedragen hebben? Vrijwel zeker. Zou ze haar voile hebben opgelicht om een laatste blik op haar echtgenoot te werpen? Dat betwijfelde Lexie. Hoe lang zou ze bij hem gebleven zijn? Zou ze tegen hem gesproken hebben? Zou het kind iets gezegd hebben? Daarna zag Lexie haar weggaan, naar een andere ruimte lopen waar ze vroeg of ze de telefoon mocht gebruiken, waar ze een begin kon maken met alles te regelen.

'Mag ik hem zien?' vroeg Lexie aan de verpleegsters. Ze kwam in beweging om haar spullen bijeen te pakken, zichzelf voor te bereiden, toen ze zich bewust werd van hun stilzwijgen. Ze luisterde ernaar. Ze voelde het. Ze schatte de lengte ervan, de breedte. Ze had haar tong kunnen uitsteken en het kunnen proeven.

'Ik wil hem zien,' zei ze, voor het geval ze het niet begrepen hadden, voor het geval ze haar niet gehoord hadden, voor het geval het niet helemaal duidelijk was. Ze zei zelfs: 'Alstublieft.'

De zuster deed iets met haar hoofd dat het midden hield tussen schudden en knikken. En er leek iets in haar te breken want ze klonk opeens heel vriendelijk. 'Het spijt me,' zei ze. 'Alleen familieleden.'

Lexie moest slikken. Tot twee keer toe. 'Alstublieft,' ze zei het woord fluisterend, 'alstublieft.'

Deze keer schudde de verpleegster haar hoofd. 'Het spijt me.'

En toen rees er een geluid in haar op, het had iets weg van een kreet of een gil of een snik. Lexie sloeg haar hand voor haar mond om het tegen te houden. Ze wist dat ze zich moest beheersen omdat er dingen waren die ze wilde weten en als ze begon te huilen en te schreeuwen wat ze eigenlijk wilde, zou ze deze dingen nooit te weten komen en op een of andere manier wist ze dat dit haar enige kans was. Toen ze er zeker van was dat het lawaai in haar binnenste voorlopig onderdrukt was, begon ze weer te spreken. 'Kunt u me één ding vertellen?' vroeg ze. 'Eén ding maar. Is hij nog hier of heeft ze hem meegenomen?'

'Dat kan ik niet zeggen,' zei de zuster na een blik op de andere verpleegster te hebben geworpen.

Lexie boog zich naar haar toe, alsof ze in staat was een leugen te ontdekken door alleen maar te ruiken. 'Kunt u het niet zeggen of weet u het niet?'

De andere verpleegster maakte een minieme beweging. 'Ik geloof...' mompelde ze en hield toen op. Haar collega keek haar met een fronsende blik aan. De verpleegster haalde haar schouders op, keek Lexie even aan, haalde toen diep adem en zei: 'Ik geloof dat meneer Kents lichaam eerder op de dag is weggehaald. Rond lunchtijd.'

Lexie knikte. 'Dank u. U weet zeker niet waarheen?'

'Dat weet ik niet.'

En Lexie geloofde haar. En omdat ze verder niets te zoeken had in het gebouw, maakte ze aanstalten om weg te gaan. Ze pakte de viooltjes op, ze bracht ze over naar de hand die Innes' sjaal nog steeds vasthield: niet te geloven dat die sjaal er nog steeds was, als een artefact uit een ander tijdperk, het leek haast onvoorstelbaar dat het nog maar een uur geleden was dat ze die voor hem uit hun kast had gekozen, onvoorstelbaar dat er een tijd was geweest, nog maar zo kort geleden, dat ze niet wist dat hij gestorven was.

Hij was gestorven.

Ze keek naar de verpleegsters en haar gezichtsveld begon al te vervagen en zich met tranen te vullen. 'Dank u,' zei ze omdat ze kalm wilde blijven, zich wilde beheersen, tot ze hier weg was, en ze deed de deur open en liep naar buiten. Ze kon niet naar de deur van de zaal kijken. Ze kon niet naar het bed kijken waarin hij gelegen had, waar zij samen in gelegen hadden, nog maar enkele uren

geleden, en waarin hij gestorven was, zonder haar. Ze duwde zichzelf door de klapdeuren heen de gang in, ze liep de gang door en
naar buiten de stad in, alleen.

DEEL TWEE

Lexie zeilt met haar tas over haar arm over Piccadilly Circus en Felix kan weinig anders doen dan zich in haar kielzog door de menigte wurmen. Met haar grote zonnebril en schrikbarend korte jas trekt Lexie misschien wel meer bewonderende blikken dan haar redelijkerwijs toekomen. Als ze voor de hekken van Green Park blijft staan, haalt Felix haar in, pakt haar bij de arm en houdt haar tegen.

'En?' zegt hij.

'Wat en?'

'Ga je nou mee naar Parijs of niet?'

Ze schikt de kraag van haar jas – die is werkelijk wat te veel van het goede met die zwarte en witte kronkellijnen die pijn doen aan Felix' ogen, waar vindt ze die kleren toch? – en zwiept haar haar over haar schouder. 'Ik weet het nog niet,' zegt ze.

Felix haalt diep adem. Ze weet hem als geen enkele andere vrouw het bloed onder de nagels vandaan te halen.

'Heeft het dan helemaal geen indruk op je gemaakt wat ik allemaal heb gezegd?'

'Ik laat het je nog wel weten,' zegt ze, en haar zonnebril schittert als ze haar hoofd draait om de straat uit te kijken.

Hij wordt bevangen door de impuls om haar door elkaar te

rammelen, om haar te slaan. Maar ze zou vast terugslaan, en hij wordt steeds vaker herkend: dat merkt hij aan de manier waarop mensen hem even aankijken en dan snel wegkijken. Hij kan het zich echt niet permitteren betrokken te zijn bij een ruzie in het openbaar op Piccadilly.

'Lieverd,' zegt hij, terwijl hij haar tegen zich aan trekt en tracht te negeren dat ze haar arm meteen terugtrekt, 'luister nou naar me; het laatste wat ik wil is dat je midden in een rel verzeild raakt. Maar als je met mij meegaat, is het veilig. En ik zou je aan mensen kunnen voorstellen. De juiste mensen. Misschien is het daar de tijd voor.'

'Tijd waarvoor?'

'Tijd om,' Felix maakt ronddraaiende gebaren met zijn hand en vraagt zich intussen af welke wending hij hieraan moet geven, 'je horizon wat te verbreden. Beroepsmatig, bedoel ik.'

'Daar heb ik geen enkele behoefte aan,' snauwt ze, 'om mijn horizon te verbreden. Wat dat ook mag betekenen.'

Hij zucht. 'Luister, waar het om gaat is dat je niet hoeft te werken als je meegaat. Je kunt gewoon meegaan.'

Haar zonnebril schittert weer als ze hem opnieuw aankijkt. 'Wat bedoel je?'

'Je kunt… met míj mee.'

'In welke hoedanigheid?'

'Als mijn…' hij beseft nu dat hij zich op glad ijs bevindt, maar iets spoort hem aan verder te gaan. 'Hoor eens, ik kan zeggen dat je m'n secretaresse bent, dat is geen enkel probleem, dat wordt heel vaak gedaan, en…'

'Je secretaresse?' herhaalt ze. Nog meer blikken van voorbijgangers. Weten die mensen wie hij is? Het valt niet met zekerheid te zeggen. 'Je denkt toch niet serieus dat ik daarmee akkoord zou gaan, dat ik gewoon alles zou laten vallen en…'

'Goed, goed,' zegt hij sussend, maar zoals gebruikelijk valt Lexie niet te sussen. 'Niet als mijn secretaresse. Dat was een slecht idee. Maar als je nou meeging als mijn…'

'Felix,' zegt ze, 'ik ga niet als je wat dan ook mee naar Parijs. Als ik ga, is het als journalist. Zelfstandig.'

'Dus misschien ga je mee?'

'Misschien.' Ze haalt haar schouders op. 'Vanmorgen vroeg iemand van de nieuwsredactie me hoe goed mijn Frans is. Ze willen interviews met de gewone burgers van Parijs. Dat soort dingen.' Ze knijpt haar ogen tot spleetjes. 'Natuurlijk is tot twee keer toe de uitdrukking "vrouwelijke invalshoek" gevallen.'

'Echt waar?' Felix is zowel opgewonden als opgelucht, maar probeert geen van beide te laten blijken. 'Dus je hoeft niet de barricaden op?'

Met een snelle polsbeweging zet ze haar zonnebril af en kijkt hem weer met samengeknepen ogen aan. Ondanks zichzelf, en ondanks de ruzie die nu al sinds het begin van de lunch duurt, voelt Felix een prikkeling in zijn onderlijf. 'Ik ga overal heen waar de gewone mensen zijn. Wat, denk ik, in een noodtoestand als deze, om het even waar is, de barricaden inbegrepen.'

Felix weegt zijn kansen. Hij kan doorgaan met ruziën – daar zijn hij en Lexie tenslotte heel bedreven in – of hij kan hun meningsverschil opzijzetten en vragen of ze meegaat naar zijn appartement.

Hij legt zijn hand op haar arm en werpt een steelse blik op zijn horloge. Dan glimlacht hij langzaam en veelbetekenend naar haar. 'Hoeveel tijd heb je?' vraagt hij.

Hoe moeten we Felix verklaren? Toen Lexie hem aan het eind van de jaren zestig voor het eerst ontmoette, was hij correspondent voor de BBC. Hij maakte net de overstap van radio naar televisie. Zijn uiterlijk was destijds geknipt voor de televisie: hij was knap, maar niet zo knap dat je erdoor werd afgeleid, hij was gebruind, maar niet al té, hij kleedde zich goed, maar niet overdreven, zijn scheiding viel op de juiste manier, op de juiste plek. Hij was gespecialiseerd in oorlogen, rampen, straffen Gods, het soort hoogdravende verslaggeving waar Lexie een hekel aan had. Een leger van een groot, machtig land bombardeert een kleine communistische staat: stuur Felix eropaf. Een stormvloed overspoelt een dorp: stuur Felix eropaf. Een sluimerende vulkaan komt tot leven, een vloot vissersboten wordt vermist op de Atlantische Oceaan, een middeleeuwse kathedraal wordt getroffen door een bliksemschicht: Felix is ter plaatse, meestal op een gevaarlijke plek, vaak gehuld in een kogelwerend vest. Dat droeg hij graag. Zijn stem klonk vastberaden, ernstig en zelfverzekerd: 'Dit is Felix Roffe, voor de BBC.' Met dit zinnetje, dat met een assertief knikje werd uitgesproken, besloot hij zijn reportage altijd. Met dezelfde vastberadenheid, charme en gedrevenheid als waarmee hij achter natuurrampen, politieke tirannen en een fotogenieke, maar gepijnigde bevolking aan zat, zat hij achter Lexie aan. Ze hadden met tussenpozen al een paar jaar lang een verhouding. Ze waren voortdurend in beweging, Felix en Lexie, ze gingen uit elkaar, ze kwamen weer bij elkaar, ze maakten het uit en maakten het weer goed, keer op keer. Zij ging bij hem weg, en hij joeg weer achter haar aan, hij won haar weer voor zich en zij ging weer weg. Ze waren als kleren geladen met statische elektriciteit die aan elkaar klitten en een onaangename, ergerlijke wrijving deden ontstaan.

Een paar maanden voor hun ruzie op Piccadilly hadden ze elkaar ontmoet door één enkel woord, één enkele kreet. De zijne.

'*Signora!*'

Lexie keek vanaf haar voordelige positie op het balkon van de derde verdieping naar beneden. Op straat kolkte en borrelde bruin water, waarin boomtakken, stoelen, auto's, fietsen, verkeersborden en stukken wasgoed dreven. De winkels en appartementen op de begane grond waren verzwolgen, en de winkelborden – FARMACIA, PANIFICIO, FERRAMENTA – waren maar net zichtbaar boven het klotsende schuim van de overstroming.

Het was november 1966. In twee dagen tijd was de hoeveelheid neerslag van een heel seizoen gevallen, waardoor de rivier de Arno buiten zijn oevers was getreden en de stad Florence was overstroomd, overspoeld, ondergelopen: de rivier had zich overal een weg gezocht. In appartementen, winkels, de Duomo, in trappenhuizen en in het Uffizi. Hij had meubels, mensen, standbeelden, planten, dieren, borden, kopjes, schilderijen, boeken en kaarten meegesleurd. Hij had alle juwelen, halskettingen en ringen uit de winkels op de Ponte Vecchio weggespoeld en die in zijn bruine water meegevoerd naar zijn modderige bedding.

'*Si?*' riep ze met haar handen als een toeter voor haar mond terug naar de twee mannen in de boot. Ze was net dertig geworden – het was vier jaar geleden dat ze met een bosje viooltjes in haar hand het Middlesex Ziekenhuis uit was gelopen, en negen jaar geleden dat ze uit Devon naar Londen was gevlucht. Ze was door haar krant naar Florence gestuurd en werd geacht verhalen terug te telegraferen over de ongekende schade aan de kunstcollecties van de stad, maar in plaats daarvan grossierde ze in verslagen over de vijftienduizend mensen die dakloos waren geworden, de vele doden en de boeren die alles kwijt waren geraakt.

De blonde man legde zijn riemen neer en ging enigszins wankelend rechtop in de boot staan. 'Kathedraal,' riep hij. 'Kath-e-draal.'

Gennaro, de fotograaf in wiens appartement Lexie was, kwam naast haar op het balkon staan. Ook hij keek omlaag naar de straat. '*Inglese?*' mompelde hij.

Ze knikte.

'*Televisione?*' vroeg hij, doelend op de camera van de andere man.

Ze haalde haar schouders op.

Gennaro maakte een geringschattend geluid met zijn lippen en ging naar binnen om iets tegen zijn vrouw te zeggen, die hun zoontje zover probeerde te krijgen dat hij in zijn kinderstoeltje ging zitten.

Lexie keek toe hoe de man in de boot even nadacht. '*Signora,*' zei hij weer. 'Kathedraal. *Dov' è* kathedraal?'

Ze drukte haar sigaret uit op de leuning van het balkon. Ze over-woog om hem in het Italiaans de weg te wijzen, maar bedacht dat ze daar de taal niet goed genoeg voor beheerste. 'Om te beginnen zeg je *"Duomo"*,' riep ze naar beneden. 'Il Duomo. En het is die kant op. Vind je niet dat je je huiswerk had moeten doen voordat je hier naartoe kwam?'

'Mijn god,' hoorde ze hem tegen de cameraman zeggen, 'het is een Engelse.'

Op Piccadilly glimlacht Felix tegen haar zoals hij altijd doet. Zelf-verzekerd, intiem en onmiskenbaar erotisch, en zijn onderli-chaam strijkt langs het hare. 'Hoeveel tijd heb je?' vraagt hij.

Hij praat de hele ochtend al op haar in – gaat ze mee naar Parijs, ze moet mee naar Parijs, ze moet bij hem in het St. Jacques logeren, ze moet zich niet door de *Courier* in een of ander luizig hotel laten stoppen, ze moet met hem meegaan naar de Correspondenten Club, dan kan hij haar voorstellen aan nuttige mensen. Hij heeft een kreeft naar binnen gewerkt en heeft alleen even de tijd geno-men om een betoog tegen haar af te steken over Saigon, waar hij net vandaan komt: de granaten, de explosies, de ontbladerings-middelen die door Amerikaanse vliegtuigen worden gedropt, een stad die wordt overspoeld door pers, bommen, prostituees en sol-daten, en dat hij malaria had kunnen oplopen, knokkelkoorts, *giardia* en erger.

Lexie zet haar zonnebril weer op, schuift de mouw van haar jas omhoog om op haar horloge te kijken. Ze is kwaad op zichzelf om-dat ze in reactie een opkomende begeerte bij zichzelf waarneemt. 'Geen, om precies te zijn,' bitst ze.

'Avondeten dan? Mijn vliegtuig gaat pas om negen uur.'

Ze loopt naar de stoeprand. 'Misschien,' zegt ze. 'Ik bel je nog wel.' Ze steekt op een holletje de straat over voor zover dat tenmin-ste mogelijk is op haar laarzen en draait zich aan de overkant om en wil naar Felix zwaaien. Maar hij is al weg, opgeslokt door de me-nigte.

Ze hijst haar tas hoger op haar schouder en begint te lopen. Zelfs vanachter haar zonnebril ziet de wereld er stralend uit omdat de zon iedereen die over Piccadilly loopt met een lichtkrans omhult alsof ze allemaal engelen zijn, alsof ze allemaal in het hiernamaals vertoeven en op een mooie februarimiddag over Piccadilly lopen. Over tien minuten heeft ze een interview met een theaterdirecteur in een restaurant in Charlotte Street. Ze versnelt haar pas, loopt over Piccadilly Circus, over de flauw gebogen Shaftsbury Avenue naar Cambridge Circus, waar ze linksaf Charing Cross Road in slaat.

Ze neemt niet de kortste weg, door Soho. Daar gaat ze nooit heen, zelfs nu nog niet.

Om die gedachte weg te drukken denkt ze na over de mogelijkheid om naar Parijs te gaan, over Felix, en of ze wel of niet moet gaan. Tijdens de lunch had Felix gezegd dat het goed zou zijn voor haar carrière. 'Ze moeten beseffen,' zei hij, de wijn in zijn glas walsend, 'dat je meer in je mars hebt dan aangename alinea's over schilderkunst.' Ze had haar vork met een klap neergesmeten. 'Aangename alinea's over schilderkunst?' had ze herhaald, omdat de alliteratie zich leende voor razernij. 'Kijk je zo tegen mijn werk aan?' En toen begonnen ze weer te bekvechten. Ze konden goed ruziemaken. Dat was een van de dingen waar ze samen goed in waren.

Elina is opgewonden, geladen. Alles lijkt vandaag op zijn plaats te vallen. De babytas is ingepakt en staat klaar bij de deur, de wasmachine is leeggehaald en rijen piepkleine hemdjes en slaappakjes dansen aan de lijn, ze heeft ontbeten, Jonah heeft een voeding gehad, de zon schijnt en ze voelt zich goed. Ze voelt zich zowaar goed: Jonah is de afgelopen nacht maar twee keer wakker geworden en ze heeft niet het gevoel dat ze elk moment van haar stokje kan gaan. Ze heeft zelfs weer wat kleur op haar wangen – het is maar een zweempje, maar het is er – en eerder heeft ze ontdekt dat ze niet meer halverwege de trap hoeft uit te rusten. Ze is weer beter! Ze is bijna door het dolle heen van opwinding. Ze heeft zich in het hoofd gehaald dat ze een wandeling gaat maken en dat ze er voor het eerst sinds de bevalling in zal slagen Parliament Hill te halen. Dat gaat ze doen, ze is vastbesloten. Ze gaat Jonah in zijn kinderwagen leggen en ze gaan over de Heath lopen, de steile heuvel op, langs de met bomen omzoomde laan. Ze heeft hier een duidelijk beeld van: Jonah met zijn rode mutsje en gestreepte jasje, rondom keurig ingestopt onder zijn sterrendekentje, zij met haar zonnebril op en in een wit T-shirt van Ted, die de kinderwagen flink en vaardig voortduwt. Ze heeft niets vergeten – hydrofielluiers, pampers, babydoekjes en de parasol. Ze zal kalm en prettig lopen. Ze zal zich in de zon over haar zoon buigen. Ze zal met hem praten. Voorbijgangers zullen glimlachen als ze hen zien. Ze heeft dit beeld al sinds vanmorgen vroeg in haar hoofd, toen ze wakker werd en de zon rond de randen van de jaloezie zag gloeien. Zij met z'n tweetjes onder het vlekkerige, gebroken en steeds veranderende licht tussen de bomen.

Alleen kan ze haar ene schoen niet vinden. Een van haar gympen hangt aan het schoenenrek bij de voordeur, maar waar de andere is, wie zal het weten? Elina strikt de veter van de beschikbare schoen vast en kijkt gehaast rond in de hal omdat ze weet dat dit een race tegen de klok is, omdat ze de tijd tussen de voeding die ze net achter de rug hebben en de volgende voelt wegtikken. Op één blote voet kijkt ze in de keuken, ze kijkt onder de bank, ze gaat naar boven om in de badkamer en in de slaapkamer te zoeken. Maar de schoen is nergens te bekennen. Even wordt ze overvallen door het wilde idee dat ze best met één schoen naar buiten kan, maar dan trekt ze de alleenstaande gymp van haar voet en glijdt in een paar teenslippers die ze onder het bed vindt. Daar moet ze het maar mee doen.

Ze haast zich weer naar beneden met Jonah tegen haar schouder geklemd. Ze moet te wild hebben bewogen, want hij begint te jengelen, een klein beetje maar.

'Sst,' koert ze tegen hem, 'sst,' terwijl ze hem in de kinderwagen legt en het dekentje rond hem instopt. Maar baby's houden niet van gehaast. Jonah kijkt naar haar op, ongenoegen pakt zich samen op zijn voorhoofd.

'Niet huilen,' zegt ze tegen hem, 'niet huilen.' Ze hangt de tas aan de beugel van de kinderwagen, en dat lijkt Jonah nog meer van streek te maken. Zijn gezicht verwringt zich tot gehuil. Elina wiegt de beugel van de kinderwagen terwijl ze haar sleutels van de haak vist en de kinderwagen van het stoepje en over het pad laat hobbelen.

Bij het hek huilt Jonah nog steeds. Als ze de hoek omslaat, huilt hij nog harder, schopt zijn dekentje los en gooit zijn hoofd van de ene kant naar de andere, en de moed zinkt Elina in de schoenen als ze dat bepaalde huiltje herkent. Dat heeft ze dan tenminste geleerd, zegt ze tegen zichzelf. Hij heeft honger. Hij heeft een voeding nodig.

Bij de ingang van de Heath blijft Elina staan. Ze kijkt om zich heen. Ze kijkt omlaag naar haar zoon, die nu echte tranen huilt, zijn vuistjes gebald van frustratie. Hoe bestaat het dat hij alweer honger heeft? Ze heeft hem – hoe lang? – een uur geleden gevoed. Ze strijkt het haar voor haar ogen weg. In de verte ziet ze de bomen van de Heath met hun buigende en zwiepende takken en hun uitnodigende groene bladeren. Ze zijn zo dichtbij. Ze zou door kunnen lopen en hem dan ergens op een bank kunnen voeden, maar stel dat het weer eens niet lukt, en dat hij gaat huilen en zich in allerlei bochten wringt?

Ze klemt haar tanden op elkaar, laat de kinderwagen naar achteren hellen, keert hem om en loopt terug naar huis.

Ze zitten in de stoel bij het raam en hij drinkt tien minuten lang geconcentreerd. Ze legt hem op zijn buik over haar knieën, wat hij prettig schijnt te vinden na een voeding, maar in plaats van te boeren valt hij onmiddellijk in slaap. Ze staart naar hem en durft het nauwelijks te geloven. Zou hij echt in slaap zijn gevallen? Is het mogelijk? De lichtjes gesloten oogleden, de getuite mond, de duim dichtbij, gereed. Hij slaapt, zegt ze tegen zichzelf. Ongetwijfeld.

Ze kijkt om zich heen als een reiziger die zijn huis lang niet heeft gezien. Ze weet zich geen raad met de mogelijkheden die zich voor haar openen. Ze zou een boek kunnen lezen, een vriendin kunnen bellen, een brief kunnen schrijven, een schets kunnen maken, soep kunnen maken, haar kleren kunnen uitzoeken, haar haar kunnen wassen, alsnog kunnen gaan wandelen, de televisie aan kunnen zetten, haar dagboek kunnen inkijken, de vloer kunnen dweilen, de ramen kunnen lappen, dingen kunnen opzoeken op het internet. Ze zou van alles kunnen doen.

Maar durft ze hem wel te verplaatsen? Ze staart peinzend naar hem. Is hij diep genoeg in slaap om een verandering van omgeving te accepteren? Zou hij wakker worden als ze hem van haar schoot zou tillen en hem in zijn ledikantje of in de kinderwagen zou leggen?

Heel voorzichtig schuift ze haar handen onder zijn lijfje, vingers onder zijn ribben, duimen onder zijn hoofd. Hij zucht en smakt met zijn lippen, maar wordt niet wakker. Uiterst voorzichtig begint ze hem op te tillen. Meteen knipperen zijn ogen open en er ontsnapt hem een hese snik. Elina legt hem neer. Jonah stopt zijn duim in zijn mond en begint erop te zuigen met een wanhopige, bedrogen uitdrukking op zijn gezicht. Ze blijft roerloos zitten en durft nauwelijks adem te halen. Hij lijkt weer in slaap te vallen.

Nou, denkt ze, een wandeling zit er vandaag niet voor je in. En ze moet hier blijven zitten zolang hij slaapt. Maar dat is niet het ergste dat je kan overkomen. Toch?

Maar even komt het Elina voor dat dat wel zo is. Ze voelt zo'n behoefte, zo'n verlangen om naar buiten te gaan, om iets anders te zien dan de muren van dit huis, om de wereld te begrijpen, erin te kunnen rondlopen. Soms betrapt ze zich erop dat ze naar Ted kijkt wanneer hij thuiskomt van zijn werk en de levendigheid van de stad nog om hem heen lijkt te hangen. Soms wil ze dan dicht bij hem gaan staan om hem te ruiken, om de geur ervan op te vangen, het gevoel ervan. Ze verlangt ernaar ergens anders te zijn – waar dan ook.

Rusteloos laat ze haar ogen ronddwalen en ziet een opgevouwen stukje papier naast haar op de bank liggen. Ze pakt het op, strijkt het glad en ziet wat ze aanvankelijk voor een boodschappenlijstje houdt, in Teds handschrift. Dan beseft ze dat het helemaal geen boodschappenlijstje is.

onbetrouwbaar,
stenen

dezelfde man?

naam die mogelijk met een R begint

vlieger

Onderaan staan nog twee woorden, die Elina niet kan ontcijferen. Het ene begint met een 'k' – het zou 'kat' of 'kot' kunnen zijn – en het andere zou 'vochtig' of 'bochtig' kunnen zijn, of 'tochtig'. Op de achterkant staat: *E. vragen.* Dit is doorgestreept.

Elina draait het papiertje weer om. Ze leest het nog eens en nog eens. Ze leest het van achter naar voor en van voor naar achter, ze probeert er een zin of een dichtregel van te maken. Wat is dit voor lijstje? Waarom heeft hij het opgeschreven? Bedoelt hij *onbetrouwbare stenen* of *onbetrouwbaar*-spatie-*stenen*? En wat is dan het verschil? Welke *zelfde man*? En waarom wilde hij haar ernaar vragen maar heeft hij zich bedacht? Wie kennen ze wiens naam met een R begint? Ze draait het briefje nog een keer om en ziet dat het papier bij de hoeken blauw verkleurd is: Ted moet het in de zak van zijn spijkerbroek hebben bewaard. Het moet eruit zijn gegleden toen hij gisteravond op de bank zat. Ze leest het steeds opnieuw tot de lussen en halen van inkt voor haar ogen beginnen te dansen, tot onbetrouwbare mannen met vliegers en stenen ongehinderd bezit nemen van haar gedachten.

Als ze het papier open- en dichtvouwt, komt er een gedachte bij haar op, of liever gezegd een gevoel. Ze beseft dat ze haar moeder mist. Het is zo'n lichamelijk, spontaan opwellend gevoel dat het haar bijna in de lach doet schieten. Ze mist haar moeder. Hoe lang is het geleden dat ze dat heeft gevoeld? Twintig jaar? Vijfentwintig? Sinds ze naar de kleuterschool ging? Sinds ze op weg naar school door een grote meid in de brandnetels werd geduwd? Sinds die kampeertocht, toen ze op ongeveer negenjarige leeftijd haar slaapzak was vergeten?

Het moet nu hoogzomer zijn in de archipel; hoogseizoen voor het pension van haar moeder. De kinderen van Nauvo krijgen zwemles in het zanderige water van de baai; de ijzerwinkel in de hoofdstraat verkoopt schepjes en emmertjes en visgerei aan vakantiegangers uit Duitsland en gezinnen uit Helsinki die er een weekend doorbrengen. Langs de haven staan kraampjes met gebreide mutsen, bootschoenen en T-shirts met het woord 'Suomi' erop.

En haar moeder? Elina kijkt op de klok aan de muur. Die geeft halftwaalf aan, wat wil zeggen dat het in Finland halftwee is. Ondanks het feit dat ze al zo lang weg is, ondanks het feit dat ze altijd heeft beweerd dat ze walgde van het pension, van de gasten, van de archipel, van het stadje, van het hele land, en ondanks het feit dat ze er zodra ze kon zo ver en zo vaak mogelijk vandaan is gevlucht, kent Elina nog steeds het ritme ervan. Haar moeder serveert waarschijnlijk de lunch aan mensen buiten in de tuin op een allegaartje van borden met geribbelde randen. Drankjes worden in glazen van verschillende kleur en afmeting geserveerd. Op regenachtige dagen zitten de gasten naast elkaar op de veranda. Ze ziet haar moeder met haar bedaarde, slingerende loopje door de deur van de keuken naar buiten komen met vier borden, een schort over de onvermijdelijke batisten jurk en haar ogen verborgen achter de zonnebril met de roze glazen. Als de toeristen willen bestellen, diept ze uit de zak van haar schort een pen, een notitieblokje en haar halve leesbrilletje op, alles op dezelfde meditatieve manier. Daarna schommelt ze terug naar de keuken met het notitieblokje in de ene hand, langs de enorme berk, langs de sculptuur van kippengaas, steen en schelpen die Elina op school heeft gemaakt, maar die ze nu niet meer kan zien.

Een verlangen om daar te zijn, net zo brandend als een slok whisky, stroomt door Elina heen. Ze wil met Jonah naast zich met haar rug tegen de berk zitten en haar moeder zien komen en gaan. Ze kan zich op dit moment niet voorstellen wat ze hier doet, alleen in een huis in Londen, als ze ook daar kan zijn. Waarom is ze hier? Waarom is ze ooit weggegaan?

Heel voorzichtig reikt Elina zonder Jonah in beweging te brengen naar de telefoon die eenzaam op de salontafel ligt. Ze toetst het
nummer in, en luisterend naar de pulstonen stelt ze zich het tele-
foontoestel voor, zwaar en log op de eikenhouten balie van de receptie; ze stelt zich voor dat haar moeder hem vanuit de tuin hoort
en door de wintertuin over de ongelijke planken loopt en…

'Vilkun,' zegt een onbekende stem kortaf.

Elina vraagt naar haar moeder; de onbekende gaat weg en dan
hoort Elina door de gang langzame voetstappen naar de telefoon
toe lopen, in schoenen die tegen haar voetzolen slaan, en het verlangen spant zich als een sjaal om haar keel.

'*Aiti?*' zegt Elina, die zelf verrast is omdat ze een woord gebruikt
dat ze in geen jaren heeft gezegd. Sinds ze een tiener was, heeft ze
haar moeder altijd bij haar voornaam genoemd.

'Elina?' zegt haar moeder. 'Ben jij het?'

'Ja,' zegt Elina, die net als haar moeder naar het Zweeds over-
schakelt.

'Hoe is het met je? Hoe is het met de kleine man?'

'Het gaat goed met hem. Hij groeit, weet je. Hij lacht nu en hij
begint net…' Elina houdt op met praten omdat ze hoort dat haar
moeder op zachte toon tegen iemand anders praat, dit keer in het
Fins.

'… in de tuin. Ik kom er zo aan.'

Elina wacht met de telefoon aan haar oor. Ze legt het lijstje op
Jonahs rug. *Onbetrouwbaar, vlieger, zelfde man.*

'Sorry,' zegt haar moeder. 'Wat zei je?'

'Heb je het druk? Moet ik later terugbellen?'

'Nee, nee. Het is goed. Het is alleen… Het is goed. Je vertelde
over Jonah.'

'Het gaat goed met hem.'

Er valt een stilte. Praat haar moeder weer tegen iemand anders?
Of gebaart ze naar iemand?

'Dank je voor de foto's die je van hem hebt gestuurd,' zegt haar moeder. 'We vonden ze heel leuk.' 'We'? denkt Elina. 'We wisten niet of hij nou meer op jou lijkt of op Ted.'

'Hij lijkt op geen van ons beiden, denk ik. Nog niet, tenminste.'

'Ja.'

Er valt weer een stilte. Er is iets in de stem van haar moeder, een gespannen toon, waardoor Elina denkt dat er weer iemand bij haar in de kamer staat.

'Ik kan je terugbellen als het nu slecht uitkomt,' zegt Elina.

'Het komt niet slecht uit,' zegt haar moeder en er klinkt een vleugje kregeligheid in haar stem door. 'Het komt helemaal niet slecht uit. Ik vind het altijd fijn om met je te praten, dat weet je. En ik krijg niet vaak de kans. Je hebt het altijd druk, en…'

'Ik heb het niet druk,' roept Elina uit. 'Ik heb het helemaal niet druk. Mijn leven is… Ik zit de hele dag thuis, en… en ook de hele nacht. En ik…' Ze houdt haar mond. Ze wil zeggen: alsjeblieft, alsjeblieft, Aiti, ik weet niet wat er aan de hand is, ik weet niet waarom Ted van me wegdrijft, ik weet niet hoe ik het goed moet krijgen, en mag ik alsjeblieft naar huis komen, mag ik nu komen?

Haar moeder begint weer te praten. '… Jussi zei laatst dat die van hem al na vier weken allemaal doorsliepen. Er schijnt een boek te zijn dat je kunt volgen en…'

Jussi – Elina's broer. Elina verbijt zich als haar moeder verder praat over het boek en over slaaptraining en over haar vier kleindochters die 's nachts nooit wakker worden, zelfs nu niet, en hoe Jussi's vrouw, de koe-achtige Hannele, er nog een wil, maar Jussi weet het niet zeker, en Elina's moeder ook niet.

'Is Jussi dan bij je?' vraagt Elina.

'Ja!' Haar moeders stem klinkt plotseling vrolijk. 'Ze zijn hier voor de zomer naartoe gekomen – allemaal. Jussi heeft de voorkamer geschilderd en hij staat op het punt aan de veranda te beginnen. De meisjes en ik zwemmen elke ochtend – we hebben ze opgegeven voor zwemles, je herinnert je de lessen in de baai nog wel, en Jussi zei dat hij vindt dat de meiden vandaag maar moeten gaan zeilen, dus heb ik gezegd dat ik later…'

Elina houdt de telefoon tegen haar oor. Ze inspecteert Jonahs vingernagels en ziet dat ze geknipt moeten worden. Ze veegt een paar verdwaalde kruimels van de bank. Ze ontdekt een vlek op een kussen. Ze draait het kussen om, zodat de vlek niet te zien is. Ze pakt het lijstje van Jonahs rug en houdt het tussen duim en wijsvinger.

'Ik vroeg me af…' Ze onderbreekt een monoloog over de prestaties van de tweede kleindochter op de fluit. 'Ik vroeg me af, deed papa… gewoon… nadat wij geboren waren?'

'Deed hij gewóón?'

'Of deed hij… een beetje raar?'

'Hoe bedoel je, raar?'

'Was hij een beetje… hoe zal ik het zeggen… verstrooid. Teruggetrokken.' Elina wacht met de telefoon tegen haar oor, alsof ze bang is iets te missen.

'Waarom vraag je dat?' zegt haar moeder uiteindelijk.

Elina bijt op haar lip en zucht. 'Zomaar,' zegt ze. 'Ik vroeg het me gewoon af. Luister, Aiti, ik zat te denken dat ik misschien… wij misschien… konden komen.'

'Komen?'

'Naar Nauvo. Naar jou. Ik… ik dacht dat… nou ja, je hebt Jonah nog niet gezien, en ik ben… het is al eeuwen geleden dat ik er ben geweest.' Het blijft stil aan de andere kant van de lijn. 'Wat vind je ervan?' vraagt Elina uiteindelijk wanhopig.

'Nou, het punt is, Jussi is hier voor een maand en dan gaat hij terug naar Jyväskylä, en de meisjes blijven hier bij mij. Dan heb ik ze twee weken helemaal voor mezelf. En ik geloof dat Hannele ze komt ophalen – dat moet ik nog even navragen – dus ik weet niet zeker wanneer we…'

'Oké. Het geeft niet.'

'Ik bedoel, we zouden het leuk vinden als je kwam. De meisjes zouden het enig vinden om Jonah te zien. En ik ook.'

'Het is goed. Laat maar. Een andere keer.'

'Misschien in de herfst of…'

'Ik moet ophangen.'

'September? Het punt is dat het dan niet zo…'

'Ik moet ophangen. Jonah huilt. Tot gauw. Dag.'

Elina wordt uit haar slaap omhoog getrokken. Het lijkt alsof ze daar maar een paar minuten is geweest. De kamer is pikkedonker, de twee ramen rechts van haar verspreiden slechts een heel zwakke oranje gloed. Jonah huilt, roept haar. Ze blijft nog een halve seconde op haar rug liggen, niet in staat om overeind te komen, net als Gulliver wiens haar was vastgebonden. Dan duwt ze zich van het matras af en strompelt de kamer in naar de spijlen van het ledikantje en tilt Jonah eruit.

Ze verschoont zijn luier onhandig en klunzig in het donker. Jonah is gespannen van de honger, en ze kan zijn trappelende beentjes niet terug stoppen in de pijpen van zijn slaappakje, die met drukknopen vastzitten. Ze probeert ze erin te duwen, probeert de stof over zijn knietjes te trekken, maar hij brult het uit van verontwaardiging.

'Oké,' zegt ze, 'goed.' Ze pakt hem op, draagt hem naar het bed en gaat op haar zij liggen om hem te voeden.

Jonah sabbelt en zijn vuistjes ontspannen zich langzaam en er verschijnt een wazige blik in zijn ogen. Elina verkeert in een half-slaap: ze ziet de veranda van haar moeders huis in Nauvo, ze ziet de omtrek van Jonahs hoofd in het donker, ze ziet het kalme water van de Finse archipel op een windstille dag, ze ziet haar broer die over een grindpad van haar vandaan loopt, ze ziet een schilderij waar ze aan werkte voordat Jonah werd geboren, ze ziet de structuur van het canvas onder de dikke laag verf, ze ziet Jonah weer die nog steeds aan het sabbelen is, ze ziet het patroon van kruisende tramlijnen op een straathoek in Helsinki, ze ziet…

Plotseling is ze klaarwakker en terug in de slaapkamer. Haar eerste gedachte is dat ze het koud heeft. Het dekbed is verdwenen. Ted zit rechtop in bed met zijn gezicht in zijn handen.

'Gaat het wel goed met je?' vraagt ze.

Hij geeft geen antwoord. Ze steekt haar hand uit en raakt zijn rug aan. 'Ted? Wat is er?'

'Och,' zegt hij, zich omdraaiend, en ze ziet dat hij van de kaart is. 'Och.'

'Wat is er?'

'Ik had zo'n...' Hij slikt de rest in, fronst zijn wenkbrauwen en kijkt de kamer rond.

'Het is heel vroeg,' zegt ze in een poging hem een uitweg te bieden. 'Halftwee.'

'Hè?' zegt hij langzaam. Dan gaat hij weer liggen, vouwt zijn lijf om dat van Jonah en legt zijn hand op haar heup. Ze schuift haar knieën tegen de zijne en duwt haar voet tussen zijn kuiten. 'God,' fluistert hij. 'Ik heb een droom gehad, een echt vreselijke droom. Dat ik hier in het huis was en dat ik iemand ergens hoorde praten. Ik heb je overal gezocht, in het hele huis, en ik heb je geroepen, maar ik kon je niet vinden. En toen kwam ik onze slaapkamer binnen en je zat in de stoel met je rug naar me toe en met Jonah in je armen, en ik legde mijn hand op je schouder en toen je je omdraaide was jij het helemaal niet, het was iemand anders, het was...' Hij houdt op met praten en wrijft over zijn gezicht. 'Het was vreselijk. Ik ben er zo van geschrokken dat ik wakker werd.'

Elina gaat zitten en legt Jonah tegen haar schouder. Hij voelt slap aan in haar handen, als een zakje bonen, en ze weet ondertussen dat dit gevoel verlichting betekent, dat het betekent dat hij en zij meer nachtrust krijgen. Ze wrijft over zijn ruggetje. 'Dat klinkt akelig,' fluistert ze tegen Ted. 'Wat een rare droom. Ik droom soms dat ik naar het ledikantje ga en dat Jonah weg is. Of ik duw de kinderwagen voort en ik ontdek dat hij er niet in ligt. Ik denk dat het bij het hechtingsproces hoort, begrijp je, dat...'

'Hmm,' zegt Ted, die stuurs naar het plafond kijkt. 'Maar dit was zo realistisch, alsof…'

Jonah onderbreekt hem met een harde, galmende boer.

'Hier,' zegt Ted, en hij steekt zijn handen naar hem uit, 'ik neem hem wel. Ga jij maar weer slapen.'

Daar is Lexie, op een klamme voorjaarsavond in Parijs. Ze zit op haar hotelkamer aan de kaptafel met haar typemachine voor zich. Ze heeft haar schoenen uitgeschopt, haar kleren slingeren op het smalle bed. Ze draagt alleen een slip, ze heeft haar haar opgestoken en vastgezet met een potlood. In de kamer is het benauwd, ondraaglijk heet; ze heeft de deuren naar het piepkleine balkon openstaan. De wind doet de dunne gordijnen opbollen en zuigt ze weer plat. De geluiden van rennende mensen, geschreeuw, politiesirenes en brekend glas bereiken haar vanaf de straat beneden. Ze is de hele avond op de been geweest, op de Boulevard St. Michel en in de buurt van de Sorbonne, en heeft de studenten barricaden zien opwerpen, trottoirs zien openbreken en auto's zien omkieperen, waarna de politie charges uitvoerde met knuppels en traangas.

Ze leest wat ze heeft opgeschreven. *Of ze zijn opgestookt of geprovoceerd staat nog te bezien,* staat er, *maar een dergelijke reactie van de autoriteiten lijkt...* En daar houdt het op. Ze moet dit afmaken, maar op dit moment heeft ze geen idee hoe.

Ze typt een punt en duwt de wagen naar een nieuwe alinea, en ziet de vrouw in de spiegel van de kaptafel hetzelfde doen. Die vrouw ziet er mager uit in haar slip, haar sleutelbeenderen steken uit, ze heeft kringen onder haar ogen. Lexie brengt haar hand naar haar voorhoofd en buigt zich dicht naar de spiegel. Ze heeft nu fijne, bijna onzichtbare rimpels om haar mond en bij haar ooghoeken. Ze ziet ze als breuklijnen, glimpen van de toekomst, de lijntjes waar haar gezicht zich zal plooien en slap van het bot loskomt.

Ze weet niet dat dit nooit zal gebeuren.

Er wordt op de deur geklopt en haar hoofd draait zich met een ruk om.

'Lexie?' fluistert Felix luid. 'Ben je daar?'

Ze heeft hem al eerder gezien, naast een fel brandende barricade, gebarend voor de camera met heen en weer rennende figuren achter hem.

Ze blijft op haar kruk zitten. Ze bijt op haar potlood, ze plooit een stukje van haar slip en strijkt het weer glad. Een andere man dan Innes zou vanavond een parodie zijn, een criminele daad. Ze weet niet waarom, maar ze heeft zijn aanwezigheid de hele dag gevoeld, vlak achter haar rondhangend, iets links van haar. Ze heeft voortdurend om zich heen gekeken, alsof ze hem probeerde te betrappen. Ze voelt dat ze zijn naam hardop wil zeggen, hier in deze hotelkamer met zijn afgebladderde meubels en smoezelige lakens. Het woord welt op in haar keel, haar mond, als een ballon.

Er wordt weer geklopt. 'Lexie!' sist Felix. 'Ik ben het.'

Even later geeft hij het op. Ze hoort hem gapend wegschuifelen door de gang. Ze loopt naar het bed en gaat op haar rug liggen. Ze staart naar het plafond. Ze doet haar ogen dicht. Meteen doemt het beeld van Innes voor haar op die op de kruk voor de kaptafel zit waarvan ze net is opgestaan, hier in de kamer bij haar. Ze doet haar ogen weer open. Tranen lopen opzij over haar slapen, sijpelen in haar haar en zoeken zich een weg naar haar oren. Ze sluit haar ogen weer. Ze ziet het uitzicht vanuit het raam van hun appartement op Haverstock Hill. Ze ziet Innes' hand en de manier waarop hij een pen vasthield, schuin en linkshandig. Ze ziet hem tegen hun boe-kenplanken leunen, op zoek naar een boek. Ze ziet hoe hij zich bo-ven de gootsteen in de keuken scheert, met zijn half ingezeepte ge-zicht. Ze ziet zichzelf een ziekenhuisgang door lopen, onderweg viooltjes verliezend.

Een week of twee later in Londen. Lexie en Felix lopen samen rond op de opening van Laurence' nieuwe galerie. Iets aan de smetteloze manchetten van Felix, zijn breedgeschouderde blondheid tegen de achtergrond van de met wijn besprenkelde, uitzinnige opwin-ding in de stampvolle galerie doet Lexie bijna in de lach schieten. Maar Felix loopt zoals altijd met grote passen de ruimte binnen alsof hij zeker is van zijn plaats daarin, alsof er massa's mensen staan te popelen om met hem kennis te maken.

Wat ergerlijk genoeg ook zo is. Nadat er voor de derde keer ie-mand op hem afkomt met de woorden: 'neem me niet kwalijk, maar bent u niet…' draait Lexie weg uit zijn omarming en loopt ze door de drukke galerie naar de zijkant van de ruimte, waar Daphne en Laurence staan, hun hoofden naar elkaar toe gebogen. Ze weet dat ze het over haar hebben, en dat zij weten dat zij het weet, en ze glimlachen als ze op hen af loopt.

'Pardon,' zegt ze terwijl ze zich zijdelings een weg baant tussen een vrouw die het met schallende stem over Lichtenstein heeft en een man die net een glas wijn achteroverslaat.

'Daar komt ze,' hoort Lexie Daphne zeggen.

'Dag roddelaars,' zegt Lexie, die eerst de wang kust die Daphne haar toekeert, en daarna die van Laurence. 'Gefeliciteerd, Lauren-ce. Een mooie opening. Grote opkomst.'

'Ja, het gaat wel goed, hè?' zegt Laurence, de ruimte overziend. 'Tot nu toe.'

'Niet zeggen "tot nu toe",' wijst Daphne hem terecht. 'Het is mooi. De mensen zijn gekomen. Ze kopen. Wees blij. Geniet er-van.'

'Maar dat kan ik niet,' sputtert Laurence, die met een vinger langs zijn kraag strijkt. 'Dat kan ik pas als het voorbij is.'

Daphne richt zich tot Lexie en bekijkt haar van top tot teen. 'Maar goed,' zegt ze, 'we willen met je praten.'

'Is dat zo?'

'Ja. Vertel ons alles.'

Lexie neemt een slok van haar cocktail. 'Waarover?'

Daphne zucht geërgerd op hetzelfde moment dat Laurence zegt: 'Wat zie je er leuk uit, Lex.'

'Doet er niet toe hoe ze eruitziet,' zegt Daphne bits, die op dat moment Lexies jurk voor het eerst schijnt te zien, 'hoewel hij wel fantastisch is, waar heb je die gekocht?' Zonder op antwoord te wachten, neemt ze Lexie bij de elleboog. 'We willen er alles over weten.' Ze priemt met een vinger in de richting van de deur. Lexie kijkt naar Felix die in gesprek is met twee vrouwen die zich gretig naar hem toe buigen.

'O,' zegt ze met een vaag gebaar, 'dat is gewoon Felix.'

'We weten wie hij is,' zegt Laurence. 'We hebben op de buis gezien hoe hij zich op de barricaden waagde.'

'En,' valt Daphne hem in de rede, 'we zijn tot de slotsom gekomen dat je met hem in Parijs moet zijn geweest. Waar haal je het lef vandaan dat voor ons te verzwijgen? Ik bedoel, we wisten wel dat jullie ooit iets met elkaar hebben gehad, maar dat was eeuwen geleden. We wisten niet dat hij nog in beeld was. Kom op,' ze geeft Lexie een por in haar ribben, 'voor de draad ermee. Wat is er aan de hand?'

'Niks,' zegt Lexie.

'Niks,' schampert Laurence.

'Het gaat… met vlagen.' Lexie haalt haar schouders op en drinkt haar glas leeg. 'Niks, eigenlijk.'

Ze staan daar even met z'n drieën in hun glas te staren tot David, Laurence' minnaar, naast hen opduikt. 'Wat staan jullie alle drie nou zo ernstig te kijken?' Hij legt een hand op Laurence' schouder. 'En moet jij je niet onder de gasten mengen?'

'We hebben Lexie net aan een kruisverhoor onderworpen over haar partner,' zegt Daphne.

'Haar partner?' vraagt David, en Laurence knikt in de richting van Felix, die nu met brede gebaren een of ander verhaal staat te vertellen aan een groepje mensen dat aan zijn lippen hangt. 'O.' David trekt zijn wenkbrauwen op. 'Ik begrijp het. Je bent ondoorgrondelijk, Lexie.'

'Het stelt niks voor,' zegt Lexie weer, en ze geeft een rukje aan de zoom van haar jurk om hem recht te trekken.

'Dat kan niet,' werpt Daphne tegen, 'als je je overal met hem vertoont.'

'Ik vertoon me niet overal met hem, ik heb alleen gezegd dat ik hierheen zou gaan, en hij zei dat hij meekwam.'

'Ga je ons aan hem voorstellen?' vraagt Laurence. 'We beloven plechtig dat we ons netjes zullen gedragen.'

'Niet nu,' zegt David. 'Zie je dan niet dat die man bezig is aan zijn carrière te werken?'

'Ik heb één vraag,' zegt Daphne op serieuze toon, 'en dan laten we je met rust. Waarom hij?'

Lexie draait zich om en kijkt haar aan. 'Wat bedoel je?'

'Waarom hij, in plaats van al die anderen die zich een weg naar je voordeur hebben gebaand?'

'Ik kan wel een paar redenen bedenken,' mompelt David terwijl hij Felix monstert, en Laurence lacht zachtjes.

'Omdat…' Lexie probeert na te denken. 'Omdat hij nooit iets vraagt,' zegt ze uiteindelijk met zachte stem.

'Wat zeg je?' vraagt David, zich naar haar toe buigend. 'Hij vraagt nooit iets?'

'Hij stelt nooit vragen,' zegt Lexie. 'Hij stelt nooit iemand vragen. Hij is de minst nieuwsgierige man die ik ooit heb ontmoet. En dat…'

'Dat komt je goed uit,' vult Laurence voor haar aan.

Lexie kijkt hem aan. 'Ja,' zegt ze. 'Dat klopt.'

Er valt een stilte. Dan reikt Daphne naar achteren en grijpt een fles wijn van het bureau. 'Een toost!' roept ze. 'We hebben nog niet op je galerie gedronken.' Ze plenst wijn in hun glazen. 'Op Laurence en David en op de Angle Gallery,' zegt ze. 'Dat ze nog maar lang en in voorspoed mogen leven.'

Het is midden in de nacht, in het holst van de nacht, en het is rustig in Belsize Park. Een poosje geleden reed een auto met hoge snelheid langs Haverstock Hill. Een eekhoorn – zo'n ratachtig, volgevreten grijs exemplaar – is net overgestoken en houdt midden op straat even stil om rond te kijken.

Voor het huis ligt een kleine siertuin met kortgesnoeide buxushagen. De kinderen vinden het leuk om tussen de lage spiraalvormige struikjes te lopen die hen onvermijdelijk naar het middelpunt voeren, hoewel hun moeder het liever niet heeft. De wortels kunnen er niet tegen, zegt ze. Tussen de siertuin en het trottoir staat een laag muurtje van rode baksteen dat er in Lexies tijd ook al was. Er staat ook een hekpaal waar een zware witte steen op ligt die glinstert als het vriest.

Lexie leunde met haar hand op deze steen toen ze terugkwam uit het ziekenhuis nadat Innes was overleden. Het was vroeg in de avond. Op een of andere manier had ze het appartement weten te bereiken, met de sjaal en de tijdschriften nog in haar hand – de viooltjes was ze al kwijtgeraakt – en net toen ze het pad op wilde lopen, stond er een man op die al die tijd op het muurtje had gezeten.

'Juffrouw Sinclair?' zei hij.

Ze draaide zich naar hem om. Hand op de hekpaal.

'Juffrouw Alexandra Sinclair?'

'Ja,' zei ze.

'Hierbij stel ik u deze afschriften ter hand,' zei hij, en hij reikte haar een envelop aan.

Ze nam hem aan. Ze keek ernaar. Onopvallend, manillapapier, niet verzegeld. 'Afschrift?'

'Een uitzettingsbevel, mevrouw.'

Ze keek naar hem, naar zijn snor. Ze bedacht dat het vreemd was dat de snor bruin was, en zijn haar grijs. Ze keek naar de hekpaal onder haar hand, hij voelde ruw aan, stug door de vorst. Ze trok haar hand terug en tastte naar de voordeursleutel in haar jas. 'Ik begrijp het niet.'

'Mijn cliënte, mevrouw Gloria Kent, eist dat u het betreffende onroerend goed morgen ontruimt, en dat u alleen meeneemt wat u persoonlijk toebehoort. Als u ook maar iets meeneemt wat tot de boedel van haar overleden echtgenoot...'

Ze hoorde niets meer. Ze rende het pad op en het huis binnen en knalde de deur achter zich dicht.

Later kwam Laurence. Hij had de hele stad afgezocht om haar te vinden, zei hij. Hij griste het roze uitzettingsbevel uit haar hand en las het door. Hij vloekte een paar keer en zei toen dat Gloria haar reputatie eer aandeed. Later ontdekte Lexie dat Gloria haar advocaat ook al een brief naar het pand van *Elsewhere* had laten sturen waarin hun werd meegedeeld dat het tijdschrift zou worden verkocht. Maar dat zei Laurence nu niet, en hij vertelde ook niet dat Daphne en hij op die manier hadden vernomen dat Innes was overleden. Hij schonk haar een whisky in, zette haar in een stoel en sloeg een donzen dekbed om haar heen. Toen ging hij aan het werk om het appartement, haar thuis, haar leven, te ontmantelen.

De volgende ochtend vroeg stonden Laurence en Lexie buiten voor de flat op een taxi te wachten. Er stonden twee koffers naast hen. Lexie huiverde of trilde of misschien wel allebei, en hield het donzen dekbed nog steeds om zich heen geslagen.

'Denk jij,' zei ze klappertandend, en ze wees op het dekbed, 'dat dit tot de boedel van Innes Kent behoort?'

Laurence wierp een blik op het dekbed en vervolgens op de lichter wordende hemel. Boven hen liepen er gouden strepen door de wolken en waren de bomen roerloze zwarte silhouetten. Hij lachte even, maar zijn ogen stonden vol tranen. 'Jezus, Lex, wat is dit toch allemaal verschrikkelijk.'

Toen er een taxi langs kwam rijden, hielden ze die aan en laadde Laurence Lexie en de koffers in de auto. 'Blijft u even wachten,' zei hij tegen de chauffeur, 'ik ben over twee seconden terug,' en rende toen het huis weer in.

Lexie zat in de taxi, met haar spullen samengepropt in twee koffers en een paar pakjes, en met het dekbed om zich heen getrokken. Er stopte een lange zwarte auto voor de deur en achter het stuur was onmiskenbaar het profiel van Gloria te zien. Lexie staarde naar haar. Die hooghartige lippen, die permanent opgetrokken wenkbrauwen. Gloria klapte het make-upspiegeltje naar beneden om haar lippenstift te inspecteren, ondertussen vrolijk babbelend tegen iemand die naast haar zat. De dochter. Die op de passagiersplaats zat te knikken: ja moeder, nee moeder.

Ze stapten uit. Gloria hield haar jurk bij het portier weg voordat ze het hard dichtsmeet. Ze keken naar boven naar het huis, naar het appartement op de bovenste verdieping. Plotseling betrok Gloria's gezicht en ze schreeuwde: 'Jij daar! Jij!'

Lexie draaide zich om en zag Laurence haastig de trap af lopen, zeulend met iets zwaars en groots dat in dekens was verpakt. Ze wist meteen wat het was – Innes' schilderijen. Laurence had de schilderijen gered.

'Blijf staan! Ik eis dat je blijft staan!' gilde Gloria. 'Ik moet weten wat je daar hebt.'

Laurence sprong de taxi in. 'Rijden,' zei hij tegen de chauffeur, 'rijden alstublieft!'

De chauffeur liet de rem los en ze reden snel weg, Haverstock Hill af, met Gloria die op haar hoge hakken naast hen voortrende om naar binnen te kunnen kijken, en aan de andere kant haar dochter. Die wist hen beter bij te houden. Verscheidene seconden rende ze mee aan de kant waar Lexie zat, haar gezicht aan de andere kant van het raam nog geen tien centimeter van haar vandaan, haar ogen gefixeerd op die van Lexie. Haar blik was star, onpeilbaar, haar ogen dof als die van een haai, die Lexie strak aanstaarden – hoe eigenlijk? Beschuldigend? Nieuwsgierig? Boos? Het viel niet te zeggen. Lexie legde haar hand tegen het glas om die vreselijke medusablik te doen verdwijnen. Toen ze haar hand weghaalde, was Margot verdwenen.

De periode na het overlijden van Innes was voor Lexie een eindeloze reeks van dagen, lege uren, jaren die voorbij tikten. In zekere zin valt er niets over te zeggen, omdat het een tijd was van leemte, van gemis, een tijd die door afwezigheid werd gekenmerkt. Toen Innes stierf, eindigde het bestaan zoals Lexie het had leren kennen en begon er een nieuw: ze viel, net als Innes met zijn parachute, uit haar ene leven in een volgend leven. Het tijdschrift was verdwenen, het appartement was verdwenen en Innes was verdwenen. Destijds wist ze het nog niet, maar ze zou nooit meer terugkeren naar het maaswerk van straten waaruit Soho bestond, geen enkele keer.

Als ze terugdacht aan die tijd vlak na de vlucht uit het appartement, zou ze kunnen beweren dat ze zich er niets van herinnerde, dat het lang had geduurd voordat het leven en het gevoel weer terugkeerden. Maar bepaalde scènes drongen zich soms aan haar op, als tableaux vivants. Dat ze haar koffer voortzeult over Kingsway in Holborn. Dat de zoom van haar jas blijft haken achter een leuning, scheurt en aan de achterkant omlaag hangt. Dat ze een zitslaapkamer in een souterrain monstert, terwijl de hospita een lapjeskat tegen haar boezem drukt. De kamer is smal en ruikt naar muizen en vocht, het raam is klein en heeft een merkwaardige, langwerpige vorm. 'Wat is er met het raam gebeurd?' vraagt Lexie. 'Afgeschoten,' zegt de hospita. 'In tweeën gedeeld.' Lexie staart naar de kat en de kat staart terug met grote, glimmende pupillen. In elk van deze pupillen wordt het raam weerspiegeld. Dat ze vergeefs probeert de gasbrander aan te steken. Dat ze daardoor in tranen uitbarst. Dat ze vanwege die tranen een schoen tegen de muur keilt. Om haar heen afgestreken lucifers op het vloerkleed. Dat ze een handvol wilde hyacinten uit Regents Park pikt. De steeltjes scheiden vocht af in haar handpalm, in haar mouw. Ze zet ze in een jampotje. Ze verwelken. Ze gooit ze met jampotje en al het raam uit. Dat ze naast het afgeschoten raam staat en omhoog kijkt naar het trottoir, naar de enkels van voorbijgangers, naar hun schoenen, naar hondenpoten, naar de wielen van kinderwagens. In de ene hand houdt ze een onaangestoken sigaret, met de andere trekt ze haren uit haar hoofd die ze een voor een op de grond laat dwarrelen.

Zo stond ze toen onverwachts de deur werd opengeduwd en er een gestalte naar binnen stapte.

'Hier ben je dus,' zei de gestalte.

Lexie keek om. Een moment lang herkende ze de persoon niet. Het was een vrouw met kortgeknipt haar tot boven de oren, en ze droeg een gerende jas en flatjes met een gesp.

'Daph?' zei Lexie.

'Goeie god,' zei Daphne, op haar af lopend. Ze schudde haar hoofd en leek even niets te kunnen uitbrengen. 'Moet je jezelf nou eens zien,' zei ze uiteindelijk.

'Wat bedoel je?'

'Wat is er gebeurd met je…'

'Mijn wat?'

'Laat maar.' Daphne mompelde afkeurend 'jeetje', nam een sigaret uit het pakje op de vensterbank, stak hem op en begon haar jas los te knopen. Het leek alsof ze op het punt stond hem uit te trekken, toen ze eens om zich heen keek en zich scheen te bedenken. In plaats daarvan begon ze door de kamer te ijsberen. Lexie keek toe hoe Daphne tegen het voeteneind van het bed schopte, de kraan open- en dichtdraaide en aan een bladderend stuk behang trok. 'Jezus,' zei ze ten slotte, 'het lijkt wel een kerker. En het stinkt. Wat betaal je hiervoor?'

'Gaat je niks aan.'

'Lex,' zei Daphne, ze bleef voor haar staan en pakte haar bij de schouders. 'Dit moet stoppen. Hoor je me?'

'Wat moet stoppen?'

'Dit.' Ze gebaarde om zich heen, naar de kamer, naar Lexies hoofd. 'En dit.'

Lexie maakte zich los uit haar greep. 'Ik weet niet waar je het over hebt.'

'Dit kun je jezelf niet aandoen. En Laurence en mij ook niet. We maken ons ontzettend veel zorgen om jou, en we denken maar steeds…'

'Sorry.' Lexie drukte haar sigaret uit in een asbak op de vensterbank.

Daphne liep naar de leunstoel, pakte de kasjmiersjaal die daar lag en zwaaide ermee naar Lexie. 'Hier krijg je hem echt niet mee terug, hoor. En wat denk je dat hij zou zeggen als hij je hier zo zou zien?'

'Leg neer,' zei Lexie, en Daphne gehoorzaamde, alsof ze besefte dat ze te ver was gegaan. Ze liet zich in een stoel vallen en nam een paar trekjes van haar sigaret. Lexie draaide zich weer om naar de straat en zag iemand met bruine schoenen langslopen.

'Herinner je je Jimmy nog?' vroeg Daphne achter haar.

'Jimmy?'

'Lang, rossig haar, werkt bij de *Daily Courier*. Had een hele tijd geleden iets met Amelia.'

'Eh…' Lexie pakte de asbak op en zette hem daarna weer neer. 'Zo'n beetje.'

'Ik kwam hem gisteravond tegen in de French Pub. Hij heeft een baantje voor je.'

Lexie draaide zich om. 'Een baantje?' herhaalde ze.

'Ja, een baan. Je weet wel. Werken, geld verdienen en zo. In de buitenwereld.' Daphne tipte haar as af in het haardrooster. 'Het is allemaal geregeld. Je begint maandag.'

Lexie keek bedenkelijk en probeerde een reden te verzinnen om nee te kunnen zeggen, maar ze kon er geen bedenken. 'Wat is het voor baan?' vroeg ze.

'Ze hebben iemand nodig op de afdeling familieberichten.'

'Familieberichten?'

'Ja,' zuchtte Daphne ongeduldig, 'je weet wel, geboorten, overlijdens en huwelijken. Het is niet erg spannend en je kunt het slapend doen, maar het is beter dan dit.'

'Geboorten, overlijdens en huwelijken,' herhaalde Lexie.

'Ja. Alle belangrijke gebeurtenissen in het leven.'

'Waarom doe je het zelf niet?'

Daphne haalde haar schouder op. 'Ik weet niet of dat wel bij me past, Fleet Street en zo.'

'Misschien past het ook niet bij mij.'

Daphne stond op en sloeg haar jas af. 'Dat zal wel meevallen,' zei ze. 'En het is in elk geval beter dan langzaam gek te worden te midden van je herinneringen. Dus, maandag, negen uur stipt. Zorg dat je op tijd bent.' Ze stond op en pakte Lexie bij de arm. 'Kom, pak je jas.'

'Waar gaan we naartoe?'

'Uit. Je ziet eruit alsof je een stevige maaltijd kunt gebruiken. Ik heb Jimmy twintig shilling afgetroggeld, dus we hebben mazzel. Kom op.'

Op Lexies eerste dag bij de *Daily Courier* werd ze naar een bureau gebracht dat tussen een ander, groter bureau en een stel boekenplanken stond ingeklemd. Het stond in een kleine kamer aan een lange gang; het plafond was laag, de vloer ongelijk en een smerig raam bood uitzicht op een overdekte passage die Nash Court met Fleet Street verbond. Het hele kantoor wekte de indruk van doodse stilte, van stagnatie. Het leek of er nauwelijks mensen rondliepen. Was ze misschien te vroeg gekomen?

Ze ging aan haar bureau zitten en zette haar tas eronder. Op de stoel zat een laagje afschilferende groene verf en hij had een wankele poot. Op het bureau stond een typemachine, met daarnaast een vloeiblad en een roestige schaar. Lexie pakte de schaar op en knipte ermee. Hij leek het in elk geval te doen. Een berg papieren van het aangrenzende bureau was op dat van haar gegleden. Die zette ze rechtop en maakte er een nette stapel van. Ze pakte een mok van haar bureau en tuurde in de duistere diepte ervan. Een sterke koffiegeur sloeg haar in het gezicht. Ze zette hem weer neer. Er lag een briefje op haar typemachine waarop stond: Inform. bij Jones naar mogelijkh. van kopij voor 2 wkn.

Toen ze geluiden in de passage hoorde, stond ze op en ging bij het raam staan. Vanaf Fleet Street liepen er mensen naar binnen. Ze keek van bovenaf op ze neer en vond dat de bovenkant van hun hoofd en hun nek er onder die hoek op een of andere manier kwetsbaar uitzag.

Vlak voor de lunch kwam een man het kantoortje binnengestormd. Hij had een grijzende, tamelijk woeste haardos, droeg een regenjas met een loshangende ceintuur, en liet een uitpuilende aktetas op zijn bureau ploffen, terwijl hij in zichzelf mompelend in zijn stoel ging zitten en naar zijn telefoon reikte. 'GEO 5691' zei hij zachtjes en begon het nummer te draaien. Op dat moment merkte hij Lexie pas op.

'O,' zei hij geschrokken, en hij liet de hoorn weer op de haak vallen. 'Wie ben jij?'

'Ik ben Lexie Sinclair. Ik ben de nieuwe medewerker voor de familieberichten. Ze hebben me gezegd...'

Maar de man begroef zijn gezicht in zijn handen en foeterde erop los. 'O god, o god, o god, luisteren ze dan nooit naar me? Ik heb ze nog zo gezegd dat ze geen...' Hij gebaarde naar Lexie. 'Met alle respect, hoor, meisje, maar dit gaat écht niet. Ik ga Carruthers nu bellen.' Hij greep de hoorn. 'Nee, dat doe ik niet.' Hij legde de hoorn weer neer. 'Wat zal ik nou doen?' Hij scheen het haar te vragen. 'Carruthers is er vast nog niet. Simpson? Misschien kan die helpen.'

Lexie stond op en streek de sjaal glad die ze in het haar droeg. 'Ik wist niet zeker waar ik moest beginnen,' zei ze. 'Maar een poosje geleden bracht een redactieassistent een paar drukproeven binnen voor de editie van vandaag, dus die heb ik maar vast gecorrigeerd. Hier zijn ze.' Ze gaf ze aan hem en hij griste ze wantrouwig uit haar handen. 'Ik was niet helemaal zeker van de huisstijl,' ging ze verder, 'maar ik heb een vraagteken gezet bij alles waar ik niet honderd procent zeker van was.'

De man zette zijn bril boven op zijn hoofd, hield de drukproeven vlak onder zijn neus en las ze grondig door. Eerst een, daarna de volgende en toen de laatste. 'Hm,' zei hij in zichzelf. 'Hm.' Toen hij klaar was met de derde, liet hij ze op zijn bureau vallen. Hij gooide zijn hoofd achterover en bleef zo even zitten met ineengestrengelde vingers. 'Bij de *Courier* zetten we de titels van afzonderlijke gedichten niet cursief,' zei hij tegen het plafond.

'O, goed.'

'De titels van boeken wel, maar de titels van afzonderlijke gedichten of essays in een bundel niet.'

'Mijn fout.'

'Waar heb je geleerd drukproeven te corrigeren?'

'In… mijn vorige baan.'

'Hm,' zei hij. 'Kun je typen?'

'Ja.'

'Kun je tekst inkorten?'

'Ja.'

'Kun je kopij redigeren?'

'Dat kan ik.'

'Waar heb je hiervóór gewerkt?'

'Dat was…' Lexie moest even slikken, 'bij een tijdschrift.'

'Hm.' Hij gooide de drukproeven op haar bureau. 'Je moet ze paraferen,' zei hij, 'anders zien we ze hier nooit meer terug.' Hij rommelde wat met de papieren op zijn bureau. Hij pakte een potlood uit een pot en stak het achter zijn oor. 'Nou, blijf daar niet zo zitten, meisje,' zei hij plotseling op een wat knorrige toon, en hij maakte een ongeduldig wapperend gebaar met zijn handen. 'Breng ze terug naar de redactieassistent. Bel Jones. Vraag hem wanneer hij zijn kopij doorbelt. En ga kijken of ze het kruiswoordraadsel al hebben gezet. En de advertenties moeten worden getypt. Ik heb graag een voorraad voor minstens drie dagen. En dan nog de column Landleven. Hup, hup, geen seconde te verliezen.'

Enkele maanden lang hield Lexie zich bezig met het uittypen van lijsten met geboorten, met details over huwelijken en over de levensloop van overledenen, en wie hun nazaten en nabestaanden waren. De adressen van rouwkamers en waar de bloemen moesten worden bezorgd. Ze kreeg er handigheid in de recalcitrante Jones kopij te ontfutselen, haar baas, Andrew Fuller, te kalmeren wanneer hij het gevoel had dat hij het overzicht kwijtraakte, wanneer de voorraad Landleven onder de vijf kwam, en berichten van mevrouw Fuller door te spelen over het tijdstip waarop het avondeten in Kennington zou worden geserveerd. Ze moest ook leren hoe ze de attenties van de diverse mannelijke vrijgezellen bij de krant – en overigens ook die van de niet-vrijgezellen – moest afwimpelen. Ze ontwikkelde een paar ijzersterke methoden om uitnodigingen af te slaan voor de lunch, of om samen naar de pub of naar het theater te gaan. Fuller steunde deze afwijzingen van harte. Hij hield er niet van wanneer zijn assistente werd afgeleid. 'Wat sta je hier rond te snuffelen?' riep hij tegen mannen die hoopvol in de deuropening verschenen, zwaaiend met een paar vrijkaartjes of een aankondiging van een concert. 'Hou die vrouw niet van haar werk!' Ze genoot de reputatie van iemand die tamelijk serieus, afstandelijk en terughoudend was. Een 'blauwkous', noemde een van haar aanbidders haar, wat de enige keer was dat ze uit haar slof schoot, een grof antwoord gaf. Meestal ging ze rond lunchtijd naar de pub met Fuller, met de redactrice van de vrouwenpagina of met Jimmy. Op een gegeven moment deed het gerucht de ronde dat ze iets met Jimmy had, en die deed geen enkele moeite om het te ontzenuwen. De rest van het kantoor wist niet dat Lexie hem tijdens de lunch raad gaf over hoe hij het moest aanleggen met het meisje op wie hij verliefd was, maar dat al verloofd was. Ze vond dat het tempo bij een dagelijks verschijnende krant een aangename hectiek had, haar op een vertroostende manier afleiding bezorgde omdat het een onverzadigbare machine was die steeds weer moest worden gevoed; omdat, zodra een werkdag erop zat, er amper een pauze was voor de volgende begon. Er waren geen leemten, geen luwten waarin ze kon nadenken. Ze moest gewoon werken. De enige foto van haar in de begintijd bij de *Courier* is die van een vrouw in een camelkleurige rok, met kortgeknipt haar en een heel bijzondere kasjmiersjaal om haar hals, die op de rand van een bureau zit en fronsend in de camera kijkt.

Zo zou het nog jaren door hebben kunnen gaan als ze niet, zoals ze er later op terugkeek, uit haar rol was gevallen. Op een keer liep ze terug nadat ze een paar proefdrukken van kruiswoordraadsels op het bureau van de redactieassistent had neergelegd, toen ze drie mannen passeerde die in de gang stonden te praten. De adjunct-hoofdredacteur, de assistent-redacteur en de redacteur van de achterpagina.

'… profielschets waard zou zijn,' hoorde ze de redacteur van de achterpagina zeggen, 'is Hans Hofmann…'

'Wie?' onderbrak Carruthers, de adjunct-hoofdredacteur hem.

'Ja, hoe zal ik het zeggen. Volgens mij…'

'In Beieren geboren abstracte impressionist,' hoorde Lexie zichzelf tegen hen zeggen. 'Aan het begin van de jaren dertig naar Amerika geëmigreerd. Stond aanvankelijk niet bekend als schilder, maar als leermeester. Lee Krasner, Helen Frankenthaler en Ray Eames waren leerlingen van hem.'

Ze staarden haar alle drie aan; de redacteur van de achterpagina wilde iets zeggen, maar hield zijn mond.

'Neem me niet kwalijk,' mompelde Lexie, en toen ze wegliep hoorde ze Carruthers, die ze alleen van gezicht kende, zeggen: 'Nou, het lijkt erop dat je je expert hebt gevonden.'

Tien minuten later kwam de redacteur van de achterpagina bij haar langs. Fuller keek wel op van het kruiswoordraadsel dat hij aan het bestuderen was, maar riep niet tegen hem dat hij er niets te zoeken had.

'Hoor eens,' zei de redacteur van de achterpagina, 'je schijnt behoorlijk wat van Hofmann te weten. De Tate Gallery heeft net twee van zijn schilderijen aangekocht. Kun je me morgen tweeduizend woorden leveren? Maak je maar niet al te druk over de stijl; als je alleen de feiten geeft zou het al mooi zijn. Ik kan het wel door een van de jongens laten herschrijven.'

Het artikel werd de volgende dag ongewijzigd geplaatst. Daarna kwam een stuk over David Hockneys interpretatie van William Hogarth, gevolgd door een profielschets van de nieuwe directeur van het National Theatre en vervolgens vroeg de redactrice van de vrouwenpagina haar een artikel te schrijven over hoe het kwam dat zo weinig meisjes zich opgaven voor de kunstacademie. Nadat dit stuk was geplaatst, riep Carruthers Lexie in zijn kantoor.

Hij had zijn lange benen op het bureau gelegd, waardoor zijn bordeauxrode sokken zichtbaar waren en hij had een liniaal op zijn twee wijsvingers liggen. Hij gebaarde dat ze moest plaatsnemen. 'Vertel eens,' zei hij. 'In welke hoedanigheid werk je momenteel voor ons?'

'Als assistent familieberichten.'

'Assistent familieberichten,' zei Carruthers monotoon. 'Ik had geen idee dat er zo'n functie bestond. Je werkt toch voor Andrew Fuller?'

Lexie knikte.

'En waaruit bestaan je taken precies?'

'Het redigeren van geboorte-, huwelijks- en overlijdensadvertenties. Achter de kopij voor het kruiswoordraadsel en Landleven aan zitten. De pagina Overige redigeren, de kopij voor…'

'Ja, ja,' zei hij, en hij onderbrak haar met een beweging van zijn liniaal. 'Het lijkt erop dat we je hebben onderschat.'

'O?'

Carruthers zwaaide zijn benen van het bureau en keek haar met samengeknepen ogen aan. 'Waarvandaan ben jij komen opduiken, juffrouw Lexie Sinclair?'

'Wat bedoelt u?'

'Ik bedoel dat je als bureau-assistent niet leert schrijven zoals jij dat kunt. Niemand die op de afdeling familieberichten werkt kan normaal gesproken een reportage schrijven zoals jij dat doet. Je moet het ergens hebben geleerd, en ik wil weten waar.'

Lexie vlocht haar vingers in elkaar. Ze ontmoette zijn blik. 'Voordat ik hier kwam, werkte ik bij een tijdschrift.'

'Welk tijdschrift?'

'*Elsewhere.*' Ze besefte dat het voor het eerst sinds lange tijd was dat ze het woord uitsprak. Het voelde na al die jaren vreemd in haar mond, als een buitenlandse term met een onbekende betekenis.

'Onder redactie van Innes Kent?' vroeg Carruthers.

Lexie en hij staarden elkaar aan. Ze boog haar hoofd eenmaal. Hij leunde achterover in zijn stoel en er gleed een flauw, vluchtig glimlachje over zijn gezicht.

'Zo,' zei hij, 'nu begrijp ik het allemaal. Als ik had geweten dat je door Innes Kent bent opgeleid, zou ik je al maanden geleden van de familieberichten af hebben gehaald. Een redacteur van zijn kaliber. Tragisch, wat hem is overkomen, dat spreekt voor zich, om van het tijdschrift nog maar te zwijgen. Ik kende hem vagelijk. Ik zou naar zijn begrafenis zijn gegaan als ik ervan had geweten, maar…' Hij praatte verder. Lexie vlocht haar vingers zo strak mogelijk in elkaar en begon de potloden in de pot op zijn bureau te tellen. Drie oranje. Vier rode. Zes blauwe, waarvan twee korter dan de andere.

Ze merkte dat Carruthers haar recht aankeek met een nieuwe uitdrukking op zijn gezicht. 'Sorry, wat zei u?' vroeg ze.

'Jij bent toch niet degene met wie…' zei hij met zachte stem, en hij liet het eind van de vraag tussen hen in hangen.

Ze keek omlaag. Als ze strak bleef kijken naar de stof van haar jurk, als ze de stromen en kronkelingen van het paisleymotief volgde tot waar ze in de ruimte verdwenen, dan zou dit moment voorbij gaan, zou ze ervan worden verlost.

'Neem me niet kwalijk,' hoorde ze Carruthers mompelen. Hij schraapte zijn keel, hij verplaatste een stapeltje papier van de ene kant van zijn bureau naar de andere. 'Het gaat erom,' hij had nu zijn lage, dreunende, licht nasale stem weer opgezet, 'dat we je willen ontheffen van je huidige taken en je de functie van journalist willen geven. Je krijgt tweemaal zoveel betaald als nu, je zult aan allerlei onderwerpen werken, en misschien zul je moeten reizen. Je bent de enige vrouw op de verslaggeversafdeling, maar ik kan me niet voorstellen dat dat een probleem voor je is. Ik heb de indruk dat je heel goed voor jezelf kunt opkomen.' Hij hief zijn arm in een groet. 'Ga maar een bureau zoeken bij de anderen. Succes.'

Lexie werd bevorderd tot journalist bij de *Courier*. Ze was inderdaad de enige vrouw in die functie, en dat zou nog verscheidene jaren zo blijven. Ze werd minder vaak uitgenodigd voor de lunch, alsof haar nieuwe status haar met een krachtveld omringde waar geen enkele collega durfde binnen te dringen. Ze huurde een tweekamerflat in Chalk Farm, waar ze zelden was. In die periode ontving ze af en toe anonieme briefjes via de postkamer van de *Courier* in een rond, puberachtig handschrift. *Weet je werkgever dat je schilderijen steelt?* stond er op het eerste. *Eerst pak je me mijn vader af, en daarna mijn erfenis,* zo luidde een volgende. Lexie scheurde ze tot snippers die ze onder in haar prullenbak begroef. Ze leefde, ze werkte en ze reisde. Ze kreeg iets met Felix zonder dat het haar veel deed, gaf hem de bons en kreeg opnieuw een verhouding met hem. Daphne vertrok naar Parijs waar ze met een kunstenaar ging samenwonen, en niemand hoorde nog iets van haar: Laurence en Lexie misten haar verschrikkelijk. De Angle Gallery liep zo goed dat Laurence en David een tweede galerie openden, de New Angle Gallery. *Elsewhere* maakte een rentree als *London Lights* met een nieuwe redacteur, nieuwe medewerkers en een nieuw kantoor, en het tijdschrift was in elke kiosk te koop. Lexie vloog naar New York, Barcelona, Berlijn en Florence. Ze interviewde kunstenaars, acteurs, schrijvers, politici en musici. Ze schreef columns over radiostations, abortuswetten, de antikernwapenbeweging, tieners en hun brommers, de rechten van gevangenen, het weduwepensioen, de hervorming van de echtscheidingswet, de noodzaak van meer vrouwen in het parlement. Ze was magerder, ze rookte meer, haar stem begon licht hees te klinken van te veel sigaretten roken. De mensen die ze interviewde vonden haar sympathiek, scherpzinnig, en dan opeens genadeloos. De meeste van haar mannelijke collega's vonden haar irritant en prikkelbaar. Dat wist ze, maar het kon haar niets schelen. Ze haastte zich door het leven en door het werk zonder een ogenblik rust te nemen; de meeste weekends kon je haar achter haar bureau op de krant aantreffen, en vaak ook 's avonds. Ze kleedde zich naar de laatste mode: korte rokken, hoge laarzen, vloekende kleuren, maar met een nonchalance die grensde aan onverschilligheid. Ze sprak met niemand over Innes. Als Laurence hem ter sprake bracht, gaf Lexie geen antwoord. Ze hing de schilderijen aan de muren van haar kleine flat. Ze at staand terwijl ze ernaar keek.

En net toen ze zeker wist dat haar leven altijd zo zou blijven, dat dit het was, definitief en onveranderlijk, gebeurde er iets, zoals altijd.

Lexie loopt door een gang in het gebouw van de BBC, slaat een hoek om en stapt zonder kloppen Felix' kantoor binnen. Felix zit met

zijn voeten op het bureau, de telefoon tussen wang en schouder geklemd en zegt: 'Absoluut, absoluut,' in de hoorn. Zijn wenkbrauwen schieten omhoog als hij haar ziet. Ze hebben elkaar al een paar
weken niet gezien. Het is een van die perioden dat het uit is tussen
hen.

Felix legt de hoorn neer en veert op, pakt haar bij de schouders
en kust haar op beide wangen.

'Schat,' zegt hij iets te geestdriftig, 'wat een verrassing.'

'Doe niet zo overdreven, Felix.' Lexie gaat in een stoel zitten en
zet haar tas naast zich op de grond. Tot haar verbazing merkt ze dat
ze behoorlijk zenuwachtig is. Ze kijkt naar Felix, die tegen de rand
zijn bureau leunt, en kijkt dan weg.

Felix neemt Lexie aandachtig op, met de armen over elkaar geslagen. Ze is onaangekondigd in zijn kantoor verschenen, kort-
aangebonden als altijd, maar ziet er schitterend uit in een sma-
ragdgroene jurk. Ze heeft haar haar laten knippen, van achteren
wat korter, dit keer. Hij geniet van dit scenario, dat ze zomaar
komt opdagen, dat ze er zo uitziet. Tot nu toe heeft hij altijd
achter haar aan moeten lopen. Hij wil haar mee uit lunchen nemen. In Claridge's misschien. Hij glimlacht. Lexie is terug. Hun
laatste ruzie – hij is vergeten waar die ook alweer over ging – lijkt
te vervagen. Wat een doodgewone dag leek te worden, belooft nu
een aangename wending te nemen. Hij wil net vragen: heb je zin
om een vorkje te gaan prikken, als Lexie zegt: 'Ik moet met je praten.'

Felix' gezicht betrekt. 'Lieverd, als het om die Amerikaanse
gaat, dan bezweer ik je dat dat voorbij is en...'

'Het gaat niet om die Amerikaanse.'

'O.' Felix fronst zijn voorhoofd en voelt de behoefte om op
zijn horloge te kijken, maar weet die te weerstaan. 'Nou, zullen
we het onder de lunch bespreken? Ik had Claridge's in gedachten
of...'

'Een lunch zou fijn zijn.'

Ze nemen een taxi. Ze staat toe dat hij zijn hand op haar dij legt, wat Felix als een goed voorteken beschouwt, een teken dat al die onaangenaamheden over die andere vrouw zijn vergeten, een teken dat ze nog voor de dag om is samen in bed zullen liggen. Ze zoeven naar Claridge's, gaan door de draaideuren naar binnen, de maître d'hôtel herkent Felix, zodat ze snel een goede tafel onder de koepel krijgen. Ze bestuderen het menu als Lexie zegt: 'Trouwens...'

Felix aarzelt tussen de gegrilde tong en de biefstuk. Waar heeft hij zin in? Vis of vlees, tong of biefstuk? 'Hm?' zegt hij, om te laten merken dat hij luistert.

'Ik ben zwanger.'

Hij slaat het menu dicht. Hij legt het neer. Hij legt zijn hand op die van Lexie. 'O,' zegt hij voorzichtig. 'Wat denk je dat je gaat...'

'Ik houd het,' zegt ze zonder van haar menu op te kijken.

'Natuurlijk.' Hij wil dat ze dat verdomde menu neerlegt. Hij wil het uit haar handen trekken en het op de grond smijten. Maar opeens is hij niet meer kwaad. Eigenlijk moet hij lachen. Hij moet zijn hand op zijn mond leggen om te voorkomen dat hij in het restaurant van Claridge's in lachen zal uitbarsten.

'Nou, schat,' zegt hij, en ze ziet dat hij zijn lachen inhoudt, de klootzak, 'je zit vol verrassingen. Ik moet zeggen dat ik je nooit als een moederlijk type heb gezien.'

Ze trekt haar hand onder de zijne vandaan. 'De tijd zal het leren, denk ik.'

Hij bestelt champagne en wordt behoorlijk dronken. Hij lijkt nogal met zichzelf ingenomen en brengt zijn viriliteit verschillende keren ter sprake, waar Lexie niet op ingaat. Hij brengt het onderwerp trouwen weer eens ter sprake. Lexie weigert het erover te hebben. Als de ober hun lunch serveert, zegt hij dat ze nu wel met hem móét trouwen. Ze kaatst terug dat dat nergens voor nodig is. Hij wordt kwaad en zegt waarom zeg je altijd nee, terwijl er vrouwen in de rij staan om met me te trouwen? Trouw dan met een van hen, zegt Lexie, kies wie je wilt. Maar ik kies jou, zegt Felix, en hij kijkt haar kwaad aan over zijn champagneglas.

Ze staan weer buiten op de stoep voor Claridge's, allebei in een rothumeur.

'Zie ik je vanavond nog?'

'Ik laat het je nog wel weten.'

'Zeg dat nou niet. Ik heb er de pest aan als je dat zegt.'

'Felix, je bent dronken.'

Hij neemt haar bij de arm en begint te zeggen dat ze moeten ophouden met dat geruzie en dat ze de noodzaak van een huwelijk onder ogen moeten zien, als Lexie over zijn schouder iemand ziet staan.

Ze herkent de persoon, maar ze kan haar even niet plaatsen. Ze staart naar het bleke, brede gezicht, de ronde ogen, de pezige handen die de beugel van de tas vasthouden, het dunne, piekerige haar dat door een gestippelde haarband naar achteren wordt gehouden, de manier waarop de mond iets openstaat. Wie is dat? En waar kent Lexie haar van?

Dan breekt de lucht open. Het is Margot Kent. Maar dan volwassen. Ze loopt over Brook Street op hoge hakken en in een minirok. De woorden *schilderijen* en *daar zul je spijt van krijgen* banen zich een weg door Lexies hoofd. Dat ongelijke, ronde handschrift in blauwe inkt.

Ze komt steeds dichterbij, haar hakken schrapen over de stoep. Ze kijken elkaar aan, Margot draait haar hoofd om. Dan blijft ze staan. Ze staat op het trottoir en kijkt Lexie aan met die standvastige blik die ze altijd heeft gehad.

Felix draait zich om. Hij ziet een jonge vrouw, en omdat hij Felix is, veronderstelt hij dat ze is blijven staan om hem aan te spreken. 'Hallo,' knikt hij, 'lekker weer.'

'Ja, hè,' zegt Margot. Ze kijkt hem lang en strak aan, en dan verspreidt zich een glimlach over haar gezicht. 'Ik ken u,' zegt ze, en ze doet een stap naar Felix toe. 'U bent op de televisie.'

Felix vergast haar op een oogverblindend, en tegelijkertijd geringschattend glimlachje. 'Maar niet op dit moment, geloof ik.'

Margot lacht, een akelig hinniklachje. Ze kijkt hen beurtelings aan, loopt dan achteruit van hen weg en zwaait even voordat ze zich weer omdraait. 'Tot ziens dan maar.'

'Tot ziens,' zegt Felix zonder haar aan te kijken, en slaat dan zijn armen om Lexie heen. 'Luister nou eens,' begint hij.

Lexie duwt hem van zich af, kijkt nog steeds naar Margot, die over haar schouder naar hen kijkt terwijl haar dunne haar in haar gezicht waait. 'Ken je haar?' sist ze.

'Wie?'

'Dat meisje.'

'Welk meisje?'

'Dat je net groette.'

'Wat? Nee.'

'Weet je het zeker?'

'Wat?'

'Dat je haar niet kent?'

'Wie?'

'Felix!' Lexie stompt hem tegen de borst. 'Hou je je nou expres van de domme? Dat meisje. Ken je haar?'

'Nee, dat heb ik toch net gezegd? Ik heb haar nog nooit gezien.'

'Maar waarom zei je dan…'

Felix neemt haar gezicht in zijn beide handen. 'Waarom hebben we het hierover?'

'Je moet me beloven…' zegt Lexie, en houdt dan haar mond. Ze weet niet wat ze hem wil laten beloven, maar ze voelt zich ergens onbehaaglijk over. Ze denkt aan Margot en haar minirok, haar flauwe glimlach en haar fijne, plotseling blonde haren. De manier waarop ze naar Felix keek, het valse genoegen op haar gezicht. *Eerst pak je me mijn vader af.* 'Je moet me beloven… ik weet het niet. Beloof me dat je haar niet groet als je haar weer ziet. Beloof me dat je bij haar uit de buurt blijft.'

'Lexie, wat is er in hemelsnaam…'

'Beloof het me!'

Hij glimlacht naar haar. 'Als jij belooft dat je met me trouwt.'

'Felix, ik meen het. Ze is… ze is… Beloof het me alsjeblieft.'

'Goed, goed,' geeft hij korzelig toe, 'ik beloof het. Nou, wat spreken we vanavond af?'

Lexie zit in kleermakerszit op bed, met haar aantekeningen om zich heen op de sprei. Ze is acht maanden zwanger en dit is de enige comfortabele plek waar ze kan werken; de krant is nu te ver weg. Ze moet dit artikel over de Italiaanse cinema afmaken voordat ze kan gaan slapen.

Ze trekt het potlood achter haar oor vandaan en wil een stuk papier links van haar pakken. Het potlood glipt haar uit de vingers, rolt over de sprei en valt op de grond. Lexie vloekt. Even overweegt ze het daar te laten liggen, maar ze heeft het nodig en ze heeft geen ander bij de hand. Ze tilt de typemachine van haar dijen, laveert moeizaam tussen haar aantekeningen door en gaat dan op haar knieën zitten om onder het bed te kijken. Geen potlood. Ze kruipt naar het nachtkastje en tuurt eronder, en op dat moment ervaart ze een merkwaardig, naar beneden trekkend gevoel onder in haar buik. Lexie komt overeind en denkt niet meer aan het potlood. Het stekende gevoel verdwijnt even plotseling als het is opgekomen. Ze gaat weer op bed zitten, leest door wat ze heeft geschreven, en tegen het eind van het artikel komt het gevoel weer terug. Lexie kijkt bedenkelijk naar haar buik. Dat kan toch niet, het kan gewoonweg niet. Het is veel te vroeg. Ze moet morgen iemand interviewen – een activist die ze al maanden te pakken probeert te krijgen – en voor het eind van de week moet ze een hoofdredactioneel commentaar schrijven. Het gevoel komt weer terug, sterker dit keer. Lexie vloekt en smijt haar papieren neer. Dit kan toch niet waar zijn. Stampvoetend loopt ze de keuken in om een kop thee te zetten en voelt haar buik alweer samentrekken terwijl ze de ketel vult: een krampje, net als wanneer je te hard over een steile boogbrug rijdt of wanneer je in zee door een golf heen zwemt.

'Hoor eens,' zegt ze hardop, 'dit gaat niet door. Je moet nog even wachten. Het is nog geen tijd om eruit te komen. Hoor je me?'

Terwijl ze haar thee drinkt, kijkt ze naar de schilderijen: de Bacon, de Pollock, de Hepworth, de Freuds. Ze borstelt haar haar en blijft naar de schilderijen kijken. Ze poetst haar tanden en als ze haar mond spoelt, gaat het golven over in klemmen, als een vuist die zich balt, als het koord van een tas dat te strak wordt aangetrokken.

Ze pakt de telefoon en belt een taxi. 'Naar het Royal Free Hosp…' Het woord wordt afgebroken omdat ze auw zegt.

Ze meldt zich op de kraamafdeling op het moment dat de schemering invalt.

'Hoor eens,' zegt ze tegen de verpleegster achter de balie, 'dit is veel te vroeg. Ik heb deze week een berg werk te verzetten. Kunt u niet iets doen om het tegen te houden?'

'Wat tegen te houden?' vraagt de verpleegster niet-begrijpend.

'Dit,' zegt Lexie, op haar buik wijzend. Snapt die vrouw dan niets? 'Het is te vroeg. Het kan nu niet komen.'

De verpleegster kijkt haar van boven haar bril aan. 'Mevrouw Sinclair…'

'Juffrouw.'

Een paar andere vroedvrouwen komen om haar heen staan en kijken haar gechoqueerd aan. 'Waar is uw echtgenoot?' vraagt een van hen, om zich heen kijkend. 'U bent toch niet alleen?'

'Ja, dat ben ik wel,' zegt Lexie, leunend op de balie. In de verte voelt ze weer zo'n pijngolf aankomen.

'Waar is uw man?'

'Die heb ik niet.'

'Maar mevrouw Sinclair, het…'

'Juffrouw,' verbetert ze hen nogmaals. 'En nog iets…' Weer

worden haar woorden afgeknepen door een pijngolf. Ze klemt zich vast aan de rand van de balie. 'Godsamme...' hoort ze zichzelf uitroepen.

'Nou, nou,' zegt de verpleegster op afkeurende toon. Dan hoort Lexie haar tegen iemand anders zeggen: 'Kun jij de vader even bellen? Hier staat zijn telefoonnummer, en...'

'Als jullie het lef hebben,' schreeuwt Lexie. 'Ik wil hem hier niet zien.'

Uren later klemt ze zich vast aan de poot van een ziekenhuisbed als een matroos die zich in de storm vasthoudt aan de mast, en zegt ze nog steeds dat het veel te vroeg is, dat ze werk te doen heeft, en ze vloekt nog steeds. Ze vloekt zoals ze nog nooit heeft gedaan.

'Sta op, mevrouw Sinclair, nu meteen,' zegt de vroedvrouw.

'Dat doe ik niet,' sist Lexie tussen opeengeklemde tanden, 'en het is juffrouw, geen mevrouw. Hoe vaak moet ik dat nou nog zeggen?'

'Mevrouw Sinclair, kom van de vloer en ga op het bed liggen.'

'Nee,' zegt ze, en dan ontsnapt haar een brul, een schreeuw, gevolgd door een reeks vloeken, scheldwoorden en obscene krachttermen.

'Wat een taal,' berispt de vroedvrouw haar. Dat blijven ze maar tegen haar zeggen. En dat ze op het bed moet gaan liggen. Ze ligt nog steeds ineengedoken op de vloer als ze bevalt. Ze moeten de baby in een handdoek opvangen. De dokter zegt dat hij nog nooit zoiets heeft meegemaakt. Als een wilde, zegt hij, of als een beest.

Wat een taal. Dat waren de eerste woorden die Lexies zoon hoorde.

Later, tijdens het bezoekuur, begon de afdeling vol te lopen met echtgenoten in regenjassen en met hoeden op, die bloemen meebrachten. Lexie keek naar hen, keek naar hun nerveuze vingers die doosjes chocolade met linten erom vasthielden, naar hun strakke boorden en hun te gladgeschoren kinnen. Het kraken van hun schoenen, de regendruppels op hun hoed, de roodheid van hun handen terwijl ze zich over het wiegje van hun pasgeboren bogen. Lexie glimlachte. Ze keek omlaag naar haar zoon, die in een gele deken was gewikkeld, die naar haar opkeek met een blik die zei: eindelijk, daar ben je dan.

'Dag,' fluisterde Lexie en ze legde haar vinger in zijn grijpende handje.

Er dook een verpleegster naast haar op. 'U kunt de baby beter niet vasthouden tot het tijd is voor de voeding. Anders graaft u uw eigen graf. U kunt hem beter in zijn wiegje leggen.'

'Maar dat wil ik niet,' zei Lexie zonder haar blik van de baby af te houden.

De verpleegster zuchtte. 'Zal ik de gordijnen voor u dicht-doen?'

Lexie keek met een ruk op. 'Nee.' Ze verlegde de baby zo dat die dichter tegen haar aan lag. 'Nee,' zei ze opnieuw.

Tegen het eind van het bezoekuur klonk het geluid van regel-matige, zelfverzekerde voetstappen op de kraamafdeling. Lexie herkende die voetstappen. Ze keek op en zag hoe Felix een ere-rondje langs alle bedden maakte, waar de vrouwen naar hem op-keken, hun ogen wijd opengesperd, hun monden waar een glim-lach om verscheen. Hij was tegenwoordig iedere avond op de televisie. Hij knikte en glimlachte naar hen terug. Zijn jas hing open, alsof hij hier in grote haast naartoe was gekomen, en in de ene hand had hij een enorm boeket orchideeën en in de andere een fruitmand. Lexie rolde met haar ogen.

'Schat,' zei hij met bulderende stem terwijl hij op haar afliep, 'ik heb het telefoontje net pas gekregen. Anders was ik wel eerder ge-komen.'

'Echt waar?' zei Lexie met een blik op de klok. 'Of ben je net klaar met het programma van vanavond?'

Hij legde de bloemen op het bed, boven op Lexies voeten. Hij zei: 'Een jongen. Wat fantastisch. Hoe is het met je?'

'Met ons gaat het goed,' zei Lexie.

Ze zag dat hij glimlachte en zich over haar heen boog. 'Gefeliciteerd, lieverd, heel goed gedaan,' zei hij en kuste haar op de wang. Toen liet hij zich in een stoel zakken. 'Hoewel ik wel een tikkeltje kwaad ben,' zei hij, 'dat je me niet meteen hebt gebeld. Arme schat, dat je hier helemaal alleen naartoe moest. Heel stout van je.' Hij schonk haar een warme, intieme glimlach. 'Ik heb mijn moeder een telegram gestuurd. Ze zal in de wolken zijn. Waarschijnlijk is ze op dit moment al bezig de doopgewaden van de familie tevoorschijn te halen.'

'Jezus,' mompelde Lexie, 'zeg haar maar dat ze geen moeite doet. Felix, vergeet je niet iets?'

'Wat?'

'Ben je vergeten waarvoor je bent gekomen?'

'Om jou te zien, natuurlijk.'

'En de baby misschien? Je zoon? Die je nog geen blik waardig hebt gekeurd?'

Felix sprong overeind en tuurde naar de baby. Op zijn gezicht was heel even een mengeling van afschuw en angst te lezen voordat hij zich weer in zijn stoel liet zakken. 'Prachtig,' verkondigde hij. 'Volmaakt. Hoe gaan we hem noemen?'

'Theo'.

'O.'

'Theodoor, voluit.'

'Is dat niet een beetje…' Hij zweeg en glimlachte weer naar haar. 'Waarom Theodoor?'

'Dat vind ik een mooie naam. En die past bij hem. Misschien omdat het woord "adoreren" erin zit.'

Hij legde zijn hand op die van haar. 'Schatje,' begon hij op zachte toon, 'ik heb op weg naar binnen met de verpleegsters gesproken, en zij vinden – en ik ben het natuurlijk met hen eens – dat je onmogelijk alleen naar je appartement kunt gaan. Ik denk echt dat het…'

'Felix, begin daar nou niet weer over.'

'Wil je niet bij mij in Gilliland Street komen wonen?'

'Nee.'

'Ik heb het niet over trouwen. Ik beloof het je. Denk je eens in: wij tweeën onder één dak…'

'Wij drieën.'

'Hè?'

'De baby, Felix.'

'Ach, dat bedoel ik natuurlijk ook. Ik versprak me. Wij drieën onder één dak. Dat is het beste. Dat vinden de verpleegsters ook, en…'

'Hou alsjeblieft op!' riep Lexie op luide toon, waardoor enkele in een pyjamasje gestoken moeders hun kant op keken. 'En hoe durf je achter mijn rug om met de verpleegsters te praten. Wie denk je wel dat je bent? Ik peins er niet over om met jou samen te wonen. Uitgesloten.'

Maar Felix bleef onaangedaan. 'We zien wel,' zei hij, en hij legde zijn hand op de hare.

Lexie laat zich snel uit het ziekenhuis ontslaan – ze heeft de pest aan het intieme kameraadschappelijke sfeertje op de afdeling, aan het openbare karakter ervan – en ze gaat met de baby naar huis. Ze nemen een taxi. Het lijkt een eenvoudige rekensom: ze ging in haar eentje naar het ziekenhuis en nu komen ze met z'n tweeën thuis. Theo slaapt in de onderste la van een ladekast. Lexie gaat met hem uit wandelen in een grote, piepende, zilverkleurige kinderwagen die ze van een van de buren heeft gekregen. 's Nachts doet ze vaak geen oog dicht. Dat komt niet als een verrassing maar evengoed is het een bezoeking. Ze staat dan met haar baby voor het raam, kijkt naar beneden de straat in en luistert of ze het gezoem van de elektrische melkkar al hoort die steeds stopt en weer verder rijdt; ze vraagt zich af of ze de enige in de stad is die wakker is. Het warme gewicht van Theo's hoofdje ligt in de kromming van haar linkerarm, altijd links, met zijn oor tegen haar hart. Zijn lijfje is slap van de slaap. In de kamer schemert het flauwe, metaalachtige schijnsel van de dageraad. Rond het bed liggen de resten van de lange nacht die ze samen hebben doorstaan: een paar vieze pampers, twee in elkaar gefrommelde hydrofielluiers, een leeg waterglas, een potje zinkzalf. Lexie schuurt met haar blote voet over het kleed en stopt dan om naar haar zoon te kijken. In zijn slaap betrekt zijn gezichtje even maar ontspant zich dan weer. Zijn handje komt omhoog en maait door de lucht, op zoek naar iets – stof, houvast of geruststelling – en als het een plooi van haar kamerjas vindt, grijpt het die gedecideerd vast.

De schok van het moederschap ligt voor Lexie niet in de slapeloosheid, de totale uitputting, het ineenschrompelen van het leven, hoe je bestaan zich beperkt tot de straten rond je huis, maar in de stortvloed aan huishoudelijke taken: het wassen, ophangen en opvouwen. Die brengen haar bijna aan het huilen van frustratie om de eentonigheid ervan, en meer dan eens smijt ze een armvol was tegen de muur. Ze kijkt op straat naar andere moeders en die zien er allemaal zo evenwichtig uit, alsof ze het allemaal voor elkaar hebben, met hun handtas aan de beugel van de kinderwagen en hun netjes geborduurde lakentjes waarmee ze hun baby strak, volgens de regels van de kunst hebben ingestopt. Maar de was dan? wil ze tegen hen zeggen, hebben jullie ook zo'n hekel aan dat ophangen en opvouwen?

Theo ontgroeit de lade. Hij groeit uit de babyjasjes die mensen voor hem hebben gebreid. Ook dit is geen verrassing, maar het gebeurt veel sneller dan ze had verwacht. Ze belt met de *Courier*. Ze schrijft een artikel over de expositie van Anthony Caro in de Hayward Gallery, zodat ze een ledikantje kan kopen. Theo groeit tot zijn voetjes het uiteinde van de kinderwagen raken. Ze belt weer met de *Courier* en gaat erheen voor een gesprek, en ze neemt Theo mee. Carruthers lijkt aanvankelijk ontsteld, maar later geïntrigeerd. Lexie trekt zich er niet veel van aan en laat Theo onder het praten paardje rijden op haar knie. Ze krijgt opdracht een actrice te interviewen. Ze neemt Theo mee naar het huis van de actrice. Die is gecharmeerd, en Theo kruipt onder haar bank en zit haar kat achterna. Dan komt hij tevoorschijn met een schoen van de actrice waarvan hij een bandje heeft doorgebeten. Opeens is de actrice niet meer zo gecharmeerd. Lexie krijgt betaald en koopt een buggy. Hij is rood met witte strepen. Theo zit voorovergebogen met zijn handen op zijn knieën en leunt mee in de bochten. Ze vindt een van haar buren, mevrouw Gallo, bereid om een paar dagen in de week voor Theo te zorgen. Ze komt uit Ligurië en heeft acht kinderen grootgebracht. Ze zet Theo op haar knie, noemt hem *angelino,* knijpt hem in de wangen en zegt: 'Moge God hem beschermen.' En dan gaat Lexie weer terug naar de krant, naar de verslaggeversafdeling, om de kost te verdienen, om haar oude leven weer op te pakken. Haar collega's weten waarom ze weg is geweest, maar slechts enkelen brengen de baby ter sprake, alsof dat in de lawaaiige, geconcentreerde atmosfeer van de krant taboe is. Als ze op deze ochtenden het huis uit gaat, heeft ze het gevoel dat zij en haar zoon verbonden zijn door een draad die langzaam afrolt als ze door de straten van hem vandaan loopt. Aan het eind van de dag voelt ze zich volledig afgedraaid, bijna gek van verlangen om weer bij hem te zijn en prest ze de ondergrondse sneller door de tunnels te ratelen, over de rails te vliegen om haar zo snel mogelijk bij haar kind te brengen. Als ze weer bij hem is, duurt het even voordat ze zich weer heeft aangepast, voordat ze de draad weer tot de juiste lengte heeft opgerold – ze voelt zich het prettigst bij ten hoogste een meter, vindt Lexie. Als Theo 's avonds slaapt, gaat ze achter haar bureau zitten om af te maken waar ze die dag niet aan toe is gekomen. Soms denkt ze dat het geluid van de toetsen van de typemachine voor Theo een soort slaapliedje moet zijn dat als rook door zijn dromen kringelt.

Als Theo zich aan stoelpoten begint op te trekken, als hij gaat lopen, als hij dingen van tafel begint te trekken, als hij zichzelf bijna om zeep helpt doordat hij de typemachine bovenop zich krijgt, begint het Lexie te dagen.

'Ik moet verhuizen,' zei ze tegen Laurence.

Laurence keek hoe Theo met veel lawaai de inhoud van een keukenkastje op de vloer gooide.

'Ongelooflijk,' zei Laurence, 'dat zo iets simpels zo leuk kan zijn. Dat doet je ernaar verlangen zelf weer een baby te zijn.' Hij draaide zich om en keek haar aan. 'Waarom moet je verhuizen? Gooit de huisbaas je eruit?'

'Nee.' Lexie liet haar ogen door de ruimte dwalen. Toegegeven, het was een grote kamer, maar haar bed stond erin, Theo's ledikantje, de bank, een box en het bureau waar ze 's avonds aan werkte. Laurence volgde haar blik.

'Ik snap het,' zei hij. 'Maar waar zou je naartoe moeten?'

Theo liet een metalen vergiet op de grond vallen, wat een galmend kabaal veroorzaakte. 'Ha,' zei hij, 'ha.' Hij bukte zich om het ding nog een keer op te tillen. Laurence boog zich voorover om nog een plak cake af te snijden. Lexie keek toe hoe haar zoon het vergiet nog een keer tegen de grond gooide. Ze beleefde een bijzonder genoegen aan zijn groene badstof kruippakje, aan zijn haar dat in een V over zijn voorhoofd viel en aan zijn vingers die het handvat van het vergiet vasthielden.

'Ik dacht... ik zat te denken...' begon ze, '... dat ik misschien iets moet kopen.'

Laurence draaide zijn hoofd met een ruk naar haar toe. 'Heb je de loterij gewonnen?'

'Was dat maar waar.'

'Of betaalt hoe-heet-hij-ook-alweer?'

'Absoluut niet. Ik zou nooit zo'n bedrag van hoe-heet-hij-ookalweer aannemen.'

Laurence keek bedenkelijk. 'Nou, je bent wel gek als je dat niet zou doen. Hoe denk je dan...' Hij zweeg. Hij zette zijn schoteltje met cake neer. 'Aha,' zei hij op een geheel andere toon, en onder andere omstandigheden zou Lexie misschien hebben geglimlacht. Dat was een van de dingen die ze het meest in Laurence waardeerde: dat hij zo snel van begrip was.

Lexie en hij keken elkaar even aan en draaiden zich toen om naar de wand tegenover hen. Naar de Pollock, de Bacon, de Freud, de Klein en de Giacometti. Lexie verborg haar handen in haar gezicht en liet zich achterover op de bank vallen.

'Ik denk niet dat ik het kan,' zei ze vanachter haar handen.

'Lex, volgens mij heb je geen keus. Of je vraagt hoe-heet-hij-ook-alweer om een deel van zijn fortuin.'

'Dat is geen optie.'

'Of je verkoopt Theo aan een mensenhandelaar.'

'Ook geen optie.'

'Of je verkoopt een van die schilderijen.'

'Maar dat wil ik niet,' jammerde ze. 'Dat kan ik niet.'

Laurence stond op, liep naar de schilderijen en bekeek ze een voor een. 'Misschien is het een troost,' zei hij toen hij voor het portret van Lucian Freud bleef staan, 'maar ik denk dat hij je dat nou precies zou hebben aangeraden. Dat weet je. Hij zou geen moment hebben geaarzeld. Weet je nog dat hij die Hepworth litho heeft verkocht zodat je bij ons kon komen werken?'

Lexie zei niets, maar haalde haar handen voor haar gezicht weg.

Laurence liep verder, langs de Minton, de Colquhoun en de Bacon, en bleef voor de Pollock staan. Hij tikte met zijn vingernagels op de lijst. 'Hiermee kun je voor Theo en jezelf wel ergens een paleisje kopen. Doodgaan is commercieel gezien een goede zet voor een kunstenaar.'

'Niet die,' mompelde Lexie, terwijl ze cakekruimels tussen de plooien van haar jurk vandaan viste.

Laurence draaide zich om en keek haar vragend aan.

'Zijn favoriet,' zei ze.

In het keukentje liet Theo plotseling een klaaglijk gejammer horen. Lexie ging naar hem toe en tilde hem op uit de stapel pannen, bakblikken en koekjesvormen. Hij vleide zich meteen uitgeput tegen haar schouder, stak zijn duim in zijn mond en woelde met zijn vrije hand door haar haar.

'Die schets van Giacometti kan wel wat opleveren. Hij is gesigneerd,' zei Laurence. 'Ze zijn de laatste jaren flink omhooggegaan. David en ik kunnen hem voor je verkopen, als je wilt.'

'Dank je,' prevelde Lexie.

'We zullen het anoniem doen. Niemand komt het te weten.'

'Goed,' zei ze, en ze keerde zich van de muur af. 'Zou je hem meteen willen meenemen?'

Ze kocht het derde appartement dat ze zag: een dubbel benedenhuis in Dartmouth Park. Twee kamers boven, twee kamers beneden, en een gang die helemaal van de voordeur naar de achterdeur liep. Een tuintje aan de achterkant met een grillig gevormde appelboom die in het najaar zoete gele appels gaf. Lexie hing een schommel aan de takken, en de eerste weken dat ze er woonden zat Theo vaak op de schommel met zijn vuistjes op de houten plank en keek verbaasd toe hoe ze met haar blote voeten in de boom klom en in haar bij elkaar geknoopte rok appels verzamelde. Ze haalde de vergane kleden en het oude vochtige linoleum van de vloer, schrobde de planken en lakte ze. Ze witte de achterkant van het huis. Ze lapte de ramen met kranten en azijn tot de zon er weer doorheen scheen, terwijl Theo in de tuin heen en weer liep met een gietertje. Ze vond het een verbijsterende gedachte dat ze een stukje terrein bezat, een verzameling bakstenen, cement en glas. Het leek een onvoorstelbare ruil: wat geld in ruil voor zo'n leven. 's Avonds als Theo sliep, liep ze vaak van de ene kamer naar de andere en langs de omtrek van de tuin en kon ze haar geluk amper bevatten.

Maar de verkochte schets van Giacometti zat haar wel dwars. Ze verhing de schilderijen keer op keer in een poging een opstelling te vinden die de afwezigheid ervan verdoezelde. Je had geen keus, zei ze steeds tegen zichzelf. En: hij zou het niet erg hebben gevonden; onder deze omstandigheden zou hij het zelf hebben voorgesteld. Maar toch werd ze in de kleine uurtjes verteerd door schuldgevoel en spijt als ze de schilderijen van de muur haalde om een nieuwe combinatie uit te proberen.

Zoals gewoonlijk werkte ze om zichzelf wat afleiding te bezorgen. *Wat voor vrouwen worden we nadat we moeder zijn geworden*, typte ze, en hield toen op om het papier recht te trekken. Ze wierp een blik op de schilderijen, bijna zonder ze echt te zien, hield haar hoofd schuin om te luisteren of ze Theo hoorde. Niets. Stilte, de beladen stilte van de slaap. Ze keek weer naar de typemachine, naar de zin die ze had geschreven. *We veranderen van vorm*, typte ze verder,

we kopen schoenen met lage hakken, we knippen ons lange haar af. We hebben opeens half opgegeten biscuitjes, een kleine tractor, een knuffeldoekje en een plastic poppetje in onze tas zitten. We leveren slaap in, onze spiertonus, ons verstand en ons toekomst-perspectief. Ons hart begint buiten ons lichaam te leven. Het ademt, het eet, het kruipt, en kijk: het loopt en het begint tegen ons te praten. We komen erachter dat we onderweg soms om de paar centimeter moeten stilhouden om elke stok, elke steen en elk platgetrapt blikje te onderzoeken. We raken eraan gewend dat we onze bestemming niet bereiken. We leren sokken te stoppen, te koken misschien, en de knieën van spijkerbroeken te verstellen. We leren leven met een liefde die ons overspoelt, verstikt, ver-blindt en beheerst. We leven. We kijken peinzend naar ons li-chaam, onze opgerekte huid, de grijze haren rond ons voorhoofd en naar onze voeten die op onverklaarbare wijze groter zijn ge-worden. We leren minder vaak in de spiegel te kijken. We hangen de kleren die alleen gestoomd mogen worden achter in de kast, en uiteindelijk gooien we ze weg. We trainen onszelf geen 'shit' en 'verdomme' meer te zeggen en leren 'goeie genade' en 'lieve hemel' te zeggen. We stoppen met roken, we verven ons haar en we kijken rond in parken, zwembaden, bibliotheken en cafés op zoek naar soortgenoten. We herkennen elkaar aan onze buggies, aan onze slaperige blik en aan de bekers in onze hand. We leren hoe we koorts moeten temperen, een hoest moeten verzachten, wat de vier symptomen van meningitis zijn en dat we soms wel twee uur lang een schommel moeten duwen. We kopen koekvormpjes, uitwasbare verf en plastic kommetjes. We kunnen niet meer tegen bussen die te laat zijn, vechten op straat, roken in restaurants, seks na middernacht, inconsistentie, luiheid en kou. We staren naar jongere vrouwen op straat met hun sigaretten, strakke jurken, kleine handtasjes en hun gladde, gewassen haar en we kijken een andere kant op, laten ons hoofd hangen en duwen de kinderwagen dan weer verder de heuvel op.

Felix kwam tussen zijn klussen in Maleisië, Vietnam, Noord-Ierland en Suez langs. Soms bleef hij een middag, soms een dag en soms weken achter elkaar. Lexie had erop gestaan dat hij zijn eigen appartement aanhield. Hij bleek een liefhebbende, zij het enigszins afstandelijke vader te zijn. Hij liet Theo meestal een paar minuten paardjerijden op zijn knie, zette hem dan op de grond en pakte een krant of ging in de tuin op een kleed liggen terwijl Theo bij hem rondscharrelde. Toen Lexie op een keer de tuin in kwam, trof ze Felix daar slapend aan, bedolven onder het zand, en Theo die ijverig met een schepje heen en weer liep tussen de zandbak en zijn languit liggende vader om hem beetje bij beetje te begraven.

Het valt moeilijk te zeggen wat Theo van Felix vond, van die man die steeds na lange afwezigheid in hun huis opdook met dure, zij het misplaatste cadeaus (meccano voor een kind van een jaar, een cricketbat voor een kind dat nog niet kan lopen). Theo noem-

de hem geen 'papa' of 'pap' ('nogal stomme namen, vind je niet,'
zei Felix), maar Felix. Felix noemde hem 'ouwe jongen', waar Lexie
zich altijd vreselijk aan ergerde.

Ted staat in zijn achtertuin naar het bloembed te kijken. Misschien is 'bloembed' niet het juiste woord. Winde- en zuringbed. Een onontwarbare kluwen onkruid. Een complete puinhoop.

Hij zucht, buigt zich voorover en wil een uitzonderlijk vraatzuchtige plant met een geveerd blad uittrekken, maar die weigert uit de grond te komen en breekt af in zijn hand. Hij zucht nogmaals en gooit hem opzij.

Elina is ergens achter hem, in huis. Hij hoort haar voortdurend in het Fins tegen Jonah praten. Soms schakelt ze over naar het Zweeds, heeft ze hem verteld, gewoon voor de afwisseling. Ted kan de talen niet van elkaar onderscheiden. De Finse taal gaat zijn verstand volkomen te boven. Hij kent drie woorden Fins: 'dank je' en 'condoom'. Hij heeft Elina vroeger eigenlijk nooit veel Fins horen praten – af en toe wanneer ze met haar familie belt en soms als ze met een Finse vriendin heeft afgesproken. Maar nu lijkt ze het de hele tijd te spreken.

Ted pakt een tuinschaar en knielt neer op het gras. De schaar gaat met een helder *ssjk*-geluid open en dicht als de bladen over elkaar heen schuiven. Verrassend genoeg zijn de bladen aan de binnenkant niet verroest. Hij plaatst de bek van de schaar vlak bij de grond en knipt. Het onkruid tuimelt en valt om. Hij doet het nog eens en nog eens. Overal om hem heen liggen slierten onkruid.

Gisteren betrapte hij Elina erop dat ze uit een van de ramen aan de achterkant van het huis stond te staren. De baby lag met zijn hoofd tegen haar schouder met zijn gezicht naar de deur, zodat ze door de plotselinge beweging van Jonahs hoofd op zijn aanwezigheid werd geattendeerd.

'Waar kijk je naar?' had hij gevraagd, en hij was op haar afgelopen om zijn armen om haar heen te slaan en gekke gezichten te trekken tegen Jonah, die hem verbijsterd aankeek.

'Naar mijn atelier,' had ze gezegd, zonder haar blik af te wenden. 'Ik stond net te denken dat…'

'Wat?'

'Het ziet eruit als het kasteel van Doornroosje.'

Ted had zijn hersens gepijnigd om zich het sprookje te herinneren. Was dat het verhaal over het glazen muiltje? Nee. Over die vrouw met haar lange vlecht?

'In welk opzicht?' vroeg hij, om tijd te winnen.

'Kijk dan!' zei ze opeens kwaad. 'Je kunt het haast niet meer zien door al het onkruid. Over een paar weken is het helemaal verdwenen. Als ik dan eindelijk weer kan werken, kan ik er niet eens naar binnen.'

Dus daar zit hij nu op handen en knieën om te voorkomen dat het atelier door de tuin wordt overwoekerd. Hij wil haar verrassen. Hij wil haar blij maken. Hij wil dat de baby langer dan drie uur aan één stuk door slaapt. Als hij dan zijn oude leven niet terug kan krijgen, wil hij in elk geval een sóórt leven, niet dit gestrompel van de ene dag naar de volgende. Hij wil dat Elina niet de hele tijd van die grote donkere kringen onder haar ogen heeft, dat ze er niet zo gespannen uitziet als de laatste tijd, met haar stukgebeten lippen. Hij wil dat het huis niet meer naar poep ruikt. Hij wil dat de wasmachine eens een keer niet draait. Hij wil dat ze zich niet meer zo aan hem ergert als hij vergeet de was uit de machine te halen, op te hangen en op te vouwen, nieuwe pampers te kopen, te koken en de tafel af te ruimen.

Ted knipt en snijdt op het onkruid in en als hij het stuk voor de deur van het atelier vrij heeft gemaakt, begint hij de afgeknipte planten in een plastic zak te proppen.

Het is een eenvoudige handeling: het met de ene hand bij elkaar vegen en dan in de zak doen die met de andere hand wordt open-gehouden. In het geluid, in de beweging schuilt iets hypnotise-rends. Ted kijkt naar zijn handen, die deze simpele taak ogen-schijnlijk uitvoeren zonder dat hij eraan te pas komt. Hier is hij, denkt hij, een man, een vader, die op een zaterdagmiddag een tuin staat te wieden. Er is het geluid van een helikopter ergens in de lucht boven hem, het geluid van zijn adem als die naar binnen wordt gezogen, het geluid als die weer naar buiten wordt geblazen, het gevoel dat zijn longen een blaasbalg zijn die zijn systeem aan-drijft, de ritmische bewegingen van zijn handen, het geluid aan de andere kant van de muur van een paar kinderen die op de fiets naar de Heath rijden, het verwijtende geritsel van het onkruid als het de zak in gaat, en misschien is er iets vertrouwds aan deze han-deling, aan deze beweging, of misschien vallen er bepaalde ele-menten samen, waardoor er een nieuw verband wordt gelegd, want plotseling is het alsof hij door een luik is gevallen of in een konijnenhol terecht is gekomen. Ted ziet zichzelf als kleine jongen, hij ís die kleine jongen, en hij zit op zijn hurken aan de rand van een grasveld – niet dit grasveld, een ander – en in zijn hand heeft hij een groen plastic harkje.

Ted knippert met zijn ogen. Hij staat op en draait zijn hoofd van links naar rechts.

Hier is hij, terug in zijn eigen leven. Het onkruid, de tuinschaar, de tuin, Elina en Jonah ergens achter hem. Maar tegelijkertijd is hij ook een kleine jongen, die gehurkt zit aan de rand van een grasveld met een groen plastic harkje in zijn hand en achter hem zijn men-sen. Zijn vader in een ligstoel en iemand anders, net buiten beeld: de zoom van een lange rode jurk en een blote voet met paars gelak-te nagels, schoenen uitgeschopt in het gras. Zijn vader steekt een

sigaret op en hij praat, met de sigaret stevig tussen zijn lippen geklemd. *Dat heb ik absoluut niet gezegd.* Dan is er een plotselinge beweging en de andere persoon is opgestaan uit de ligstoel. Ted ziet
het rood van haar jurk om haar enkels wervelen. De rode zoom, de
paarse teennagels, het groene gras. *Daar komt niets van in,* zegt ze.

En dan loopt ze weg.

De jurk duikt achter haar aan als ze van hen wegloopt naar het
huis – en wat is dit voor huis, wat is dit voor plek met een patio met
potplanten langs de kant en een smalle achterdeur? Ted ziet haar
rug als ze met grote passen over het grasveld loopt, hij ziet lang,
glad haar dat met een sjaal is samengebonden. Daar komt niets
van in. Hij ziet de wapperende linten van een rode jurk en de witte
voetzolen die om beurten even te zien zijn. Ted kijkt omlaag naar
het harkje dat hij vasthoudt. Hij kijkt naar zijn vader. Hij kijkt naar
de schoenen in het gras. Hij kijkt hoe de vrouw met de lange rode
jurk en het gladde haar de donkere rechthoek van de achterdeur in
gaat.

Elina loopt vanuit de keuken de tuin in, Jonah op de ene arm,
een deken over de andere. Ze probeert de deken op het grasveld uit
te spreiden, maar dat is moeilijk met één hand, zodat ze vraagt:
'Ted, kun je even helpen?'

Hij staat met zijn rug naar haar toe. Hij draait zich niet om.

'Ted?' roept ze nog een keer, luider nu.

Ted wrijft maar steeds over zijn voorhoofd. Elina laat de deken
op het gras glijden. Ze legt Jonah erop en loopt op Ted af. Ze raakt
zijn schouder aan. 'Gaat het wel goed met je?'

Ze voelt dat hij schrikt van haar aanraking. 'Het gaat goed met
me,' snauwt hij. 'Natuurlijk. Waarom zou het niet goed met me
gaan?'

'Ik vroeg het alleen maar,' snauwt ze terug. 'Je hoeft niet zo kortaf te doen. Ik dacht dat je misschien weer zo'n aanval had.'

Hij houdt op met wrijven over zijn voorhoofd, stopt zijn hand
in zijn zak en haalt hem er weer uit. 'Nou, dat is dus niet het geval.'

'Goed. Volgende keer zal ik niet de fout maken om ernaar te vragen.'

Ted mompelt iets onverstaanbaars en draait zich weer om naar het bloembed. Elina kijkt naar de grond die bezaaid is met onkruid.

'Wat ben je trouwens aan het doen?'

Hij mompelt weer iets.

'Wat?' vraagt ze.

Hij kijkt om en zegt: 'Wieden.'

'Wieden?'

'Ja. Wat dacht jij dan?'

'Ik weet het niet,' zegt ze. 'Moet je onkruid niet met wortel en al uittrekken in plaats van het af te knippen? Als je de wortels erin laat zitten groeit het toch gewoon verder?'

Ted pakt de tuinschaar en opent de bek. Het zonlicht weerkaatst op het staal, waardoor er flitsen door de hele tuin vliegen. En met iets wat aan opluchting grenst geven ze zich over aan de ruzie, alsof ze allebei onbewust op deze ontlading hebben gewacht. Hij zegt dat je onkruid eerst moet afknippen voordat je het kunt weghalen en dat planten niet kunnen groeien zonder bladeren.

Hij wordt kwaad. Hij gooit de schaar met de punt naar beneden in het gras, waar hij rechtop blijft staan, als Excalibur. Zij gebruikt dat om haar boosheid verder aan te wakkeren, en wijzend op de schaar in de buurt van haar voet zegt ze dat hij een idioot is. Hij schreeuwt dat hij ook nooit iets goed kan doen.

Jonah ligt op een deken op het gras. Hij heeft zijn duim diep in zijn mond gestopt en zuigt er waakzaam, geconcentreerd en doelbewust op. Zijn ogen zijn rond en groot en knipperen niet. Hij luistert naar de stem van zijn moeder, luid van kwaadheid en verdriet, en de vier maanden oude neuronen in zijn hersentjes proberen te ontcijferen wat dit zou kunnen betekenen, voor haar, en voor hem. Zijn wenkbrauwen duiken heel even omlaag in een piepkleine frons, een volmaakt evenbeeld van een volwassen frons.

Hij houdt even op met sabbelen, er glijdt een blik van onzekerheid over zijn gezichtje en nu probeert hij zich om te draaien,
steekt zijn beentjes in de lucht, om zijn moeder te zien, om haar op
zijn bezorgdheid attent te maken. Maar hij is nog niet zover, hij is
nog niet oud genoeg. Hij slaakt een kreetje van frustratie – zachtjes, bijna onhoorbaar – en probeert zich om te draaien. Het lukt
niet. Hij slaat om zich heen en spartelt als een vis aan de haak. Dan
dringt de gruwelijkheid van zijn situatie plotseling tot hem door.
Zijn duim valt uit zijn mond, zijn gezichtje schrompelt ineen en
hij zet het op een schreeuwen.

In een oogwenk is Elina bij hem, tilt hem van de deken en haast
zich naar binnen.

Ted blijft in de tuin. Hij pakt een stok en geeft een klap op het
onkruid. Hij trekt de tuinschaar uit het gras en laat hem dan weer
vallen. Hij blijft daar even staan en zoekt met één hand steun tegen
Elina's atelier.

Een halfuur later hebben ze alle drie andere kleren aan en zitten
ze in de auto. Elina en Ted hebben niets tegen elkaar gezegd behalve 'Heb je de autosleutels?' 'Ja.' Ze gaan naar Teds ouders om daar
te lunchen.

'En het enige wat ik heb gedaan is dat ik dat ding de hele dag aan
heb laten staan!' besluit Teds nicht Clara haar verhaal, waarop iedereen in lachen uitbarst, behalve Teds moeder, die mompelt dat
het gevaarlijk is om elektrische apparaten aan te laten staan, en Elina, die het verhaal niet helemaal heeft gevolgd. Iets over een
vriendje en een stijltang; Elina heeft het begin gemist. Maar ze
glimlacht en laat een lachje horen voor het geval dat iemand het
opmerkt.

Ze zitten aan tafel. Ze hebben gegrilde vis gegeten die in een
merkwaardige, enigszins korrelige saus dreef, en als toetje een
kruimeltaart, 'met kruisbessen uit de tuin', zoals Teds moeder zei.
Teds andere nicht, Harriët, heeft koffie gezet en iedereen heeft het

over Clara's recente reis naar LA, over een film waarvan Ted de montage heeft gedaan en die nu net in de bioscoop draait en over de acteur die verderop in de straat woont. Teds oma mompelt in zichzelf dat ze toch had gevraagd om room in haar koffie, geen melk, en dat niemand tegenwoordig meer koffie drinkt zoals het hoort. En Elina kijkt, maar probeert tegelijkertijd ook niet te kijken, naar Harriët, die Jonah vasthoudt. Jonah vasthoudt in de kromming van haar gebruinde elleboog. Hem vasthoudt alsof ze vergeten is dat ze hem vasthoudt. Hem zo vasthoudt dat hij onderuit op haar schoot is gezakt, met zijn hoofdje gevaarlijk dicht bij de tafelrand. Harriët gesticuleert, praat; haar zilveren armbanden rammelen en rinkelen, en telkens als ze krachtig gebaart, schokt Jonahs hoofdje op en neer. Hij kijkt verbijsterd. Hij ziet er verloren en verward uit. Elina probeert al een tijdje signalen te geven aan Ted, die naast Harriët zit: red je zoon, red je zoon. Maar hij is blijkbaar in gedachten verzonken en staart al vijf minuten door het raam naar de achtertuin en hoort geen woord van wat Harriët zegt. Nog heel even, zegt Elina in zichzelf, en dan sta je op en neem je Jonah terloops, heel terloops op. Je zou op een heel luchtige toon kunnen zeggen, alsof het er eigenlijk niet toe doet, alsof hij niet jouw kind is van wie je onnoemelijk houdt, alsof…

'Ze lijkt op die andere, hè?' mompelt Teds oma dwars door alle stemmen heen. Ze wijst naar Jonah.

Clara buigt zich naar haar toe. 'Het is een jongen,' zegt ze luid. 'Jonah, weet u nog?'

Oma schudt haar hoofd alsof ze een irritante vlieg wil verjagen. 'Een jongen?' snauwt ze. 'Nou, hij lijkt op die andere. Vind je ook niet?' Ze richt zich tot haar dochter.

Maar Teds moeder is in de keuken aan de andere kant van de kamer bezig borden van een dienblad te pakken. Ze praat tegen Teds vader die sigarettenrook de achterdeur uit blaast en zegt iets over portglazen.

'Wat?' vraagt Ted. 'Wie bedoelt u? Welke andere?'

Zijn oma lijkt daar heel lang over na te denken met een gefronste blik op haar gezicht. Ze maakt met haar hand een ronddraaiende beweging in de lucht en legt die dan weer op de armleuning van haar rolstoel.

Ted draait zich om in zijn stoel. 'Mam!' zegt hij. 'Wat bedoelt ze?'

'... en maak die nou 's uit, verdorie,' zegt Teds moeder als ze met een lege schaal uit de keuken komt, 'nu de baby er is.'

'Wie bedoelt ze?' vraagt Ted weer.

Zijn moeder ruimt wijnglazen en verkreukelde servetten af. 'Wie bedoelt wat?' zegt ze tegen Ted.

'Oma zegt dat Jonah "op die andere lijkt".'

Teds moeder grist een servet van tafel en gooit daarbij een glas om. De vloeistof verspreidt zich donker en gelijkmatig over het tafelkleed, zoekt zich een weg tussen de borden en het bestek, en vormt een kleine waterval die van de rand van de tafel op Elina's schoot terechtkomt. Elina springt op, wijn drupt op haar schoenen, en ze probeert het op te deppen met haar eigen servet. Clara rijdt oma's rolstoel achteruit, weg van de tafel met de gemorste wijn. Plotseling staat iedereen klaar met doekjes, advies en goede raad, en Ted zegt nog een keer: 'Wat bedoelt ze?' en zijn moeder zegt: 'Ik heb geen flauw idee, schat.' Teds vader loopt achter Elina langs, ze ruikt de scherpe geur van sigarettenrook die van hem af komt, en als ze zich omdraait, zegt hij: 'Een hoop opwinding in het kippenhok, hè?' en knipoogt naar haar.

Elina vlucht naar het toilet en als ze terugkomt zijn de tafel en de hele kamer leeg. Heel even heeft ze een ongemakkelijk, misselijkmakend gevoel in haar buik, als een kind dat erachter komt dat het van een spel is buitengesloten. Dan ziet ze hen allemaal in ligstoelen en op plaids in de tuin zitten. Als ze naar buiten komt, hoort ze Teds moeder zeggen: 'Geef mij nou die baby eens even snel, voordat...' Ze slikt de rest van de zin in als Elina over de patio aan komt lopen. Elina gaat naast Teds vader op een kleed zitten zonder iemand aan te kijken.

Harriët staat op en geeft Jonah aan Teds moeder. Ze maakt een onverstaanbaar geluidje als ze de baby aanneemt, en Elina vangt een glimp op van lange, scherpe nagels naast Jonahs wang voordat ze haar blik afwendt. Ze weet dat Teds moeder net zo lang aan Jonah gaat frunniken tot hij naar haar zin is. Zijn haar, dat altijd recht overeind staat als distelpluis, zal worden gladgestreken. Ze zal zijn jasje tot het bovenste knoopje dichtmaken, ze zal zijn sokjes omhoogtrekken of commentaar leveren op het feit dat hij er geen aanheeft, ze zal zijn mouwen over zijn vuistjes trekken.

Elina kijkt hier niet naar, ze kijkt om zich heen. Harriët ligt achterover op een plaid met haar hoofd in Clara's schoot. Ze kijken samen naar de armband die Clara draagt. Oma is onder een boom neergezet, waar ze in slaap is gevallen met haar in slippers gestoken voeten steunend op een krukje. Ted zit ineengedoken in een ligstoel, het ene been over het andere geslagen en de armen over elkaar gevouwen. Kijkt hij naar zijn moeder met Jonah? Het valt moeilijk te zeggen. Het kan ook zijn dat hij in het niets staart.

Elina vindt het huis van Teds ouders vreemd. Het is hoog, de ene verdieping op de andere gestapeld, de trap kronkelt zich in het midden als een spiraal omhoog. Aan de voorkant kijkt het uit op een plein met identieke huizen: ijzeren balkons, op regelmatige afstand van elkaar geplaatste schuiframen, zwart traliewerk voor de kelderramen. Aan de achterkant is echter een tuin die te klein lijkt, niet in verhouding staat tot de hoogte van het huis. Elina kijkt in de tuin niet graag naar boven. Het lijkt alsof het huis elk moment kan omvallen.

'Hoe gaat het met je, jongedame?'

Ze draait zich om en kijkt Teds vader aan. Hij steekt een sigaret tussen zijn lippen en klopt op zijn zakken op zoek naar een aansteker.

'Het gaat goed, dank u wel.'

'Wat vind je nou van dat hele...' hij houdt de aansteker bij zijn sigaret tot die brandt, 'babygedoe?'

'Nou.' Ze overweegt wat ze zal zeggen. Moet ze de slapeloze nachten noemen, het aantal keren dat ze elke dag haar handen moet wassen, het eindeloze ophangen en opvouwen van de kleine kleertjes, het inpakken en uitpakken van tassen met kleren, pampers, babydoekjes, het kronkelige, grijnzende litteken op haar buik, de volslagen eenzaamheid van dit alles, de uren die ze geknield op de vloer zit met een rammelaar, een belletje of een stoffen blokje in haar handen, dat ze soms de neiging heeft oudere vrouwen op straat aan te houden en te vragen: hoe hebt u het gedaan, hoe bent u erdoorheen gekomen? Of moet ze zeggen dat ze niet was voorbereid op deze woeste bron in haar, dit gevoel dat niet gedekt wordt door het woord 'liefde', dat daarvoor een veel te klein woord is, dat ze soms denkt dat ze flauw zal vallen onder de kracht van haar gevoelens voor hem, dat ze hem soms wanhopig mist ook al is hij bij haar, dat het een soort gekte is, een bezetenheid, dat ze vaak de kamer in sluipt waar hij ligt te slapen, gewoon om naar hem te kijken, om te zien of alles goed is, om tegen hem te fluisteren. Maar in plaats daarvan zegt ze: 'Goed, dank u.'

Teds vader tikt zijn as af op de grond, en neemt Elina dan van top tot teen op, van haar in sandalen gestoken voeten omhoog naar haar benen, over haar torso naar haar gezicht. 'Het staat je goed,' zegt hij uiteindelijk met een glimlach.

Ze herinnert zich niet voor het eerst dat Ted zijn vader ooit heeft beschreven als een 'geile ouwe bok', en heel even stelt ze zich hem voor met een grijze baard, vastgebonden aan een paal, trekkend aan zijn ketting. Ze voelt dat haar lachspieren zich roeren. 'Wat staat me goed?' vraagt ze, en doordat ze haar lachen probeert in te houden, komen de woorden er luider uit dan de bedoeling was.

Hij neemt nog een trek van zijn sigaret en kijkt haar met tot spleetjes geknepen ogen aan. Ze ziet dat hij vroeger een knappe man moet zijn geweest. De blauwe ogen, de gekrulde bovenlip, het eens blonde haar. Merkwaardig dat mooie mensen de verwachting dat ze onvoorwaardelijk bewonderd zullen worden, nooit helemaal kunnen loslaten.

'Het moederschap,' zegt hij.

Ze trekt haar rok verder naar beneden, over haar knieën. 'Vindt u dat?'

'En hoe gaat het met mijn zoon?'

Elina kijkt naar Ted en ziet dat hij zijn ogen afwisselend dichtknijpt en openspert. 'Wat bedoelt u?' vraagt ze afwezig.

'Hoe brengt hij het er als vader vanaf?'

'Eh…' Ze kijkt hoe Ted voorover gaat zitten in zijn ligstoel en zijn hand eerst voor het ene oog houdt en dan voor het andere. 'Nou, wel goed, vind ik.'

Teds vader drukt zijn sigaret uit op een schoteltje. 'In mijn tijd was het makkelijker,' zegt hij.

'Is dat zo? Hoe dan?'

Hij haalt zijn schouders op. 'Er werd niks van ons verwacht: we hoefden geen luiers te verschonen, niet te koken, niks. Wij hadden het makkelijk. Je hoefde alleen af en toe je neus te laten zien rond badtijd, op zaterdagochtend een uitstapje naar het park te maken, op verjaardagen naar de dierentuin, dat soort dingen. En dat was het. Zij hebben het nu moeilijk.' Hij knikt in de richting van Ted.

Ze slikt. 'Maar hoe zit het dan met…'

Vanaf de andere kant van de tuin hoort ze Teds moeder zeggen: 'O jee.' Elina staat al overeind voordat ze zich ervan bewust is dat ze in beweging komt. Teds moeder houdt Jonah ver van zich af en trekt een vies gezicht. 'Ik denk dat er even iemand naar hem moet kijken.'

'Natuurlijk.' Elina neemt hem over en draagt hem tegen haar schouder het huis in. Jonah woelt met zijn vingers in haar haar en zegt: 'Ur-blur-mg' in haar oor, alsof hij haar een geheim toevertrouwt.

'Jij ook ur-blur-mg,' fluistert ze tegen hem als ze de tas uit de hal pakt en hem meeneemt naar het toilet. Het is een klein toilet; Teds moeder noemt het 'de garderobe', waardoor Elina aanvankelijk dacht dat het er vol jassen zou hangen. Ze haalt de babydoekjes tevoorschijn, de schone luier en de papieren zakdoekjes, en stalt ze naast het fonteintje uit. Dan gaat ze zelf op het deksel van de wc-bril zitten en legt Jonah op haar dijen.

'Iiiiuuurrkk!' kraait hij vrolijk, zo hard hij kan, en hij grijpt naar zijn tenen, naar haar haar en naar haar mouw als ze zich over hem heen buigt, en het geluid weerkaatst tegen de muren van het kleine toilet.

'Au,' mompelt ze als ze haar haar uit zijn vingers bevrijdt en de drukknoopjes van zijn pakje losmaakt. 'Dat was een hard geluid. Er zijn mensen die zouden zeggen dat het een heel hard...' Dan zwijgt ze. Dan zegt ze: 'O.'

De poep is helemaal langs Jonahs benen en rug gelopen. Hij is door zijn hemdje, zijn rompertje en zijn pakje heen gedrongen en, daar denkt ze nu pas aan, hij trekt ook in haar rok terwijl ze daar met hem zit. Zo'n grote overstroming heeft hij al in geen tijden meer gehad, en nu heeft hij die uitgerekend hier, op dit moment.

'Verdomme,' mompelt ze. 'Verdomme, verdomme.' Ze maakt de rest van de drukknopen van het speelpakje los en trekt voorzichtig zijn armen uit de mouwen, waarbij ze oplet dat ze hem niet besmeurt. Maar Jonah vindt opeens dat het uitkleden een stap te ver gaat. Er glijdt even een onzekere uitdrukking over zijn gezicht en dan begint hij te pruilen.

'Nee, nee, nee,' zegt Elina, 'het is goed, het is goed. Het is bijna klaar.' Ze rukt het speelpakje haastig uit om de laatste handelingen snel achter de rug te hebben. Als ze zijn hemdje over zijn hoofd uittrekt, blijft het waarschijnlijk achter zijn oor haken, want opeens zet hij het op een brullen. Zijn lijfje spant zich van woede en hij haalt hortend adem, gereed voor de volgende gil.

Elina verfrommelt de poepkleren tot een bal en laat ze op de grond vallen. Ze draait Jonah snel om, hij schreeuwt en spartelt tegen, en ze veegt de poep zo snel als ze kan van zijn rug. Het lijkt bloedheet in het toilet. Zweet parelt op haar bovenlip, breekt uit onder haar oksels en vormt een spoor over haar rug. Jonah is nu helemaal bloot en razend, glibberig van de babydoekjes, en ze is bang dat ze hem zal laten vallen. Ze wil net de schone luier pakken – gewoon de luier aandoen, dan komt alles weer goed – als ze voelt dat hij zich schrap zet. Ze heeft de luier in haar handen, het is bijna gebeurd, ze is er bijna, als ze omlaag kijkt en ziet dat Jonah een nieuwe lading spuitpoep loslaat.

Het is een ongelooflijke hoeveelheid. En het komt met een opmerkelijke kracht naar buiten. Daar zal ze later over nadenken. Het spettert tegen de muur, op de vloer, tegen haar rok en haar schoenen. Ze hoort haar eigen stem zeggen: 'O god,' en hij klinkt heel ver weg. Even is ze verlamd, kan ze zich niet verroeren, weet ze niet wat ze nu moet doen. Ze klemt de luier onder haar kin, en terwijl ze naar de babydoekjes graait, poept hij nog een keer. Ze kan alleen maar denken: het hele toilet van Teds moeder zit onder de stront. Zelf zit ze ook onder. En Jonah ook. De tranen springen haar in de ogen. Ze weet het niet, ze weet niet wat ze het eerst moet schoonmaken. De baby? De muur? De plint? De onwaarschijnlijk witte handdoek? Haar rok? Haar schoenen? Ze voelt de poep tussen haar tenen, zompig en plakkerig. Ze voelt dat hij door haar rok heen dringt tot in haar ondergoed. De stank is onbeschrijflijk. En Jonah krijst en krijst.

Elina buigt zich voorover en doet de deur van het slot.

'Ted!' roept ze. 'Ted!'

Clara komt met een opgetrokken wenkbrauw de hal in zeilen. Elina ziet haar zijden jurk met de plooitjes en de goudkleurige schoenen met de bandjes die kruislings over haar kuiten lopen.

'Hallo,' zegt Elina door een kier in de deur met een stem waarvan ze hoopt dat die normaal klinkt. 'Wil je Ted even vragen of hij hierheen komt?'

Een paar minuten later glipt Ted het toilet binnen. Elina denkt dat ze nog nooit zo blij is geweest hem te zien.

'Jezus Christus,' zegt hij rondkijkend. 'Wat is er gebeurd?'

'Wat denk je?' zegt ze vermoeid. 'Kun jij Jonah nemen?'

Ze ziet dat hij aarzelend omlaag kijkt naar zijn kleren.

'Of je neemt Jonah of je ruimt hier de stront op,' zegt ze boven het lawaai uit. 'Je kunt kiezen.'

Ted neemt zijn krijsende, spartelende zoon en houdt hem zo ver mogelijk van zich af. Elina maakt hem opnieuw schoon en doet hem een schone luier om. 'Goed, de schone kleren liggen daar. Kleed jij hem maar aan, dan ruim ik dit op.'

Ted wurmt zich langs haar heen naar het fonteintje en Elina gaat op haar knieën zitten om de poep van de muur, de plint en de vloer te vegen. Wanneer ze klaar is, loopt ze langs Ted, die Jonahs hemdje binnenstebuiten aantrekt.

Ze staat met gesloten ogen in de hal met haar rug tegen de muur. Jonahs gekrijs gaat over in hese, hortende snikken. Na een poosje hoort ze Ted naar buiten komen. Ze doet haar ogen open en daar is haar zoon, met een betraand gezicht en met zijn duim stevig in zijn mond gestopt.

'Je hebt schone kleren nodig,' zegt Ted.

Elina zucht en slaat haar handen voor haar gezicht. 'Kunnen we nu niet naar huis?' zegt ze.

Ted aarzelt. 'Mijn moeder heeft net een pot thee gezet. Vind je het vervelend als we nog even blijven? Dan gaan we daarna.'

Ze laat haar handen langs haar zij vallen; hij mijdt haar blik. Ze voelt de mogelijkheid, de verleiding om de ruzie op de spits te drijven en denkt aan de opluchting die dat zou brengen, maar dan herinnert ze zich iets.

'Gaat het trouwens wel goed met je?'

Hij kijkt haar aan. 'Wat bedoel je?'

'Je deed het net weer.'

'Wat?'

Ze doet het knipperen van zijn ogen na. 'Dát.'

'Wanneer?'

'In de tuin. Zo-even. En het lijkt wel… ik weet het niet… of je niet in je gewone doen bent.'

'Nee hoor.'

'Wel waar. Wat is er aan de hand? Heb je weer zo'n aanval gehad? Heb je...'

'Het is goed. Ik mankeer niks.' Ted legt Jonah tegen zijn schouder. 'Ik vraag mijn moeder wel even of ze wat kleren voor je heeft,' zegt hij, waarna hij wegloopt.

Elina loopt achter Teds moeder de trap op, steeds maar verder omhoog, draaiend rond de spil, langs de ene gesloten deur na de andere. Ze is nog nooit in dit deel van het huis geweest. Ze denkt dat ze zelfs nooit verder is gekomen dan de grote zitkamer op de eerste verdieping. Teds moeder gaat haar voor naar een slaapkamer die twee verdiepingen hoger ligt, met beige vloerbedekking en gedrapeerde gordijnen die opzij worden gehouden door koorden met kwastjes eraan.

'Nou,' zegt Teds moeder als ze de kast opendoet. 'Ik weet niet wat je zou passen. Je bent zoveel groter dan ik.' Ze duwt een hanger opzij en dan nog een. 'Langer, bedoel ik.'

Elina staat bij het raam en kijkt naar beneden, naar de straat, het plein, naar de tuinen, waar de bomen zachtjes zwaaien in de wind. Ze ziet dat de bladeren aan de randen oranjebruin kleuren. Zit de herfst er echt aan te komen?

'Wat vind je hiervan?'

Elina draait zich om en ziet dat Teds moeder een jurk van lichtbruine jersey ophoudt. 'Geweldig,' zegt Elina, 'bedankt.'

'Waarom kleed je je hier niet even om?' vraagt Teds moeder terwijl ze een deur opendoet, en Elina schiet naar binnen.

Ze ziet dat ze in een kleedkamer is. De wanden hebben een behang van gele chrysanten met kronkelende stelen. Bij het raam staat een kaptafel waarop een verbazingwekkend aantal flesjes, potjes en tubes is uitgestald. Elina loopt erop af en maakt ondertussen haar rok los. Ze laat hem op de grond vallen, houdt haar hoofd schuin en leest: anti-verouderingsformule, staat op een ervan, voor hals en decolleté, staat er op een ander. Ze glimlacht schamper – wie had gedacht dat Teds moeder zich dat soort luxe permitteerde? – en dan vangt ze in de spiegel een glimp van zichzelf op, zonder rok, in een blouse met poepvlekken, haar dat alle kanten op staat, scheve glimlach. Ze wendt haar blik af, trekt haar bloes uit en trekt de onaangename jurk aan. Net op het moment dat ze met de rits staat te worstelen, ziet ze iets anders.

Het is de rechte hoek van een schilderij dat uitsteekt vanachter de kaptafel waar het is weggestopt. Hier, in de kleedkamer van Teds moeder. Ze moet lachen om de ongerijmdheid ervan.

Aanvankelijk merkt ze alleen dat op: dat het daar staat, op die merkwaardige plek tussen de kaptafel en de muur. Ze ziet de dikte van de verf, de kleuren: grijs, zachtblauw en zwart. Nu laat ze de rits los. Ze knielt naast het schilderij. Ze wil het aanraken om de textuur van de verf te voelen, maar houdt zich op het laatste moment in.

Elina brengt haar ogen steeds dichter naar het schilderij. Ze kan misschien een strook van tien centimeter van het doek zien. Ze kijkt naar de werveling van kleuren, die dik op het linnen zijn aangebracht, diep in de verf ziet ze haren van het penseel. Ze twijfelt er niet aan wiens werk dit is, maar haar ongeloof doet haar onder de kaptafel kruipen om zoveel mogelijk van het schilderij te zien. Ze brengt haar gezicht ter hoogte van de plint en zoekt de rand van het doek af tot ze in de rechter benedenhoek, onmiskenbaar, de signatuur van de kunstenaar ziet, in zwarte verf, enigszins vlekkerig.

Ze schrikt zo van de klop op de deur dat ze haar hoofd tegen de onderkant van de kaptafel stoot.

'*Auts*,' jammert ze, '*kirota.*'

'Gaat het goed?' klinkt de stem van Teds moeder aan de andere kant van de deur.

'Ja.' Elina schuifelt achteruit en wrijft over haar hoofd. 'Het is goed, hoor. Sorry.' Ze doet de deur open en veegt het haar uit haar gezicht. 'Ik eh… ik…'

Teds moeder komt de kamer binnen. Ze nemen elkaar een ogenblik behoedzaam en onzeker op, als twee katten die elkaar niet kennen. Het komt niet vaak voor dat ze met elkaar alleen zijn. Teds moeder kijkt de kamer rond als iemand die denkt dat er misschien is ingebroken.

'Ik heb iets laten vallen,' mompelt Elina, '… en, eh…'

'Heb je hulp nodig met de rits?'

'Ja,' zegt Elina opgelucht. 'Graag.' Ze draait zich om. Als Teds moeder haar handen op haar onderrug legt, ziet Elina de hoek van het schilderij weer, de wervelende, druipende verf. 'U hebt een Jackson Pollock achter de kaptafel staan!' flapt ze eruit.

Teds moeder houdt haar handen halverwege Elina's rug stil. 'O ja?' Haar stem klinkt koel en bedaard.

'Ja. Weet u wel hoeveel dat… Ik bedoel, daar gaat het niet om. Maar… het is ongelooflijk veel waard. En het is uiterst zeldzaam. Ik bedoel, hoe komt… hoe bent u… waar komt het…'

'Het is al jaren in de familie.' De hand gaat verder naar boven naar Elina's nek. Dan loopt Teds moeder naar de kaptafel. Ze kijkt omlaag naar de hoek van het schilderij. Ze raakt de flessen en potten aan alsof ze die telt, en legt een handspiegel recht. 'Er zijn er nog meer…'

'Ook Pollocks?'

'Nee, dat denk ik niet. Andere schilderijen uit dezelfde periode, denk ik. Ik ben bang dat ik er niet veel verstand van heb.'

'Waar zijn die?'

Ze maakt een vaag wegwuivend gebaar. 'Ergens. Ik zal ze je ooit weleens laten zien.'

Elina slikt. Ze weet zich geen raad met deze vreemde situatie. Ze staat hier in de kleedkamer van Teds moeder, dichtgeritst in een jurk van Teds moeder, in dezelfde kamer als een Jackson Pollock die als een prul van de rommelmarkt achter een meubel is weggestopt en ze praten over een kunstverzameling van misschien wel onschatbare waarde alsof het een stel zelfgehaakte onderleggertjes betreft. 'Ja,' kan ze maar net uitbrengen. 'Dat zou leuk zijn.'

Teds moeder glimlacht minzaam, waarmee ze aangeeft dat het onderwerp nu is afgesloten. 'Hoe gaat het met je werk? Lukt het je op het moment om iets te doen?'

'Eh.' Elina moet nadenken. Haar eigen werk? Ze kan zich niet eens herinneren wat dat is. 'Nee. Op het moment niet.' Ze krabt op haar hoofd. Ze kan haar ogen niet van de zichtbare strook van het doek afhouden.

'Zullen we weer naar beneden gaan?'

'Ja. Natuurlijk.' Elina draait zich om naar de deur, en draait zich dan weer om naar het schilderij. 'Eh, moet u horen, mevrouw R...'

'Ach,' onderbreekt Teds moeder haar terwijl ze de kamer uit stevent en de deur voor Elina openhoudt. 'Noem me toch in hemelsnaam Margot.'

Lexie zit achter haar bureau in het kantoor van de *Courier* met haar pen tegen de telefoon te tikken. Dan grijpt ze naar de hoorn en draait een nummer. 'Felix?' zegt ze. 'Met mij.'

'Schat,' zegt hij door de telefoon. 'Ik dacht net aan je. Zie ik je vanavond nog?'

'Nee. Ik heb een deadline.'

'Dan kom ik wel naar jou. Later op de avond.'

'Nee. Heb je niet gehoord wat ik zei? Ik heb een deadline. Ik moet aan het werk zodra Theo slaapt.'

'O.'

'Maar je mag altijd komen om eten voor Theo te maken. Dan kan ik eerder aan de slag.'

Er valt een korte stilte. 'Nou ja,' begint Felix, 'dat zou wel kunnen, denk ik. Het probleem is…'

'Laat maar,' zegt Lexie ongeduldig. 'Luister, ik moet je om een gunst vragen.'

'Wat je maar wilt.'

'De krant heeft me gevraagd naar Ierland te gaan om Eugene Fitzgerald te interviewen.'

'Wie?'

'Een beeldhouwer. De grootste. Hij geeft haast nooit interviews…'

'Ik snap het.'

'Dus,' Lexie doet net of ze niet hoort dat hij haar in de rede valt; ze moet dit snel zeggen, anders krijgt ze het nooit over haar lippen, ze moet door de zure appel heen bijten, 'dus ik moet daarheen, en ik vroeg me af of jij niet voor Theo kon komen zorgen als ik weg ben.'

Nog een stilte, dit keer verbijsterd. 'Theo?' vraagt Felix.

'Onze zoon,' verduidelijkt ze.

'Ja, maar... kijk... Hoe zit het dan met die Italiaanse?'

'Mevrouw Gallo? Die kan niet. Ik heb het haar al gevraagd. Ze krijgt familie op bezoek.'

'Ik begrijp het. Nou, ik doe het graag. Het is alleen...'

'Goed,' bitst Lexie. 'Laat maar. Ik twijfelde al ernstig of ik het je zou vragen, maar als je niet eens wilt overwegen om drie dagen voor hem te zorgen, laat dan maar zitten.'

Felix zucht. 'Heb ik dat gezegd? Heb ik nee gezegd?'

'Dat was niet nodig.'

'Drie dagen, zeg je?'

'Ik zei laat maar zitten. Ik ben van gedachten veranderd. Ik zoek wel iemand anders.'

'Schatje, natuurlijk vang ik hem voor je op. Ik doe het graag.'

Dit keer valt Lexie stil, en ze probeert erachter te komen of er een addertje onder het gras zit, of hij liegt.

'Mijn moeder wil vast wel een paar dagen overkomen uit Suffolk,' gaat hij verder. 'Dat vindt ze heerlijk. Je weet hoe dol ze op die jongen is.'

Lexie snuift en denkt erover na. Felix' moeder heeft iedereen verrast door haar aanvankelijke afschuw over het feit dat Felix en Lexie niet getrouwd waren opzij te zetten, en heeft zich ontpopt tot een toegewijde oma die de bijeenkomsten van de vereniging van plattelandsvrouwen en het maken van jam onmiddellijk in de steek laat om naar Londen te komen om Theo te zien, en een dagje voor hem zorgt als Lexie moet werken. Eerlijk gezegd had Lexie hierop gehoopt. Ze zou Theo nooit aan de zorg van Felix toevertrouwen. Alleen God weet wat er dan allemaal zou kunnen gebeuren. Maar Felix' moeder Geraldine straalt met haar bemodderde regenlaarzen en zijden hoofddoekjes iets geruststellends en buitengewoon betrouwbaars uit. En Theo aanbidt haar. Maar Lexie is nog steeds kwaad omdat Felix in het begin zo onwillig deed.

'Ik zie wel,' zegt ze.

'Goed dan,' antwoordt Felix, en aan zijn stem hoort ze dat hij zich vrolijk maakt. 'Ik zal het er met mijn moeder over hebben, goed? Eens kijken of de oude dame dat wil doen.'

'Wat je wilt,' zegt Lexie, en ze hangt op.

Uiteindelijk is Geraldine Roffe bezet. Het spijt haar, maar ze kan zich niet onttrekken aan een of andere activiteit voor de kerk waartoe ze zich heeft verplicht. Het heeft iets te maken met altaarkleden die gewassen moeten worden; de details ervan zijn Lexie niet duidelijk. Ze heeft dus geen andere keus dan Theo mee te nemen. Het is begin februari. Engeland is gehuld in een mistige natte hagelbui, langs de stoepranden liggen hopen vuile sneeuw. Ze pakt de trein naar Hollyhead en neemt daar de nachtboot naar Cork. Ze houdt zich vast aan de reling als de boot de staalgrijze golven van de Ierse Zee trotseert en trekt Theo's gebreide muts ver over zijn oren en wikkelt hem in een deken. De boot meert in de vroege, druilerige ochtend af in Cork. Lexie trekt Theo een schone luier aan op de vloer van een toilet in de haven. Theo schreeuwt en trappelt van verontwaardiging, en er komen verscheidene vrouwen toekijken. Lexie neemt een trein naar de grillige kustlijn die aan hondenpoten doet denken. Theo drukt zijn gezicht tegen het raampje en laat een stroom van verraste woorden horen: paard, hek, tractor, boom. Ze arriveren rond lunchtijd op het schiereiland Dingle, en Theo's woordenschat schiet tekort. 'Zee,' zegt Lexie tegen hem; 'strand', 'zand'.

Als de trein vaart mindert en ze een bord langs ziet flitsen met

SKIBBERLOUGH erop, springt ze overeind, zet Theo in zijn baby-drager, hijst die op haar schouders en trekt haar koffer uit het bagagerek. SKIBBERLOUGH – SKIBBERLOUGH – SKIBBERLOUGH, ziet ze door het raam, SKIB… Ze zwaait de deur open en moet dan een stap terug doen: onder haar is geen perron, alleen een flinke diepte met een modderig pad naast het spoor. Lexie tuurt naar buiten, naar links en naar rechts. Het station, als je het zo kunt noemen, is verlaten. Er is een houten wachthokje, een groen bord, een enkel spoor, en verder niets.

Ze smijt de koffer op de grond en klimt er zelf achteraan. De trein zet zich ratelend en steunend in beweging. Theo kwettert honderduit over de aanblik en het geluid ervan. Lexie tilt haar koffer uit de modder en als ze naar het houten wachthokje toe loopt, komt er een man achter vandaan.

'Neemt u me niet kwalijk,' zegt Lexie, 'maar kunt u me misschien helpen?'

'Juffrouw Sinclair, neem ik aan, van de *Daily Courier*?' zegt de man met een afgemeten Engels accent. Dat kan Fitzgerald dus niet zijn. Hij kijkt strak en ziet er een beetje onverzorgd uit met zijn gekreukte kraag en een openstaand colbert. Hij neemt haar op en zijn gelaatsuitdrukking kan zijn duidelijke geschoktheid niet verhullen – haar modderige schoenen, het kind op haar rug, haar warrige haardos – maar hij houdt zijn commentaar voor zich. Dat is maar goed ook, denkt Lexie. 'Deze kant op.' Hij steekt zijn hand uit naar haar koffer en zijn vingers sluiten zich om het handvat. Maar Lexie laat niet los.

'Ik red het wel,' zegt ze. 'Bedankt.'

De man haalt zijn schouders op en laat het handvat los.

Langs de weg staat een auto met een open laadbak, die onder de laag vuil en roest ooit rood moet zijn geweest. De man gaat op de bestuurdersplaats zitten en start de auto terwijl Lexie een plek voor haar koffer probeert te vinden in de laadbak, die vol ligt met hondenmanden en rollen kippengaas.

Nadat ze op de passagiersstoel is gaan zitten met Theo op haar knie en nadat ze de weg op zijn gedraaid, neemt Lexie de chauffeur van opzij op. Ze ziet de bril die uit het borstzakje van zijn tweedjasje steekt, de blauwe inktvlek op de wijsvinger van zijn rechterhand, ze merkt het boek op dat tussen de stoelzittingen is gestoken, met daarnaast een Engelse krant van een week geleden – niet die van haar, maar een directe concurrent van de *Courier* – en zijn haar dat achterover is gekamd en aan de slapen wat grijs begint te worden.

'Zo,' begint ze, 'dus jij werkt voor Fitzgerald?'

De man fronst zijn voorhoofd, precies zoals ze al had gedacht. 'Nee.'

Vervolgens rijden ze een paar minuten zwijgend over een smalle weg.

'Broem, broem,' zegt Theo.

Lexie glimlacht naar hem, en kijkt naar buiten naar een kerk die langs flitst, naar de kapel langs de weg, naar de vrouw die door de houten deuren naar buiten komt.

'Dan ben je een vriend van hem?'

Dit keer fronst hij zijn voorhoofd niet. Hij zegt alleen 'Nee,' vanuit zijn mondhoek.

'Een buurman?'

'Nee.'

'Een familielid?'

'Nee.'

'Zijn bediende?'

'Nee.'

'Zijn dealer? Zijn dokter? Zijn geestelijk verzorger?'

'Geen van de genoemde.'

'Vertel me eens, geef je altijd eenlettergrepige antwoorden op vragen?'

De man kijkt in zijn binnenspiegel en haalt een hand van het stuur om aan zijn kin te krabben. De weg rolt langs. Kronkelige, zwart geworden takken van doornstruiken, een ezel die aan een paal is getuierd.

'Strikt genomen,' zegt hij, 'waren dat geen vragen.'

'Dat waren het wel.'

'Nee.' De man schudt zijn hoofd. 'Het waren beweringen. Je zei: je werkt voor Fitzgerald. Je bent een familielid. Ik heb alleen maar tegengesproken wat je zei.'

Lexie kijkt van opzij de man aan die zich op het terrein waagt waarop zij expert is. 'Beweringen kunnen tot vragen worden omgevormd.'

'Nee, dat kan niet.'

'Grammaticaal gezien wel.'

'Niet waar. Dat zou in een rechtszaal niet zijn toegestaan.'

'We zitten niet in een rechtszaal,' merkt Lexie op. 'Volgens mij zitten we in jouw pick-up.'

'Pick-up,' roept Theo.

'Niet in mijn pick-up,' zegt de man. 'In die van Fitzgerald. In één ervan.'

'Dus dat ben je? Jurist?'

De man lijkt daar even over na te denken. Dan zegt hij: 'Nee.'

'Advocaat dan?'

Hij schudt zijn hoofd.

'Rechter?'

'Weer mis.'

'Spion? Geheim agent?'

Hij lacht voor het eerst en het is een verrassend aangename lach: diep en vol. Als Theo dat hoort, moet hij ook lachen.

'Ik kan geen enkele andere reden bedenken voor je geheimzinnigheid. Vooruit, je kunt het me vertellen, ik zwijg als het graf.'

Hij stuurt de auto door een haarspeldbocht. 'En moet ik dat geloven wanneer een journalist dat zegt?' Ze rijden door een kuil, waardoor de auto een behoorlijke klap maakt en ze allebei door elkaar worden gerammeld. Dat vindt Theo ook heel grappig. 'Ik wil je de waarheid nu niet vertellen,' geeft de man toe, 'omdat die dan zo saai lijkt. Ik voel me moreel verplicht om het leven dat jij in je fantasie voor me hebt bedacht, nog wat te rekken.'

'Toe nou. Verlos me uit mijn lijden.'

'Ik ben biograaf.'

Lexie denkt hier even over na. Ze kijkt nog eens naar de vinger met de inktvlek en naar de bril. Dan glimlacht ze. 'Nou snap ik het,' zegt ze.

'Wat snap je?'

Ze haalt haar schouders op en kijkt door de voorruit. 'Nou begrijp ik het allemaal.'

'Wat precies?'

'Jou. Waarom je zo… stekelig doet. Je wilt me hier helemaal niet hebben. Je zit te zwoegen op een biografie van Fitzgerald en je zit niet bepaald op concurrentie te wachten.'

'Concurrentie?' Ze rijden een steile helling op waar opeens geen bomen meer staan en ze stoppen naast een groot vervallen huis op een heuvel. 'Jongedame, als jij denkt dat jouw interview, of wat je ook bij Fitzgerald komt doen, ook maar enige bedreiging voor mijn werk vormt, ben je het slachtoffer van een ernstige misvatting.'

Lexie doet het portier open, neemt Theo op haar heup en pakt haar koffer. 'Zeg eens,' vraagt ze, 'schrijf je net zoals je praat?'

Hij klimt moeizaam uit de auto en kijkt haar over het dak aan. 'Wat bedoel je?'

'Ik vroeg me gewoon af,' zegt ze schouderophalend, 'of je uit principe twintig woorden gebruikt als je het ook met tien af kunt.'

Hij lacht weer, draait zich om en loopt over het grind naar de voordeur van het huis. Daar aangekomen draait hij zich half om. 'In elk geval ken ik het verschil tussen een vraag en een bewering.'

Lexie slaat het portier van de auto dicht en loopt achter hem aan naar het huis.

Nergens is een spoor van Fitzgerald te bekennen. Tegen de tijd dat ze met Theo op het bordes staat, is de man verdwenen. Lexie blijft in de hal staan. De plavuizen zijn bedekt met een paar tot op de draad versleten tapijten. Een grote, brede trap leidt naar de bovenverdieping. Aan de muren worden oude, vlekkerige jachttaferelen afgewisseld met abstracte houtskoolschetsen. Er staat een kapstok die vol hangt met mottige jassen en hoeden, en verscheidene paraplu's zonder scherm. Een cyperse kat ligt te slapen in een omgekeerde hoed waar hij eigenlijk maar half in past. Op een rieten stoel staat een stapel vuile borden. Het plafond boven hen is gewelfd, en Theo gooit zijn hoofd naar achteren en roept: 'Echo! Echo!' Het plafond kaatst zijn stemgeluid zachter en vervormd terug, en Lexie en hij moeten lachen.

Een vrouw met een schort voor komt een deur uit lopen, geërgerd door het lawaai. Ze gaat Lexie en Theo voor door een andere deur, in zichzelf mopperend dat niemand hier ooit iets uitvoert behalve zij, loopt een donkere gang door en gaat een smalle trap op aan de achterkant van het huis. Ze smijt de deur open van een gewitte kamer met een schuin plafond en een belachelijk hoog bed, en gebaart Lexie dat ze naar binnen moet gaan. Lexie vraagt hoe de man heet die haar heeft opgehaald en krijgt te horen: 'Meneer Lowe.'

Lexie denkt even na. 'Robert Lowe?'

De huishoudster haalt haar schouders op. 'Ik zou het niet weten.'

Lexie vraagt haar hoelang hij hier al is, waarop de huishoudster met haar ogen rolt en zegt: 'Te lang.' En Lexie moet lachen. De huishoudster blijkt er opeens genoegen in te scheppen om met Theo te spelen terwijl Lexie haar koffer uitpakt. Meneer Lowe werkt dag en nacht vertelt ze, handjeklap spelend met Theo, die terug klapt. Zijn kamer is een warboel van papieren en boeken. Een vreselijke bende. Hij zegt weinig, maar zijn vrouw stuurt hem elke week een telegram. De huishoudster lijkt geschokt door wat dat wel niet moet kosten. Meneer Lowe schrijft haar elke dag. Hij loopt naar het dorp om de brief op de bus te doen. Zijn vrouw is invalide. De huishoudster fluistert dat laatste woord. In een rolstoel, die arme stakker. O, zit dat zo, zegt Lexie. En brengt meneer Lowe veel tijd door met meneer Fitzgerald? De vrouw grinnikt en schudt haar hoofd. Nee. De baas, zoals ze Fitzgerald noemt, werkt ergens aan, aan iets groots, en hij wil niet gestoord worden. Elke dag klopt meneer Lowe op de deur van het atelier, en telkens zegt de baas tegen hem, nee, vandaag niet.

Wanneer de huishoudster weggaat, valt Theo vrijwel meteen in slaap. Lexie legt haar notitieboekjes en pennen op de kaptafel. Ze trekt een warmere trui aan en tuurt door het piepkleine vierkante raampje dat diep in de dikke stenen muur is geplaatst naar buiten. Beneden ziet ze een kleine, dik bemoste patio, een afgedankte houten tafel met stoelen die ertegenaan leunen. Een zwarte hond met lange poten scharrelt over de patio, blijft staan om aan de grond te snuffelen en schiet dan in de tegenovergestelde richting weg.

Lexie realiseert zich dat ze uitgehongerd is. Heel voorzichtig, zodat hij niet wakker wordt, zet ze Theo in zijn drager en hijst zijn slapende massa op haar rug. De smalle overloop is verlaten, tegen de muur staan lege stoelen. Op goed geluk doet ze een deur open en ontdekt een bibliotheek waar de geur van schimmel haar tegemoet slaat. Achter een andere deur is een badkamer waar de verf van de muren bladdert en de badkuip groen is uitgeslagen doordat de kraan lekt. Ze loopt de trap aan de achterkant van het huis af en vindt de keuken, en na enige aarzeling doet ze een kast open. Die staat vol borden, kopjes en visgerei, allemaal lukraak door elkaar. Dan ontdekt ze een aardewerken pot met een deksel waarin een half brood zit. Ze trekt er een stuk af en propt het in haar mond.

Ze wandelt wat rond over de patio, door de tuinen en de grasvelden die verstikt zijn door zuring en klaver. Theo slaapt maar door, zijn hoofd voelt warm aan in haar nek. Ze stuit op een zwembad met alleen wat bladeren en een plas smerig water erin. Ze loopt de springplank op en blijft er even staan, een vrouw en een kind zwevend in de ruimte. Ze loopt om een bijgebouw of een schuur heen met hoge, geel verlichte ramen waaruit het geluid van geschraap en gekletter klinkt. Dat moet het atelier van Fitzgerald zijn. Ze loopt er nog een keer omheen, maar kan niets anders zien dan het plafond van de schuur, dat is bezaaid met lichtjes. Ze gaat terug naar haar kamer en legt Theo zachtjes op bed en gaat naast hem liggen. Binnen vijf seconden valt ze in slaap.

Ze wordt wakker van een luid geraas. Geschrokken gaat ze rechtop zitten. Ze is nog ondergedompeld in een droom over Innes, over het kantoor van *Elsewhere*. De kamer is donker, in schaduw gehuld en ijskoud. Theo ligt naast haar met zijn voetjes in de lucht en zijn duim in zijn mond, in zichzelf te neuriën.

'Mama,' zegt hij, en hij grijpt haar bij de keel. 'Mama slaapt.'

'Dat klopt,' zegt ze. 'Maar nu ben ik wakker.'

Ze klautert van het bed. Het geluid klinkt opnieuw en dit keer realiseert ze zich wat het is. Een gong. Het moet etenstijd zijn. Ze knipt het licht aan, ze rommelt tussen haar kleren op zoek naar een vest. Ze sjort het aan over haar trui, ze haalt een borstel door haar haar, brengt snel wat lippenstift aan, tilt Theo van het bed en loopt met hem naar beneden.

De eetkamer is verlaten. Er zijn drie plaatsen gedekt en er staan drie dampende kommen soep. Maar er is niemand om ervan te eten. Ze voelt zich als Goudlokje in het verkeerde huis, maar gaat voor een van de kommen zitten en begint te eten, waarbij ze beurtelings een lepel aan Theo voert, die naast haar staat.

'Waar is iedereen?' vraagt ze hem, en hij kijkt ingespannen naar haar gezicht in een poging haar te begrijpen.

'Iedereen,' zegt hij.

Ze drinkt een glas wijn. Ze komt in de verleiding om aan een tweede kom soep te beginnen, maar bedwingt zichzelf. Ze breekt een broodje in stukken en eet het op. Theo vindt een mand met dennenappels en haalt die er een voor een uit en stopt ze vervolgens weer een voor een terug. De huishoudster komt stampend binnen lopen met een schaal aardappelen uit de oven en een koude vleesschotel, die ze met een onvriendelijke klap op tafel zet, mopperend over de onbezette plaatsen. Lexie schept zichzelf op. Ze eet, kijkt ondertussen de kamer rond en voert Theo als ze hem weet af te leiden van de dennenappels.

Ze staat op van tafel en loopt naar de open haard – die enorm is en vol brandende houtblokken ligt – waar ze haar rug warmt en naar Theo kijkt die voor de haard dennenappels rechtop probeert te zetten. Ze kauwt op een stuk brood uit het mandje op tafel. Om haar heen staan lege stoelen en banken, alsof ze een gastvrouw is die veel mensen verwacht. Aan de muur hangen een heleboel ingelijste schetsen en schilderijen. Lexie loopt ernaartoe om ze te bekijken. Een schets van Fitzgerald, nog een schets, een potloodtekening van een naakte vrouw; ze schuift op door steeds haar ene voet te verplaatsen en de andere bij te trekken. Onder het bestuderen van een Yves Klein stopt ze het laatste korstje brood naar binnen.

'Die is niet van hem,' zegt een stem achter haar.

Lexie draait zich niet om. 'Dat weet ik,' zegt ze. Ze hoort dat hij zich zwaar in een van de stoelen aan de eettafel laat vallen. Ze hoort dat hij zichzelf aardappelen opschept. Ze gaat naar het volgende kunstwerk, een schets van Dali.

'Hallo,' roept Theo, die over het kleed naar hem toe rent, duidelijk opgetogen dat er iemand anders is verschenen.

Lexie hoort hem 'Hallo' terug mompelen, en vervolgens: 'Wat heb je daar?'

'Hallo!' roept Theo weer.

'Ik heb een van je boeken gelezen,' zegt Lexie.

'O ja?' Hij probeert neutraal te klinken, maar ze is niet overtuigd. 'Welk?'

'Dat over Picasso.'

'O.'

'Ik vond het erg goed.'

'Dank je.'

'Hoewel je een tamelijk hard oordeel velde over Dora Maar.'

'Vind je?'

Lexie draait zich om en kijkt hem aan. Hij heeft andere kleren aangetrokken. Een wit shirt met een open kraag, en een ander jasje. 'Ja. Je hebt haar neergezet als een groupie, een meeloopster. Maar ze was zelf ook een talentvol kunstenares.'

Robert Lowe trekt een wenkbrauw op. 'Heb je weleens werk van haar gezien?'

'Nee,' zegt Lexie, 'mijn mening is niet op enige kennis gebaseerd.' Ze gaat tegenover hem aan tafel zitten. Theo klimt bij haar op schoot met in elke hand een dennenappel.

'Pas op,' zegt hij tegen Robert. 'Soep heet.'

Robert glimlacht naar hem. 'Dank je. Ik zal heel voorzichtig zijn, dat beloof ik.'

'Waar is Fitzgerald trouwens?' vraagt Lexie.

'Pas op, pas op,' waarschuwt Theo weer.

Robert haalt zijn schouders op, opent zijn handen en sluit ze weer. 'Tja, wie zal het zeggen?'

'Is dat zijn atelier in die schuur daar buiten?'

Robert knikt. 'Misschien is hij daar of misschien is hij op fazanten aan het jagen. Of misschien zit hij in de dorpspub op jonge meiden te loeren. Misschien zit hij achter vossen aan. Wie weet is hij naar Dublin gereden. Niemand weet het. Fitzgerald trekt zijn eigen plan.'

'Heet,' roept Theo uit en Robert knikt en begint heel overdreven in zijn soep te blazen.

Lexie speelt met haar servet. 'Nou, misschien moet ik maar gewoon op de deur kloppen en tegen hem zeggen…'

'Hij doet toch niet open. Ook niet als hij er is.'

Lexie kijkt hem aan. Het is moeilijk te zeggen of hij de waarheid spreekt. 'Maar misschien weet hij niet dat het etenstijd is.'

'Geloof me, dat weet hij echt wel. Hij heeft gewoon besloten niet te komen.' Robert haalt zijn schouders op. 'We zijn aan zijn genade overgeleverd. We moeten wachten tot hij naar ons toe komt.'

'Echt waar?' Ze pakt een appel van de fruitschaal. 'Wat ontzettend… negentiende-eeuws.'

'Negentiende-eeuws?'

'Ja. Alsof we jonge maagden zijn die braaf op een huwelijkskandidaat zitten te wachten.'

Robert bromt laatdunkend in zijn soep. 'Ik voel me geen jonge maagd.'

Ze lacht. 'Zo zie je er ook niet uit.'

Robert legt zijn bestek op zijn bord en schuift het opzij. 'Dank je.' Hij neemt uitgebreid de tijd om een stuk fruit uit te zoeken. Hij pakt een appel, en legt die dan weer neer; hij speelt met een pruim, maar kiest uiteindelijk een peer. 'Jij bent toch met die oorlogsverslaggever getrouwd?' vraagt hij terwijl hij de peer in de lengte doorsnijdt.

'Peer!' roept Theo vergenoegd. 'Peer!'

Lexie draait met een ruk het steeltje van haar appel. 'Niet getrouwd.'

'O. Nou ja. Ik bedoelde alleen maar dat je…' Hij maakt met zijn mes draaiende bewegingen in de lucht, in de verwachting dat zij het juiste woord invult.

Ze weigert hem te hulp te schieten. 'Dat ik wat?'

'Met hem bent. Samen. Een stel. Een koppel. Minnaars. Partners. Hoe je het ook wilt zeggen.' Hij geeft Theo een partje van de peer.

'Hm,' zegt Lexie, en ze bijt in haar appel. 'Hoe wist je dat?'

'Wat?'

'Dat van Felix en mij.'

'Dat lijkt me nogal een paranoïde vraag,' zegt hij.

'O ja?'

'Ik heb je ooit een keer samen met hem gezien op een boekpresentatie. Een jaar of twee geleden. Je was toen zwanger.'

'O ja? Welke boekpresentatie?'

'Die biografie van Hitler.'

Lexie denkt na. 'Ik kan me niet herinneren dat ik je toen heb ontmoet.'

'Dat is ook niet zo.' Hij glimlacht. 'Mensen van de televisie laten zich meestal niet in met schrijvers.'

Daarmee heeft hij haar op stang gejaagd. 'Ik ben niet van de televisie.'

'Je bent met een van hen getrouwd.'

'Niet waar.'

'Getrouwd, een relatie, laten we niet op alle slakken zout leggen.' Hij snijdt nog een partje peer voor Theo af. 'Maar ik ben je daarvóór al eens tegengekomen.'

Lexie kijkt hem aan. 'Wanneer?'

'Lang geleden.' Hij concentreert zich op zijn bord, op een stukje peer dat hij aan het schillen is, aan het ontmantelen is. 'Je bent ooit bij me op bezoek geweest.'

'Is dat zo?'

'Met Innes Kent.'

Lexie legt haar appel neer, legt haar vork recht, ze strijkt Theo's haar van zijn voorhoofd en trekt zijn slab recht.

'Mijn vrouw is nogal een kunstverzamelaar,' zegt Robert. 'Ze heeft wat dingen van Innes gekocht. We hebben altijd vertrouwen gehad in zijn oordeel. Hij had er oog voor.'

Ze schraapt haar keel. 'Dat klopt.'

'Ik geloof dat jullie een litho van Barbara Hepworth kwamen brengen. Die hebben we nog steeds. Hij had hem achter in zijn auto liggen. Jij stond in de hal met onze dochter over brandweerauto's te praten terwijl Innes het werk binnenbracht.'

Ze pakt haar vork op, een smal zilveren geval, dat merkwaardig uit balans in haar hand ligt, topzwaar, alsof het zomaar uit haar hand kan vallen als ze het niet stevig vasthoudt. 'Nu herinner ik het me weer,' zegt ze. 'Dat was...'

Hij werpt haar een steelse blik toe en kijkt dan weg. 'Dat was lang geleden,' vult hij voor haar aan.

'Ja.'

Ze eten in stilte.

De volgende dag wordt Theo vroeg wakker, en Lexie dus ook. Ze weet hem zover te krijgen dat hij tot zeven uur in de kamer blijft. Dan wast ze zich met ongelooflijk koud water, en na het ontbijt gaan ze naar de patio. Ze moet het interview met Fitzgerald vandaag doen, ze moet zijn werk zien en dan moet ze terug naar Londen.

Ze vraagt de huishoudster of ze op Theo wil passen, wat de vrouw met veel plezier doet. Lexie kijkt hoe ze samen naar de boomgaard lopen met een wasmand en wasknijpers. De huishoudster praat tegen hem en Theo roept woorden naar haar terug: wasknijper, bloem, voet, schoen, gras.

De deuren van het atelier zijn dicht, maar het hangslot dat gisteren nog dichtzat, hangt nu open aan een ketting. Lexie staat er even naar te staren. Ze legt haar hand eromheen. Het heeft, bedenkt ze, de omvang van een menselijk hart.

'Hij is er vast niet,' zegt Robert achter haar. 'Niet om deze tijd.'

Ze draait zich snel om. 'Is het je gewoonte om mensen te besluipen?'

'Niet altijd.'

Ze zucht, waarbij de witte damp van haar adem haar in het gezicht waait. 'Ik moet terug naar Londen. Ik hoop dat ik de nachtboot kan halen.'

Hij kijkt bedenkelijk en woelt met zijn voet in de aarde. 'Reis je dat hele eind in je eentje?'

'Nee,' zegt ze. 'Ik heb Theo bij me.'

'Dat bedoel ik niet,' mompelt hij. 'Ik bedoel dat het niet… niet echt ideaal is, vind je niet?'

'Wat?'

'Een vrouw alleen die rondreist met een kind.'

'Dat gaat goed, hoor,' zegt ze, ietwat ongeduldig. 'En ik heb het ook niet echt voor het kiezen.' Ze is een paar passen van de deur van het atelier weggelopen, maar blijft dan staan. 'Ik weet niet wat ik moet doen,' zegt ze, bijna in zichzelf. 'Ik kan hier niet eindeloos blijven rondhangen.'

Er klinkt een luid gehamer achter haar. Robert Lowe bonkt met zijn vuist op de schuurdeur. Vrijwel meteen wordt die op een kier geopend.

'Fitzgerald,' zegt Robert, 'mag ik je voorstellen aan Lexie Sinclair van de *Daily Courier* in Londen? Ik dacht dat je haar een interview had toegestaan. Ze moet vanavond als de donder terug naar Londen. Zou je haar nu kunnen spreken? Hier is ze.'

Het interview gaat vrij goed. Fitzgerald laat haar een naakt zien waar hij aan werkt. Hij is tegemoetkomend en helder, wat niet altijd het geval is, heeft ze gehoord. Misschien heeft ze hem vroeg genoeg op de dag kunnen strikken. Ze vraagt hem naar zijn jeugd en hij vertelt haar een paar verhalen over zijn gewelddadige vader die het citeren waard zijn. Hij wordt langdradig als hij over zijn inspiratie praat, over de geschiedenis van zijn huis en over zijn visie op de Anglo-Ieren in Ierland. Aan het eind van het interview legt Lexie met veel omhaal haar stenoblok weg. Dat doet ze altijd, omdat de geïnterviewden steevast de meest interessante en onthullende dingen zeggen wanneer ze het idee hebben dat ze niet meer worden genotuleerd. Dat heeft Lexie van Innes geleerd, en telkens als ze haar blocnote neerlegt, denkt ze aan hem. Zorg ervoor dat ze denken dat je hun vriend bent, Lex, had hij ooit tegen haar gezegd, dan vertellen ze je alles, laten ze je alles zien.

Fitzgerald laat haar zijn gereedschap zien, de rijen en rijen beitels, het soort hamers waar hij het liefst mee werkt. Hij laat haar de blokken marmer zien waar hij nog mee aan de slag moet. Hij begint te praten over zijn vrouwen, die hij op zijn vingers aftelt. Als hij het onderwerp seks aansnijdt, wordt hij expliciet. Lexie knikt terughoudend, houdt haar hoofd schuin. Ze zorgt ervoor dat de werkbank tussen hen in staat. Maar als ze hem bedankt en zich omdraait om weg te gaan, krijgt hij haar arm te pakken en drukt hij haar tegen de harde rand van een gootsteen aan, zijn oudemannenadem in haar gezicht en zijn artritische vingers die haar bij haar middel grijpen.

Lexie schraapt haar keel. 'Ik voel me gevleid, echt waar,' zegt ze, de woorden die ze altijd in gevallen als deze gebruikt, 'maar ik ben bang dat…'

Ze is de rest van het zinnetje meteen vergeten omdat ze ziet dat Robert Lowe bij hen in de schuur staat.

Fitzgerald draait zich om. 'Ja?' bijt hij zijn biograaf toe. 'Wat kan ik voor je doen?'

'Er is telefoon voor juffrouw Sinclair,' zegt Robert met afgewende blik.

Lexie glipt tussen de gootsteen en Fitzgeralds bekken uit en loopt zo nonchalant mogelijk naar de deur.

In de woonkamer pakt ze de hoorn van de telefoon. 'Lexie Sinclair,' zegt ze. Ze wacht even, en legt dan de hoorn op de haak en gaat naar de keuken. Robert zit bij het fornuis met een boek op schoot.

'Er was niemand aan de lijn,' zegt ze.

Hij kijkt niet op. 'Dat weet ik.'

'Nou, waarom…' Ze staart hem verbouwereerd aan. 'Waarom zeg je dat dan?' vraagt ze.

Hij kucht en mompelt iets onverstaanbaars.

'Wat zeg je?'

'Ik zei,' zegt hij naar haar opkijkend, 'dat ik dacht dat het interview wel klaar zou zijn.'

Lexie zwijgt.

'Maar het spijt me als ik heb gestoord.'

'Nee.' Ze kijkt weg naar de tuin. 'Je stoorde niet. Het was… het interview was voorbij. Ik had… ik dacht… nou, dank je wel.'

'Het was me een genoegen,' zegt hij zacht. Ze kijken elkaar een ogenblik aan, dan draait ze zich om en loopt de keuken uit, en de trap op om haar koffer te pakken.

Op een zaterdagochtend staat Lexie in haar slaapkamer. Theo ligt in de kamer ernaast te slapen, doodop na een lange wandeling over de Heath. Lexie is bezig een stapel speelgoed te sorteren die zich rond haar ladekast heeft gevormd. Een hond aan een lijn, een blikken trommel en een rubber bal die uit haar handen valt en over de planken stuitert en onder het bed verdwijnt. Ze ziet de bal, net buiten haar bereik, ze ziet een schoen die op z'n kant ligt, en een stukje verder ziet ze nog iets liggen. Lexie kijkt aandachtiger. Ze reikt onder het bed en krijgt het te pakken. Het is een haarband. Zo eentje van hard plastic die zich op je hoofd vastklemt. Noppen, wit op marineblauw. Met een rij scherpe tandjes aan de binnenkant.

Lexie kijkt er verbijsterd naar. Ze houdt de haarband op armlengte tussen duim en wijsvinger vast. Er zit een lange, lichtgekleurde haar aan vast, als een draad van een spin. Ze trekt de haar eraf en houdt die tegen het licht. Met de andere hand draait ze de haarband om en bestudeert elk vlak, elk stukje ervan, elk piepklein tandje. Dan laat ze hem samen met de haar op haar nachtkastje vallen.

Ze staat op. Ze loopt naar het raam. Ze kijkt met haar armen over elkaar gevouwen omlaag naar de straat. Beneden haar stappen een man en een vrouw uit een auto; de vrouw trekt haar rok naar beneden als ze de stoep op loopt, de man stuitert met een tennisbal terwijl hij op haar wacht, stuiter, vang, stuiter, vang, en de vrouw lacht tegen hem en zwaait met haar haar in het heldere zonlicht.

Lexie draait zich om. Ze gaat naar beneden naar de keuken waar ze een glas wijn voor zichzelf inschenkt. Al ijsberend drinkt ze ervan. Ze loopt naar de schilderijen en lijkt ze te tellen: de Pollock, de Hepworth, de Freuds en de Klein. Ze hangen er allemaal nog. Ze raakt ze allemaal aan, als om zichzelf gerust te stellen. Ze loopt de trap weer op naar Theo's kamer om te kijken of alles goed met hem is, en dan naar haar eigen kamer, waar ze vermijdt naar de haarband te kijken. Ze schikt haar aantekeningen op het bureau, leest een paar regels van het artikel waar ze op het ogenblik aan werkt. Ze verplaatst een lamp. Ze pakt een borstel van het dressoir en legt hem weer neer. Dan doet ze het raam open. Ze pakt een grijs over-hemd van Felix met lange boordpunten van een stoel waar hij het gisteravond heeft laten liggen en gooit het naar buiten, de warme middaglucht in. Het zweeft met uitgestrekte armen omlaag de voortuin in, waar het neerkomt naast een bed tulpen. Ze neemt een paar teugjes wijn. Dan raapt ze een paar sokken op en gooit die ook uit het raam. Daarachteraan volgen een paar manchetknopen uit het dressoir, een riem en een handvol stropdassen, die kronke-lend naar beneden vallen.

Terwijl Felix de taxichauffeur betaalt, ziet hij een groepje mensen op het trottoir staan. Ze kijken allemaal omhoog en wijzen ergens naar. Felix neemt zijn portefeuille in zijn andere hand. Op dat mo-ment bedenkt hij dat die mensen ter hoogte van Lexies huis staan – maar verder niets.

Dan ziet hij dat het haar huis is waar ze naar wijzen. Hij steekt de weg over en stopt ondertussen zijn portefeuille in zijn jasje. Hij ziet Lexie, of liever gezegd haar hoofd en schouders bij het raam ver-schijnen. In haar handen heeft ze een koffer. Die ze laat vallen. Hij valt met een klap op de stoep van de voordeur. Een seconde later verschijnt ze opnieuw met een armvol spullen die kleren lijken te zijn. Die kiepert ze ook in de tuin.

Felix zet het op een rennen. 'Lexie!' roept hij als hij het hekje opendoet. 'Wat is er in godsnaam aan de hand?'

Ze leunt tegen het kozijn. Ze gooit een zijden zakdoek naar bui-ten, dan een stropdas en daarna een onderbroek, als een croupier die kaarten deelt. Felix komt dichterbij in een poging ze te vangen, maar struikelt over de koffer en glijdt dan uit over een stapel pla-ten.

'Niks,' zegt ze. 'Of eigenlijk niks ongewoons.'

'Allejezus, Lexie!' Felix is nu woedend. 'Waar ben je verdomme mee bezig?'

'Ik help je bij het weghalen van je spullen uit mijn huis.' Terwijl ze dit zegt, gooit ze met een polsbeweging een tandenborstel naar hem toe.

Felix schiet naar voren om hem te vangen, maar mist. Twee toeschouwers achter hem zeggen: 'Oo!'

Felix rekt zich in zijn volle, niet onaanzienlijke lengte uit. 'Mag ik vragen wat dit allemaal te betekenen heeft?'

Lexie verdwijnt even van het raam en komt dan weer terug. Ze houdt iets voor hem omhoog. 'Dit,' zegt ze, en ze laat het vallen. Het heeft de vorm van een hoefijzer maar is heel dun, en het draait rond in de lucht voordat het op de stoep terechtkomt en naar hem toe stuitert. Felix raapt het op. Het is blauw met witte noppen. Een haarband. Het duurt even voordat hij die kan plaatsen, maar één ding weet hij zeker: die haarband is niet van Lexie. Dan bekruipt hem een huivering, een akelig voorgevoel.

'Schat van me,' zegt hij, en hij doet een paar stappen naar voren. 'Ik heb geen idee waar dit vandaan komt. Ik denk niet dat ik het ooit eerder heb gezien en…'

'Het lag onder het bed.'

'Nou, is het niet heel goed mogelijk dat de schoonmaakster het daar heeft laten slingeren? Ik bedoel… Luister,' zegt hij, 'op deze manier kunnen we hier niet over praten. Ik kom naar binnen.'

'Dat gaat niet,' zegt ze, en ze strijkt haar haar uit haar gezicht. 'Ik heb de grendel op de deur gedaan. Je komt hier nooit meer binnen, Felix, en daarmee uit.'

'Lexie, nogmaals: ik heb geen idee waar dat ding vandaan komt, ik zweer je dat ik er niets mee te maken heb.'

'Ik zal je zeggen waar het vandaan komt,' zegt Lexie, die dreigend uit het raam leunt. 'Hij komt van het hoofd van Margot Kent.'

'Dat kan toch echt niet…' Hij doet er stamelend het zwijgen toe. Er valt een fatale stilte voordat hij verder gaat met: 'Ik weet niet eens zeker of ik…'

Lexie slaat haar armen over elkaar en kijkt op hem neer. 'Ik heb het je gezegd,' zegt ze rustig. 'Ik heb je gewaarschuwd. Ik heb je gezegd: niet zij. En jij hebt het lef,' haar stem schiet nu uit en ze schreeuwt: 'om het hier, in mijn huis met haar te doen. In míjn bed. Je bent een stuk stront, Felix Roffe. Hoe durf je, verdomme!'

Hij heeft geen idee over wie ze het heeft. Hij herinnert zich het meisje niet eens. Tenzij het dat bleke, sprietige schepsel is dat hem die keer probeerde te versieren en dat hem sindsdien steeds opbelt. Zou zij het kunnen zijn? Felix voelt zich week worden in zijn borst. Nu hij erover nadenkt, heeft hij het daar met haar gedaan, toen Lex in Ierland was. De loodgieter was bezig in zijn flat. Maar het was niet zijn bedoeling geweest. En eerlijk gezegd is het niets voor Lexie om zich door zo'n meisje bedreigd te voelen.

'Liefje,' hij doet zijn best om haar te kalmeren, de gebruikelijke toon die hij tegen Lexie bezigt. 'Vind je niet dat je dit allemaal erg opblaast? Wat het ook is geweest, het stelde niks voor. Je kent me. Helemaal niks. Waarom laat je me niet binnen zodat we er rustig over kunnen praten?'

Lexie schudt haar hoofd. 'Nee. Ga weg. Ik wist dat ze dit zou doen. Ik wist het. Ik heb je gewaarschuwd, Felix, ik heb je gewaarschuwd en ik meen altijd wat ik zeg.'

'Wat bedoel je,' vraagt hij. 'Me gewaarschuwd? Waarvoor gewaarschuwd?'

'Voor haar. Voor Margot Kent.'

'Wanneer.'

'Na die lunch bij Claridge's.'

'Welke lunch bij Claridge's?'

'We kwamen haar voor de deur tegen, en ik zei blijf bij haar uit de buurt, en jij hebt beloofd dat je dat zou doen.'

'Niet waar.'

'Wel.'

'Lexie, ik kan me dat gesprek helemaal niet herinneren. Maar ik zie wel dat je overstuur bent. Waarom laat je me niet binnen, dan kunnen we…'

'Nee. Ik ben bang dat dit het is. Ik geloof dat dat alles is,' gebaart ze naar de spullen in de tuin. 'Dag Felix. Veel succes met alles naar huis brengen.' Ze slaat het raam dicht.

Het is een van hun meer dramatische breuken. En zoals zal blijken, ook hun laatste.

Ongeveer een week later had Lexie een rotdag. Ze was te laat voor een afspraak met iemand van de Kunstraad omdat de ondergrondse een halfuur stilstond in een tunnel. Ze werd geacht een artikel te schrijven over de productie van *De toevallige dood van een anarchist*, maar de regisseur die ze gehoopt had te spreken, had gordelroos gekregen, zodat Lexie het artikel een week moest uitstellen en op korte termijn met iets anders op de proppen moest komen. Felix had die ochtend drie keer berouwvol en smekend gebeld. Ze had elke keer opgehangen. Theo zag er vanmorgen uit alsof hij verkouden zou worden, en in haar achterhoofd hoopte Lexie de hele dag dat het bij een verkoudheid zou blijven. Ze was nog steeds niet gewend aan de voortdurende onderstroom van moederlijke bezorgdheid, de zuigkracht die hij vanuit hun huis in Dartmouth Park op haar uitoefende als zij in het centrum van Londen aan het werk was. Hij was haar magnetische noorden en de naald van haar kompas zwaaide altijd zijn kant op.

'Heel erg bedankt...' zei Lexie in de telefoon, al half opgestaan van haar stoel en met haar vrije hand op zoek naar haar tas onder het bureau. '... zegt u haar alstublieft dat ik het erg waardeer... ja, absoluut... ik ben er op z'n laatst over een halfuur.'

Ze schoot haar jas aan, hees haar tas op het bureau en gooide er een blocnote en een potlood in. 'Als er iemand naar me vraagt,' zei ze tegen haar collega's, 'ik ben naar Westminster.'

Ze liep haastig door de gang en maakte de ceintuur van haar jas vast terwijl ze in gedachten al naging wat ze in het interview te weten wilde komen, toen iemand haar elleboog aanraakte. Geschrokken draaide ze zich om. Naast haar stond een man. Het ribfluwelen jasje en het overhemd met het openstaande boord kwamen haar meteen bekend voor, maar het duurde even voordat ze hem had geplaatst.

Robert Lowe. Het was zo'n onverwachte, ongerijmde ontmoeting – Robert Lowe in de smoezelige gang van de *Daily Courier* – dat ze moest lachen.

'Robert,' zei ze. 'Jij bent het.'

Hij haalde zijn schouders op. 'Ik ben het.'

'Wat doe je hier?'

'Eigenlijk,' begon hij, 'ging ik langs bij een vriend die bij de *Telegraph* werkt, en… omdat ik toch in Fleet Street was, dacht ik je even te komen opzoeken. Maar,' hij wees op haar jas en tas, 'je ziet er niet uit alsof je op dit moment op bezoek zit te wachten.'

'Dat klopt,' zei ze. 'Ik heb een vreselijke dag en ik ben op weg naar Westminster.'

'Ik snap het.' Hij knikte, stopte de handen in zijn zakken. 'Nou…'

'Als je wilt kun je een eindje met me meelopen.'

'Meelopen?'

'Ik moet een taxi zien te vinden.'

'Ah.'

'Alleen als je tijd hebt.'

'Ja hoor,' zei hij, 'ik loop wel mee.'

Lexie ging hem voor, de trap af. 'Hoe gaat het?' vroeg hij.

'Goed. En met jou?'

'Ook goed.'

'Wanneer ben je uit Ierland teruggekomen?'

'Gisteren.'

'Heb je nog veel uit Fitzgerald kunnen krijgen?'

'Niet bar veel.' Lexie keek hem aan en hij glimlachte. 'Hij is geen gemakkelijke man, zoals je weet.'

'Ja.'

'Ik moet er nog een keer heen, over een maand of zo. Als je geluk hebt, tref je hem in een spraakzame bui. Zoals jij. Hij was nogal te-leurgesteld toen je wegging.'

Hij hield de deur voor haar open, en toen ze naar buiten liep, dacht ze dat ze hem hoorde zeggen: 'Zoals wij allemaal,' maar dat wist ze niet zeker.

Buiten hing de lucht laag en wit boven hen. Lexie stond aan de stoeprand en keek Fleet Street af. 'Geen taxi's, natuurlijk,' zei ze.

'Die zijn er nooit als je er een nodig hebt.' Hij schraapte zijn keel, sloeg zijn armen over elkaar en liet ze vervolgens weer langs zijn zij hangen. 'Hoe is het met Theo?'

'Goed. Hij is alleen wat verkouden.'

Robert kwam naast haar op de stoeprand staan. 'Het betekent "Godsgeschenk",' zei hij.

'Wat?' Lexie was afgeleid omdat ze ingespannen naar het verkeer tuurde op zoek naar het oranje licht van een taxi.

'Zijn naam. Theodoor.'

Ze keek hem verbaasd aan. 'Is dat zo?'

'Ja. Van het Griekse *theos*, wat God betekent, en *doron* betekent geschenk.'

'Ik had geen idee. Godsgeschenk. Jij bent vast de enige ter wereld die dat weet.'

Er viel een stilte. Ze waren twee mensen die in de waterige Londense zon op een taxi stonden te wachten. Het was een eenvoudig scenario, maar het scheen plotseling een moment dat beladen was met betekenis, en toch wist Lexie niet zeker waarom. Ze moest slikken en keek naar de grond om de gedachte van zich af te zetten.

'Het is leuk om je weer te zien,' zei ze, omdat dat zo was, en ze maar niet begreep wat hij hier op een woensdagochtend in Fleet Street deed.

'Is dat zo?' Hij streek met zijn hand door zijn haar. Toen stak hij zijn arm in de lucht. 'Daar komt er een,' zei hij. 'Kijk.' Een taxi minderde vaart, boog af en stopte bij de stoep.

'Godzijdank,' zei Lexie en stapte in. Robert deed het portier voor haar dicht.

'Tot ziens,' zei ze, en ze stak haar hand uit het raampje. 'Sorry dat ik ervandoor moet.'

Hij pakte haar hand en hield die even vast. 'Dat vind ik ook jammer.'

'Het was leuk om je te zien.'

'Dat vond ik ook.' Ze spraken als karikaturen in een slecht toneelstuk. Het was ondraaglijk. Hij liet haar hand los en ze keek uit het raampje hoe de gestalte op de stoep steeds kleiner werd. Hij bleef haar nakijken tot de taxi een hoek om sloeg.

Een paar dagen later kwam ze de verslaggeversruimte binnenlopen, toen haar collega Daniel met de hoorn van de telefoon naar haar zwaaide. 'Voor jou, Lexie.'

'Lexie Sinclair,' zei ze.

'Met Robert Lowe,' klonk de vertrouwde stem. 'Zeg 's, ben je vandaag weer aan het rondhollen?'

'Nee. Vandaag niet. Ik ben... wat doe ik vandaag? Ik lummel wat rond. Relatief gezien, dan.'

'Goed. Ik weet niet zeker wat rondlummelen precies inhoudt, maar biedt dat ruimte om te gaan lunchen?'

'Ja.'

'Mooi. Ik sta om één uur buiten.'

Toen het zover was, kwamen ze meteen ter zake. Zonder gedraai, zonder hofmakerij, zonder onzekerheid en zonder verleidingsspel. Lexie liep op hem af. Geen van beiden zei hallo of groette de ander. Ze haalde een sigaret tevoorschijn en stak hem tussen haar lippen.

'Ik heb de indruk,' zei hij, 'dat geheimen bij jou in goede handen zijn.'

'Hoe bedoel je dat?' vroeg ze, terwijl ze in haar tas naar lucifers zocht.

'Dat je ze kunt bewaren.'

'O ja,' zei ze, en ze hield de vlam van de lucifer bij haar sigaret. 'Ja, natuurlijk.'

'Je weet dat ik getrouwd ben?'

'Ja.'

'En jij ook.' Hij stak zijn handen omhoog om haar protest voor te zijn. 'Of hoe je het ook wilt noemen. Ik heb geen behoefte om bij mijn vrouw weg te gaan. En ik veronderstel dat jij ook geen behoefte hebt om bij Felix weg te gaan. En toch…'

Lexie blies de rook uit. 'En toch,' beaamde ze.

'Wat zullen we doen?'

Ze dacht even na. Later kwam het bij haar op dat hij misschien had bedoeld waar ze zouden gaan lunchen. Maar op dat moment zei ze: 'Een hotel?'

Soms kunnen dat soort transacties zo gemakkelijk worden gesloten.

Ze gingen naar een straat in de buurt van het British Museum waar verscheidene hotels waren die overdag kamers verhuurden. Lexie vroeg niet hoe Robert dat wist. De kamer had blauwe verschoten fluwelen gordijnen en een wastafel met een verkleurde spiegel erboven, en er stond een varen. De elektriciteitsmeter slikte geen van hun shillings. De kussens waren hard, de scherpe uiteinden van de veertjes staken door de sloop heen. Ze waren allebei zenuwachtig. Ze bedreven de liefde gehaast, meer uit verlangen om het achter de rug te hebben, om dat gevoel te krijgen dat ze een begin hadden gemaakt. Daarna praatten ze wat. Robert probeerde weer shillings in de meter te stoppen, maar zonder succes. Daarna vrijden ze nog een keer, nu meer ontspannen en met meer aandacht voor elkaar. Toen ze zich aankleedde keek Lexie hoe de wolken zich achter het smalle raam opstapelden.

De regeling die ze in een oogwenk hadden bedacht was eenvoudig en duidelijk; volmaakt, zou je kunnen zeggen. Ze zouden elkaar twee keer per jaar ontmoeten, niet vaker, en nooit in Londen. Ze zouden per telegram afspreken. HET GRAND HOTEL, SCARBOROUGH, zou er kunnen staan, DONDERDAG 9 MAART. Niemand zou er ooit iets van weten. Ze hadden het nooit over Roberts gezin, of over zijn vrouw, Marie. Lexie vertelde hem nooit wat er tussen haar en Felix was gebeurd. Robert informeerde er nooit naar, vroeg nooit waarom Theo altijd meekwam naar hun afspraakjes. Misschien had hij geraden hoe de vlag erbij hing, misschien ook niet.

Het viel moeilijk te zeggen of Theo zich Robert van vorige keren herinnerde. Hij vond het altijd leuk om hem te zien, pakte hem altijd bij de hand en trok hem mee om iets te laten zien: een krab in een emmertje, een schelp op het strand of een steen waar een gaatje in was gesleten.

Mevrouw Gallo en Lexie stonden in de keuken wat aan de knoppen van het fornuis te draaien en goedmoedig te kibbelen over de vraag of mevrouw Gallo nou wel of niet een kippastei voor Lexie mocht bakken. Mevrouw Gallo had de oven net gevorderd toen de deurbel ging.

'Ik ga wel,' zei Lexie en in het voorbijgaan aaide ze Theo over zijn hoofd. Hij was bezig kussens op elkaar te leggen om een zachte, torenhoge stapel te bouwen.

'Lieverd,' zei Felix toen ze de deur opendeed. Hij kwam binnen en omhelsde haar nogal uitvoerig. 'Hoe gaat het met je?'

'Goed.' Lexie maakte zich van hem los. 'Ik wist niet dat je zou komen. Je had even moeten bellen.'

'Doe niet zo asociaal. Mag ik niet langskomen om mijn zoon en erfgenaam te zien wanneer ik wil?'

'Natuurlijk. Maar je moet eerst even bellen.' Ze keken elkaar bozig aan in de beslotenheid van de hal.

'Waarom?' vroeg hij zonder zijn blik van haar gezicht af te wenden. 'Wie heb je daarbinnen?'

Ze zuchtte. 'Paul Newman, natuurlijk. En Robert Redford. Ik zal je aan hen voorstellen.'

'Je gaat weg, zie ik?' zei hij, wijzend naar de tassen in de hal.

Lexie en Theo waren net teruggekomen uit Eastbourne waar ze met Robert had afgesproken.

'Eerlijk gezegd ben ik net terug,' riep ze over haar schouder terwijl ze de woonkamer in liep, waar mevrouw Gallo stond te kijken hoe Theo van de bank op de stapel kussens sprong.

Felix stond aan de rand van het kleed, als iemand die aarzelt voordat hij in het diepe springt. 'Hallo, jongeman,' baste hij tegen Theo, voordat hij naar mevrouw Gallo knikte. 'Mevrouw Gallo, hoe maakt u het? U ziet er goed uit.'

Mevrouw Gallo, die absoluut geen hoge dunk had van Felix, op grond van het standpunt dat een man die het zout in de pap waard was allang met Lexie zou zijn getrouwd, maakte een geluid dat het midden hield tussen een afkeurend gemompel en een kuch.

Theo keek op naar zijn vader en zei op een dodelijk heldere toon: 'Robert.'

Lexie schoot bijna in de lach, maar wist zich in te houden. 'Niet Robert, schat, het is Felix, weet je nog?'

'Wie is Robert?' vroeg Felix toen Lexie de keuken in liep.

Ze negeerde hem. 'Wil je thee, Felix? Koffie?'

Hij liep achter haar aan de keuken in, precies zoals ze had gedacht. Ze pakte drie mokken uit het keukenkastje, melk uit de koelkast en nam Felix ondertussen op. Hij las de briefjes op de koelkast, pakte een beker van Theo op, bekeek die en zette hem weer neer, pakte een appel uit de fruitschaal en legde hem weer terug.

'Hoe gaat het op je werk?' vroeg hij abrupt.

Lexie vulde de ketel onder de kraan. 'Goed. Druk. Je kent het wel.'

'Ik heb je artikel over Louise Bourgeois gelezen.'

'O.'

'Ik vond het heel goed.'

'Dank je.'

'Ik...' begon hij, en zweeg vervolgens. Hij leunde tegen het werkblad en begroef zijn hoofd in zijn handen. Lexie deed het deksel op de ketel, zette hem op het gasstel, streek een lucifer af en hield die bij het gas, terwijl ze al die tijd naar Felix bleef kijken, of liever gezegd naar zijn kruin.

'Ik heb mezelf in de nesten gewerkt,' zei hij met gedempte stem vanachter zijn handen.

'O ja?' Lexie maakte het theeblik open en schepte theebladeren in de theepot. 'Wat voor nesten?'

'Het gaat om een vrouw.' Felix ging rechtop staan.

'Aha. En?'

'Ze zegt dat ze in verwachting is. Beweert dat het van mij is.'

'En is dat zo?'

'Is wat zo?'

'Dat het van jou is.'

'Dat weet ik niet! Ik bedoel... het zou kunnen... maar hoe kun je dat ooit weten?' Hij wierp een blik op Lexie, en zei toen haastig: 'Ik heb het niet over jou, schatje. Ik heb het over haar. We hebben het maar een paar keer... zij en ik... snap je... we hebben het amper... weet je wel?'

'Ik begrijp het. Nou, dan zul je haar op haar woord moeten geloven, denk ik.' Ze keek hem van opzij aan. 'Hoe wil zij het oplossen?'

'Dat is het juist,' zei Felix wanhopig. 'Ze zegt dat we moeten trouwen. Trouwen!' Hij duwde zich van het aanrecht af en liep naar het raam en weer terug. 'Ik word al doodziek bij de gedachte. En nu,' sputtert hij, 'zit die verdomde moeder van haar me ook nog eens achter de vodden. En dat is een kreng van een wijf.'

De ketel begon te trillen en te beven onder het uitstoten van een wolk stoom. Net op het moment dat hij begon te fluiten, tilde Lexie hem van het gas en zette hem naast de gootsteen. Ze legde haar handen op de rand van het keukenkastje. Ze keek Felix niet aan. Ze zag alleen de achterkant van zijn broekspijpen en zijn schoenen, terwijl hij bij het raam stond. 'Hebben we het,' zei ze, 'over Margot Kent?'

Zijn zwijgen sprak boekdelen. Ze zag zijn schoenen bewegen alsof hij van plan was naar haar toe te komen, maar waarschijnlijk veranderde hij van gedachten, want hij liep naar de tafel. Ze hoorde dat hij een stoel naar zich toe trok en zich erin liet zakken.

'Het is gewoon verdomde pech,' mompelde hij. 'Dat is het.'

Toen ze geen antwoord gaf, begon hij heen en weer te draaien in zijn stoel.

'Ik wil helemaal niet met haar trouwen,' zei hij op een wat nukkige toon. 'Volgens mij is het haar verrekte moeder die haar opstookt.'

Lexie liet een korte blafachtige lach horen. 'Ongetwijfeld,' zei ze.

Felix stond op en kwam naar haar toe. 'Ken je haar moeder ook?' vroeg hij.

'Ik heb,' zei ze, 'dat bijzondere genoegen mogen smaken, ja.'

Ze zag een glimp van belangstelling in zijn ogen verschijnen. 'Hoe heb jij ze ook alweer leren kennen?'

'Dat gaat je niks aan,' zei Lexie, en haar keel voelde rauw en geschaafd aan, 'geen donder.' Ze dacht even na. 'Heeft Margot dat nooit verteld?'

Felix trok een druif van een tros in de fruitschaal en stak die kribbig in zijn mond. 'Volgens mij niet. Hoor eens, Lex,' zei hij kauwend op de druif, 'jij bent de enige die me kan helpen.'

Ze keek Felix aan. 'Wat zeg je nou?'

'Alleen jij,' zei hij op dwingende toon. 'Als ik… als we zeggen dat we… getrouwd zijn, dan kan ik niet met haar trouwen. Ze kunnen me niet dwingen. Snap je? Ik bedoel, ze weten het van jou en mij. En Theodoor. Daar weten ze alles van, God mag weten hoe. Maar als ik ze kon vertellen dat we getrouwd zijn, wat niet eens zo vergezocht is, vind je niet, dan zou de kous daarmee af zijn. Probleem opgelost.' Hij keek haar stralend aan met een mengeling van hoop en begeerte. Hij legde zijn hand op haar schouder en oefende wat druk uit om haar naar zich toe te trekken.

Lexie legde een hand tegen zijn borst. 'Ik vind het moeilijk,' begon ze, 'om uit te maken welk deel van je voorstel ik het meest weerzinwekkend vind. Misschien is het het idee om met je getrouwd te zijn. Of misschien dat je met mij wilt trouwen om te voorkomen dat je je gedwongen ziet met iemand anders te trouwen? Nee. Misschien is het dat het in jouw ogen – hoe zei je dat ook weer? – niet eens zo vergezocht is dat we zouden trouwen. Misschien is het de gedachte dat ik ook maar op enige wijze iets te maken zou krijgen met die in-slechte, manipulatieve, duivelse...' ze zocht naar het juiste woord voordat ze het zich weer herinnerde, '... maenaden, die mijn ziel met doodsangst vervult. Maar, zoals ik zei, het valt moeilijk uit te maken.' Ze sloeg Felix' hand van haar schouder. 'M'n huis uit,' zei ze. 'Meteen.'

Het is middernacht in Café Bar The Lagoon. De barista's zijn naar huis nadat ze de tafels hebben gelapt, de vloer hebben geveegd, het vuilnis in zakken hebben gestopt en de deur achter zich op slot hebben gedaan.

In het donkere afgesloten café koelt de espressomachine af, de stekker is eruit. Het chroom van de behuizing zal om de paar minuten een luide tik geven. Kopjes en glazen staan op hun kop op het geribbelde aanrecht; er druipt lauw water langs dat ronde plasjes om de randen vormt.

De vloer is geveegd, maar niet erg grondig. Onder tafel vier ligt een korst focaccia die een toerist uit Maine heeft laten vallen. De vloer bij de deur is bezaaid met stukjes blad van de platanen op Soho Square.

Hoog boven in het gebouw slaat een deur, er klinken gedempte stemmen en er is het geluid van voeten die haastig een trap af lopen. Het café lijkt aandachtig te luisteren. De afgedroogde glazen op de plank rinkelen door de dreunende voetstappen tegen elkaar. Het krimpende metaal van de espressomachine tikt. Een druppel water valt uit de kraan, verspreidt zich over de gootsteenbak en sijpelt dan naar de afvoer. De voetstappen komen door de gang naast het café, en dan knalt de voordeur dicht en het meisje dat 's avonds boven werkt stapt naar buiten, de stoep op.

Ze paradeert in haar rode enkellaarsjes met de stilettohakken heen en weer over het trottoir voor de gesloten deur van The Lagoon. Ze loopt steeds over de stoeptegel waar Innes Lexie in 1957 voor het eerst omhelsde. Ze loopt over de stoeprand waar Lexie stond toen ze probeerde een taxi aan te houden om haar naar het ziekenhuis te brengen. Ze leunt even tegen de muur waar Lexie en Innes op een druilerige woensdag in 1959 voor John Deakin hebben geposeerd. En precies op de plek waar het meisje van boven haar sigaret uitdrukt, kun je bij nat weer de vage omtrek zien van de letters die het woord *Elsewhere* vormen, maar misschien merkt niemand dit op, en als ze het wel deden, zouden ze niet weten waar ze voor stonden.

Het meisje mikt de peuk in de goot, duwt de voordeur open en verdwijnt naar binnen. Het geluid van haar voetstappen doet de glazen op de planken, de zoutvaatjes op de tafels en zelfs die stoel bij het raam, waarvan één poot korter is dan de andere, trillen.

Hierna is het stil in het café, de espressomachine is afgekoeld, de kopjes staan in de ronde plasjes, de focacciakorst ligt op de grond. Op een van de tafels ligt een tijdschrift open op een pagina met de kop HOE JE IEMAND ANDERS KUNT WORDEN. Een zak koffiebonen leunt vermoeid tegen de toog. Er schiet een fiets langs het raam, de kegel van licht zwaait over de donkere straat. De hemel buiten is donker als een mijnschacht, met een zweem oranje. Alsof hij voelt dat de nachtelijke rust is ingetreden, valt de koelkast beleefd met een laatste rilling stil.

Buiten duwt een lichte bries een blikje van het deksel van een vuilnisbak het trottoir op, waar het de goot in rolt. Een politieauto glijdt met krakende, sputterende radio over Bayton Street. *Twee mannen… in zuidelijke richting…* brabbelt hij met onderbrekingen … *onrustig bij Marble Arch.*

De aarde draait door. De hemel ziet niet meer mijnschacht-zwart maar diepzeeblauw, wat langzaam overvloeit in een melkachtig grijs, alsof de straat, heel Soho, naar het zeeoppervlak stijgt. Het meisje van boven heeft haar rode laarsjes verwisseld voor gympen, doet de deur achter zich op slot, knoopt haar jas dicht en gaat naar huis. Ze kijkt naar links en rechts over het trottoir en loopt dan in de richting van Tottenham Court Road.

Om zes uur 's ochtends loopt een oudere man in een pak midden op straat, met een onregelmatige, slepende tred. Hij heeft een hondje bij zich aan een paarse leren riem. Voor The Lagoon blijft hij een poos staan. De hond kijkt vragend naar hem op en trekt dan aan de riem. Maar de man blijft naar het café kijken. Misschien komt hij hier overdag. Of misschien is het een van de weinigen die het nog kent als het kantoor van *Elsewhere*. Misschien ging hij vroeger in een van de bars in de buurt weleens iets drinken met Innes. Of misschien ook niet. Misschien doet het hem alleen maar aan een ander café denken. Hij loopt door en enkele ogenblikken later verdwijnen hij en zijn hond om de hoek.

Om acht uur komen de barista's van de ochtendploeg binnen: eerst een vrouw die de deur van het slot doet, het licht aandoet, de espressomachine aanzet, de koelkast opent om de melk te controleren en een affiche dat op de grond is gevallen weer aan de muur ophangt. Daarna komt er een mannelijke barista die een emmer met water vult en een stokdweil over de vloer haalt. Ook hij ziet de korst focaccia niet liggen.

En om precies kwart voor tien stapt Ted als eerste klant van de dag naar binnen.

Ted bestelt een *latte* om mee te nemen en wacht aan de bar. Hij is vroeg vandaag. De barman is nog steeds aan het dweilen, doopt de slierten van de mop in het grijze, vettige water en kletst de warrige kluwen op de vloer. Ted kijkt naar de slierten van de mop die heen en weer schieten als haar dat meedeint op een stroom. En plotseling wordt hij overvallen door het gevoel dat hij de laatste tijd vaker heeft: dat iets wat hij nog nooit eerder heeft gezien, hem op een vreemde manier heel bekend voorkomt. Op een betekenisvolle manier. Een mop die heen en weer vliegt over een kale planken vloer. Waarom komt de aanblik daarvan hem voor als zo belangrijk, zo vol betekenis? Alsof die hem iets duidelijk zou kunnen maken? Zijn dat niet de eerste tekenen van gekte, dat je overal een aanwijzing in ziet, dat je gelooft dat alledaagse dingen en handelingen vol boodschappen zitten? Hij heeft zin om zijn hand naar de man uit te steken en te zeggen: hou daar alsjeblieft mee op.

Hij knippert met zijn ogen en dwingt zichzelf een andere kant op te kijken. Naar de rijen glazen op de planken achter de bar. Naar de serveerster die aan de hendel van de koffiemachine trekt. Naar de stoomwolk die uit de zijkant van de machine omhoogkringelt. Hij vindt dat het net is alsof je een duikbril opzet en onder het wateroppervlak kijkt, en daar een andere wereld ontdekt die daar kennelijk altijd heeft bestaan onder een ondoorgrondelijk oppervlak zonder dat je je ervan bewust was. Een wereld vol leven, schepsels en betekenis.

'Alsjeblieft.'

Hij schrikt op en draait zich snel om. De serveerster reikt hem een beker aan.

'O,' zegt hij. 'Dank je,' en hij geeft haar wat los geld.

Buiten op het trottoir blijft hij staan. Hij herinnert zich iets, ziet iets of herkent iets. Wat precies? Vrijwel niets. Iets wat bijna iedereen zich wel herinnert. Dat je voor een raam wordt opgetild waarvan het kozijn groen is geschilderd. Iemand heeft haar armen om hem heen, onder hem. 'Kijk,' zegt die persoon, 'zie je dat?' Het lijfje en de manchetten van haar jurk zijn geborduurd met draden van verschillende kleuren, en die draden houden honderden piepkleine spiegeltjes vast. 'Kijk,' zegt ze weer, en hij kijkt en ziet dat de tuin onder een dikke witte deken is verdwenen. Het is een doodgewone herinnering, maar waarom past die zo slecht in de jeugd die hij als de zijne kent? En waarom vervult die herinnering hem met paniek?

Ted kijkt omhoog naar de kleurloze, lege lucht boven Bayton Street. Hij leunt tegen de muur. Hij laat de volgende gedachte toe: daar komt het weer. Zijn hoofd schijnt zich met mist te vullen, zijn hart gaat sneller kloppen alsof het weet heeft van een of andere vijand, van een gevaar waarvan hij zich nog niet bewust is. Lichtpuntjes beginnen zijn zicht te doorboren, ze flikkeren en glinsteren in de vlakke, eindeloze lucht, in de etalages van de winkels aan de overkant, in het asfalt van de weg. Kijk, had die persoon gezegd, zie je dat? De spiegeltjes op haar jurk die het licht vingen, die sterrenstelsels op de muren om haar heen lieten verschijnen. Hij herinnert zich precies het gevoel van zijn vingers die zich in het warme kuiltje van haar sleutelbeen vastgrijpen, haar haar tegen zijn wang. En het gezicht. Het gezicht was…

'Gaat het wel goed met je, jongen?'

Ted ziet een stel bruine leren gaatjesschoenen en de pijpen van een spijkerbroek. Dat is een combinatie waar hij een speciale afkeer van heeft. Hij realiseert zich dat hij voorovergebogen staat met zijn handen op zijn knieën. Hij richt zijn hoofd op om de persoon met de bruine schoenen aan te kijken. Het is een man, ouder dan hij, die hem bezorgd aankijkt.

'Ja hoor,' zegt hij. 'Het gaat goed met me. Dank u.'

De man klopt hem op de schouder. 'Weet je het zeker?'

'Ja hoor.'

De man lacht. 'Zware avond gehad, zeker?' en hij loopt weg.

Ted gaat rechtop staan. De straat is dezelfde, het café achter hem is hetzelfde. Soho is er nog steeds met zijn activiteiten op de vroege ochtend. Hij bukt zich om zijn koffie te pakken. Hij neemt een slok en probeert niet op het beven van zijn hand te letten. Hij moet… wat? Hij moet proberen helder te denken. Hij moet dit uitzoeken. Hij moet houvast vinden, dat moet hij.

Dit zegt hij keer op keer tegen zichzelf als hij de hoek omslaat naar de straat waar hij werkt, als hij de glazen deur openduwt, als hij op het knopje van de lift drukt. Maar als hij de lift in stapt, schiet hem weer een ander beeld te binnen: hij zit op een kleed en stopt een voor een kleine chocoladeflikjes in zijn mond. Het gevoel van de flikken op zijn tong, de bolle bovenkant en de geribbelde onderkant die onder het zuigen zacht en glad wordt. Hij kijkt naar zijn vader die naast een schoorsteenmantel staat met zijn hand op de arm van een vrouw, en de vrouw keert zich van hem af.

Felix zet haar klem naast de schoorsteenmantel terwijl ze plakjes cake ronddeelt. Ze heeft hem al in de gaten sinds hij in de kamer is – iemand anders moet hem hebben binnengelaten. Ze heeft hem ontweken toen ze de cadeautjes uitpakten, toen ze de spelletjes deden, toen Theo en de andere kinderen gespannen en hunkerend zaten te wachten om het pakje aan elkaar door te geven. Toen ze thee, wijn en zwarte olijven serveerde aan de volwassenen en chips en sinas aan de kinderen. Toen Felix Theo een houten trein cadeau deed. Toen ze lang zal hij leven zongen, en ze Theo de stervormige taart gaf waarmee ze tot na middernacht bezig was geweest, en die ze met chocoladeflikjes had versierd. Theo had er even onbeweeglijk naar zitten staren, naar de punten van de ster voor hem, naar de drie brandende kaarsjes die rode tranen van kaarsvet lekten en naar de flikjes die zacht werden en vervormden door de hitte. 'Blaas de kaarsjes maar uit, lieverd,' had ze in zijn haar moeten fluisteren voordat hij weer tot zichzelf kwam, weer wist waar hij was en zich over de taart heen boog. 'Doe maar een wens,' voegde ze eraan toe, misschien wel te laat.

En nu stond Felix hier, tussen haar en de kamer in.

'En, hoe gaat het met jou, Alexandra?' vraagt hij opgewekt.

Maar ze krimpt in elkaar. 'Noem me niet zo.'

'Sorry.' Hij kijkt of hij het meent. Even staan ze allebei in hun glas te turen. Ze hebben elkaar een tijd niet gezien. Als hij Theo komt opzoeken, regelt ze het altijd zo dat mevrouw Gallo er is, terwijl zij boven zit te werken. 'Je ziet er goed uit,' zegt hij.

'Dank je.' Ze glijdt langs hem heen om de kamer rond te kijken en doet alsof haar taak als gastvrouw haar opeist. Aan de andere kant van de kamer ziet ze Laurence zijn wenkbrauwen naar haar optrekken, en ze glimlacht grimmig terug.

'Mooie jurk heb je aan.' Hij buigt zich naar voren en leunt met een elleboog tegen de schoorsteenmantel. 'Waar haal je die dingen toch vandaan?'

Lexie kijkt omlaag naar haar jurk. Dit is op het moment ontegenzeggelijk haar favoriete kledingstuk: het lange scharlakenrode gewaad valt van de diep uitgesneden halslijn helemaal tot op haar enkels. 'Het is een Ossie,' zegt ze.

'Een wát?'

'Een Ossie. Een Ossie Clark.'

'Ik heb nog nooit van haar gehoord.'

'Hem. En dat verbaast me niks.'

'O nee?' Hij neemt een slok van zijn wijn en zonder het te willen kijkt ze hoe zijn lippen zich aan de rand van zijn glas zetten, hoe zijn keel beweegt. 'Waarom niet?'

'Ik zie Margot er niet zo gauw in rondlopen. Vertel 's, hoe bevalt het huwelijksleven?'

'Het is de hel op aarde,' zegt hij vrolijk, en hij drinkt zijn glas leeg. 'Mijn vrouw woont in dat godsgruwelijke mausoleum van een huis dat haar moeder ons heeft gegeven. De moeder woont trouwens in het souterrain. Officieel, althans. Maar ze brengt naar mijn zin veel te veel tijd boven de grond door. Als gevolg daarvan grijp ik elke kans aan om naar het buitenland te gaan en ben ik zo min mogelijk in Myddleton Square. Dat is mijn huwelijksleven, je hebt er nu eenmaal naar gevraagd.'

Lexie trekt een wenkbrauw op. 'O. Nou, je kunt niet zeggen dat ik je niet heb gewaarschuwd.'

'Dank je,' zegt hij, nog dichter naar haar toe buigend. 'Ik voel me overweldigd door je medeleven.'

'En hoeveel kinderen heb je nu rondlopen in het mausoleum van Myddleton?'

Hij gaat abrupt rechtop staan. 'O,' zegt hij op een andere, gespannen toon. 'Geen, om precies te zijn.'

Lexie kijkt verbaasd. 'Maar…'

'Onze zoon,' hij knikt naar het kleed waar Theo nauwgezet alle chocoladeflikjes van het glazuur van de taart pulkt, 'is mijn enige nakomeling.' Felix zucht, zet zijn glas neer en haalt een hand door zijn haar. 'Ze krijgt maar steeds…' hij maakt een onbegrijpelijk handgebaar, '… miskramen.' Hij spreekt het woord zachtjes uit. 'Steeds weer. Ze schijnt het niet voor elkaar te krijgen dat die verdomde dingen blijven zitten.'

'O, wat spijt me dat,' begint ze, 'ik had er nooit naar moeten vragen. Ik…'

'Nee, nee.' Hij maakt een wapperende beweging met zijn hand. 'Begin nou niet met die verontschuldigingen en dat medeleven.' Hij haalt diep adem. 'Het is vreselijk om het te zeggen, maar misschien is het maar beter, zo.'

'Felix…'

Maar hij wuift haar tegenwerping weg. 'Ik bedoel omdat ik niet van plan ben te blijven. Om precies te zijn heb ik kort geleden met een advocaat gesproken. Dit blijft natuurlijk strikt onder ons.'

'Natuurlijk.'

'Dat er geen kinderen zijn, maakt het wat eenvoudiger.'

'Ik begrijp het.'

'Hoewel…' Hij lijkt weer wat dichterbij te gaan staan en zijn hand glijdt over de rand van de schoorsteenmantel. 'Wij hebben het toch behoorlijk goed geregeld, vind je niet?'

'Wat geregeld?'

'Met Theo.' Verbeeldt ze het zich of voelt ze zijn hand heet en dicht in de buurt van haar middel?

'Vind je dat?'

Hij glimlacht naar haar. 'Heb je op het ogenblik iemand, Lex?' mompelt hij op diezelfde intieme toon.

Ze schraapt haar keel. 'Dat gaat je echt niks aan.'

'Waarom gaan we niet eens lunchen?'

'Ik dacht het niet.'

'Volgende week.'

'Ik kan niet. Ik werk. En ik heb Theo.'

''s Avonds dan een keer? Volgende week. Of volgend weekend?'

Volgend weekend gaat ze met Robert naar Lyme Regis, voor het eerst sinds acht maanden. Ze heeft vandaag een telegram ontvangen. Even staat ze stil bij wat Felix zou zeggen als ze hem zou vertellen dat ze een geheime afspraak heeft met Robert Lowe, en ze moet een glimlach onderdrukken. 'Nee,' zegt ze.

'We kunnen het over onze zoon hebben.' Hij legt zijn hand op haar arm.

'Wat valt er dan over onze zoon te bespreken?'

'Van alles. School, je weet wel.'

Lexie lacht schamper. 'Wil je het over Theo's schoolopleiding hebben? Sinds wanneer?'

'Sinds nu.'

'Je bent ongelooflijk.' Ze schudt zijn hand van haar arm.

'Dus dat is dan afgesproken? Gaan we volgende week eten?'

Ze glipt weg door de kamer, naar Theo. 'Ik laat het je nog horen,' zegt ze over haar schouder voordat ze bij haar zoon is, voordat hij haar rok vastgrijpt, voordat ze hem optilt en het vertrouwde, zachte gewicht van zijn lichaam op haar heup neemt.

De dag is niet wat ze zich ervan hadden voorgesteld. Toen ze uit Londen vertrokken, was de lucht een rol blauwe stof geweest die over de stad was gegooid, en elk oppervlak gloeide in de zon. Ze waren met open ramen en met het schuifdak open door de straten gezoefd. Maar hoe verder ze naar het westen reden, hoe meer wolken zich dreigend aan de horizon samenpakten en Elina voelde de wind de zijkant van de auto geselen. Nu vielen er zelfs regenspetters, die op het raampje naast haar door de wind tot strepen werden getrokken.

Ze gaan dit weekend naar het huis van Simmy's ouders. Zijn ouders zijn weg, zodat ze het rijk alleen hebben, zegt Simmy. Elina is nog nooit in een – hoe noemde Ted het gisteravond ook alweer? – een buitenverblijf geweest. Zijn er ook bedienden, had ze Ted gevraagd, en hij had zijn hoofd geschud. Zó chic is het nou ook weer niet, had hij gezegd.

Jonah slaapt in zijn kinderzitje met zijn gebalde vuistjes voor zich alsof hij in zijn dromen koorddanst met een evenwichtsstok in zijn handen. Ted en Simmy zitten voorin. Ze luisteren naar een geïmproviseerd comedyprogramma op de radio en barsten af en toe in lachen uit, maar voor Elina gaan de grappen te snel en bevatten ze te veel idioom.

Ze voelt iets opkomen wat mogelijk hoofdpijn wordt – een spanning of gevoeligheid in haar kaakgewricht en in de spieren die van haar schouders naar haar nek lopen. Maar niets ernstigs. Ze is blij dat ze eindelijk uit Londen weg is, ze geniet van de flitsen van bomen en velden die ze vanuit de auto ziet. Even denkt ze aan de reis naar Nauvo, naar haar ouderlijk huis: over de keten van eilanden, over de weg die zich over de hele archipel ontrolt, over bruggen die de zee-engten met elkaar verbinden, en dan de gele veerboot, de uitgestrekte groene vlakten, de rood-witte houten huizen, het gevoel dat je zo ver kunt reizen als er land is, tot de aarde en rotsen opraken en plaats maken voor water, klotsend, rusteloos water; en pas dan zet je de auto neer op het grind naast de veranda, naast de bomen met hun zilverkleurige stammen.

Ze moet in slaap zijn gevallen, want ze droomt dat ze met Jonah in Nauvo is, en ze lijkt hem niet uit zijn kinderzitje te kunnen krijgen; ze kan de bandjes niet losmaken, de sluiting wil niet open. En dan merkt ze dat ze met haar hoofd tegen een autoruit gedrukt zit, en ze wordt wakker en ziet dat ze niet meer op de hoofdweg zitten, maar over een smalle weg met hoge heggen in de richting van de zee rijden, een stadje in.

'Zijn we er?' vraagt ze.

'Nog niet,' zegt Simmy over zijn schouder. 'We wilden hier even stoppen om te lunchen.'

De straten van het stadje zijn smal en steil, de trottoirs stampvol mensen. Ze zetten de auto neer op een parkeerplaats achter een openbaar toilet. Onder het lopen gaan de wolken nog lager hangen. Elina heeft Jonah in zijn draagband gewikkeld en zijn gewicht drukt op de gevoelige spieren van haar nek. Simmy en Ted lopen snel de heuvel van de hoofdstraat op, Elina probeert hen bij te houden met haar armen om Jonah heen geslagen. Ze inspecteren een café en keuren het af; ze blijven bij de ingang van een tweede staan maar vinden dat het menu te armzalig is en lopen door. Een derde café heeft een goed menu, maar er is geen tafeltje vrij, een volgend heeft een redelijk menu, maar ze besluiten dat ze buiten willen zitten. Ze lopen de straat uit en daarna weer terug. Ze lopen de boulevard af die helemaal langs het stadje loopt. Voor een pub aan de haven blijven ze staan en bespreken de voordelen van lijngevangen vis. Jonah wordt wakker, merkt dat hij in de draagband ligt, vindt dat vreselijk en begint te gillen en te spartelen. Elina haalt hem eruit en draagt hem tegen haar borst, waar hij doorgaat met schreeuwen.

'Een varkensvleespasteitje,' zegt Simmy, 'is dat nou te veel gevraagd?'

Ted bekijkt een ander menu achter het raam van een restaurant dat met visnetten is versierd. 'Wat is dat toch met scampi en badplaatsen?' moppert hij. 'Alsof ze hier scampi vangen.'

Elina tilt Jonah op haar andere arm, waarbij de paarse draagband op de grond valt, en ze moet door haar knieën buigen om hem op te rapen. Een moeder met twee kinderen van verschillende leeftijd in een dubbele roze buggy en glimmend chroom werpt haar een blik toe waaruit onbegrip en afkeer spreken. Elina kijkt omlaag naar zichzelf. Ze draagt een gestreepte panty waar ze de voeten van af heeft geknipt, versleten gympen en een jurk die een vriendin voor haar heeft genaaid. Hij heeft een zoom waar allemaal lusjes aan hangen, asymmetrische mouwen en een boothals. Elina vindt hem schitterend.

'Ik ga hier zitten om Jonah te voeden,' zegt ze tegen de twee anderen. 'Kom me maar halen als jullie iets gevonden hebben.'

Elina loopt naar een bank in de luwte van het havenhoofd, waar ze uit de wind zit. Ze gaat zitten met Jonah op haar ene arm. Jonah is uitgehongerd en gespannen van woede als ze aan haar jurk zit te prutsen en haar beha loshaakt. Terwijl hij drinkt en op de melk aanvalt als een tudordespoot op een feestmaal, kijkt ze uit over de zee. Ze ziet dat het enorme havenhoofd in een bocht loopt en als een grote, beschermende arm de zee in steekt. Elina kijkt nadenkend. Ze heeft het gevoel dat ze de muur herkent. Is ze eerder in dit stadje geweest? Ze denkt van niet.

Jonah drinkt eerst van de ene borst en dan van de andere. De zee rijst en daalt, trekt zich van de zijkanten van de muur terug, krimpt ineen. Net als ze het gevoel heeft dat ze zal flauwvallen van de honger, verschijnt Simmy.

'Sorry dat het zo lang heeft geduurd,' zegt hij. 'Het zit overal stampvol. We hebben uiteindelijk maar sandwiches gehaald.' Hij geeft haar een bruine papieren zak aan. 'Hou je van kaas met pickles?'

Ze knikt. 'Alles is goed.' Ze neemt de zak aan en probeert hem met één hand open te maken, tot Simmy hem weer pakt en zegt: 'Sorry, daar had ik aan moeten denken.' Hij pakt de sandwich uit en legt die op haar knie, dit alles angstvallig, zonder naar haar blote borst te kijken. Ze neemt een hap en kijkt rond op zoek naar Ted.

Hij zit niet op de bank, hij staat niet op de havenmuur. Ze draait zich om en kijkt achter zich. 'Waar is Ted?' vraagt ze.

Simmy haalt zijn schouders op en neemt een hap van zijn sandwich. 'Zeker even gaan pissen,' mompelt hij.

'O.'

Elina eet de helft van haar lunch, trekt haar jurk weer over haar schouder, laat Jonah boeren, veegt een dunne streep opgegeven melk van haar jurk en drinkt wat water.

'Kom, laat mij hem even vasthouden,' zegt Simmy.

Elina geeft hem de baby en kijkt toe hoe Simmy hem op zijn knie zet. 'Hallo,' zegt Simmy plechtig, 'heb je lekker geluncht? Je hebt zeker weer melk gehad?' Jonah staart hem verrukt aan.

Elina staat op, zwaait haar armen omhoog en strekt ze boven haar hoofd. Ze kijkt naar de ene kant van de haven. Geen Ted. Ze kijkt weer naar de bank, waar een pakje sandwiches ligt te wachten. Die van Ted. Ze loopt van de bank weg om de andere kant van de haven te zien, waar die een bocht maakt. Niets. Waar kan hij heen zijn gegaan? Plotseling begint haar hart in een klepperend, opgejaagd ritme te kloppen, alsof het iets weet wat zij niet weet. Elina rent over de smalle, naar voren uitstekende treden naar boven. Dan staat ze boven op de muur, die zo schuin naar zee afloopt dat ze er misselijk van wordt. Ze houdt haar haar uit haar gezicht en kijkt om zich heen.

'Zie je hem?' vraagt Simmy van beneden.

'Nee.'

En opeens ziet ze hem wel. Hij is net om de bocht van de grijze muur verschenen. Hij moet helemaal naar het eind zijn gelopen. Iets in zijn bewegingen verontrust haar. De linkerarm die hij met zijn rechter vasthoudt. Het gebogen hoofd. De strompelende, ongelijke tred. Elina doet een paar passen over de schuin aflopende stenen. Ze steekt haar hand omhoog om te zwaaien. Maar Ted draait zich om, van haar weg. Hij kijkt omlaag naar de zee, die vlak onder hem rijst en daalt, en even heeft ze het idee dat hij op het punt staat erin te springen, maar Ted zwemt nooit, ze weet niet eens of hij wel kan zwemmen, hij vindt het vreselijk, zegt hij altijd, waarom willen mensen dat toch zo nodig? Ze ziet dat hij zich van het water afkeert, en dan valt hij. Of hij struikelt. Of misschien zakt hij in elkaar. Ze weet niet zeker wat er gebeurt.

Elina schreeuwt zijn naam, maar de wind voert het geluid mee. Ze zet het op een rennen, maar ze is een heel eind boven hem en ziet niet direct een weg naar beneden, en wanneer ze een andere stenen trap vindt, is die versleten en duizelingwekkend steil en moet ze opletten dat ze niet struikelt en valt. Als ze bij Ted komt staat er al een groepje mensen om hem heen. Simmy is er ook, met Jonah in zijn armen, Elina ziet zijn rug in het gestreepte overhemd. Hij zit voorovergebogen met zijn oor op Teds borst. De mensen in het groepje moeten aan haar of aan de paniek in haar ogen hebben gezien dat ze bij hem hoort, want ze gaan opzij en laten haar erdoor. Als ze bij hem is, knielt ze op de natte stenen naast hem en pakt zijn hand. Ze streelt zijn haar, ze praat Fins tegen hem en daarna Engels, en als de ambulance komt, stapt ze in en gaat naast hem zitten en houdt zijn hand nog steeds vast.

Ze moeten erg lang wachten. Er moeten veel formulieren worden ingevuld. Ze worden steeds verzocht van de ene gang naar de andere te verhuizen. En een aantal mensen stelt Elina telkens dezelfde vragen. Hoe oud is Ted? Waar woont hij? Hoe luidt zijn volledige naam? Heeft hij iets geslikt? Gebruikt hij drugs? Komen er hartproblemen, diabetes of lage bloeddruk in zijn familie voor? Is dit al eens eerder gebeurd? Nee, zegt Elina, en nee, geen drugs, geen medicijnen, Roffe, Ted Roffe, Theodoor Roffe. Iemand brengt haar een kop thee, en later geeft iemand haar een paar extra pampers voor Jonah. Dank u, hoort Elina zichzelf keer op keer zeggen, dank u, bedankt.

Simmy en zij wachten in een gang. Jonah is onrustig en huilt en drinkt nog een keer. Hij geeft over op de stoel naast haar, overvloedig, maar zonder misbaar. Hij grijpt Elina bij het haar, sabbelt er bozig op en onderzoekt vervolgens de sluiting van Simmy's jasje. Hij lijkt van zijn stuk gebracht en ongeduldig door deze onverwachte wending, alsof hij niet begrijpt waarom ze hem van de kust hebben meegenomen om hier in deze non-descripte beige gangen te zitten. Elina laat hem paardjerijden op haar knie. Jonah houdt zijn benen stijf en Elina denkt aan de blauwe plekken waarmee haar dijen morgen zullen zijn bedekt.

Dan is er een hele commotie van artsen en coassistenten en verplegend personeel die met hen willen praten, en ze hebben goed nieuws, zeggen ze. Goed nieuws! Simmy springt op en glimlacht. Het blijkt uiteindelijk toch geen hartinfarct te zijn! Ze lopen allemaal door de gang en verscheidene mensen praten door elkaar. Het woord 'ecg' wordt genoemd, en Elina heeft geen flauw idee wat het betekent, maar Simmy knikt en glimlacht nog steeds. Verder vangt Elina de woorden 'duidelijk' en 'negatieve uitslag' op. Wanneer ze de kamer binnenkomen, zegt de dokter 'een soort paniekaanval', maar Elina luistert niet, want daar ligt Ted aangekleed op bed, en hij ziet er weer gewoon uit.

Elina snelt op hem af, legt haar hand op zijn arm en kust hem op de wang, en op datzelfde moment trekt Jonah net hard aan haar haren, zodat ze 'Au' roept als haar lippen zijn huid beroeren.

Ted kijkt haar verschrikt aan. 'Wat is er?' vraagt hij terugdeinzend.

'Niks. Sorry.'

'Waarom riep je dan au?'

'Jonah trok aan mijn haar. Maakt niet uit. Hoe voel je je?'

Ted blijft haar aanstaren. En Elina ziet dat zijn gezicht bleek is, zijn pupillen zijn groot en zwart. Hij verlegt zijn starende blik naar Jonah. En dan weer naar haar. Elina werpt een blik op Simmy, die Ted aandachtig observeert.

'Eh,' zegt ze. 'Gaat het weer, Ted?'

Ted kijkt weer naar zijn zoon. Dan gaat hij achterover in de kussens liggen en staart naar het plafond. Hij legt zijn beide handen op zijn gezicht. 'Gaat het weer?' herhaalt hij heel langzaam vanachter zijn handen. 'Gaat het weer?'

Simmy schraapt zijn keel. 'De dokter zei dat je weg mag, maar als je denkt dat…'

'Het antwoord is dat ik het niet weet,' zegt Ted op vlakke toon.

Simmy en Elina wisselen een blik van over het bed. Jonah blaast tegen de huid van haar hals en sabbelt even op haar sleutelbeen, grijpt de stof van haar jurk om ervan te proeven, buigt zich in haar armen achterover om naar het plafond te kijken en schopt tegen haar buik.

'Ik ga even een toilet zoeken,' zegt Simmy. 'Ben over een paar seconden terug.'

En dan zijn ze alleen, Elina, haar man en haar baby. Het komt haar ongelooflijk voor dat ze Ted weer terug heeft nadat ze hem in de haven heeft zien vallen, nadat hij daar zo ineengeschrompeld op de grond lag, ineengeschrompeld en stuiptrekkend. Het lijkt bijna een wonder dat ze hier doorheen zijn gekomen en hier nu in een lege ziekenhuiskamer met gestreepte lakens zitten. Elina staart naar die strepen, die op dit moment net als alle andere dingen iets magisch hebben. De manier waarop ze elkaar afwisselen: wit, blauw, wit, blauw, het ineengrijpen van de schering en inslag van het katoen om dit te maken. Een laken. Voor Ted om op te liggen.

Elina gaat naast hem op het bed zitten met haar heup tegen de zijne. 'Je hebt me heel erg laten schrikken,' mompelt ze. Jonah springt en spartelt als een vis in haar armen en ze moet hem stevig bij zijn lijfje vasthouden. 'De dokter zei dat je een afspraak met je huisarts moet maken zodra we weer thuis…'

'Het punt is,' onderbreekt Ted haar, starend naar het plafond, 'dat er geen touw aan vast is te knopen. Ik weet alleen dat iedereen tegen me heeft gelogen. Over alles. Dat begrijp ik nu. En ik weet niet bij wie ik terechtkan, aan wie ik het moet vragen, omdat alles bedrog is en ik niemand kan vertrouwen, snap je?' Hij kijkt naar haar, of misschien naar een punt dicht bij haar of hij kijkt door haar heen. 'Snap je dat?'

Jonah kronkelt in haar handen en stampt met zijn voetjes op haar benen. Elina voelt haar armen trillen, voelt haar hele lijf trillen. Ze heeft geen idee wat ze moet zeggen, wat ze moet doen. Ze vraagt zich af of ze een dokter moet roepen, maar wat gaat er dan gebeuren? Wat overkomt hen?

'Ted,' weet ze uit te brengen, en dan breekt haar stem, alsof ze op het punt staat te gaan huilen. 'Waar heb je het o…'

'Goed.' Simmy is handenwrijvend de kamer weer binnengekomen. 'De dokter zegt dat we weg kunnen. Zullen we gaan?'

'Sim,' zegt Elina, maar Ted springt van het bed. 'Kom op,' zegt hij, en hij grijpt Elina bij de elleboog en trekt haar naar de deur. 'We gaan.'

'Ik denk dat we even moeten afwachten of…'

'We moeten gaan,' zegt Ted, die de deur uit loopt. 'We moeten terug naar Londen.'

Hier eindigt het verhaal.

Lexie is eind augustus tijdens een zwempartij aan de kust van Dorset geworden wat ze nu is. Zij en Theo zijn met Robert in Lyme Regis. Het is warm. Toeristen liggen te bakken en te stoven op handdoeken die op het kiezelstrand zijn uitgespreid. Ze hebben fish-and-chips gegeten, ze hebben het over het hotel gehad waar ze tijdens hun vorige ontmoeting hebben overnacht, ze hebben gediscussieerd over een artikel van Lexie dat Robert onlangs heeft gelezen, Theo heeft een emmertje met kiezelstenen gevuld, hij heeft een dode krab gevonden en Lexie heeft haar kleren uitgetrokken en is gaan zwemmen. Robert zit naar haar te kijken en wacht haar met een handdoek op. Als de man van een zeemeermin, denkt Lexie. Ze kijkt vanuit het water naar hen beiden, naar Robert op het steil aflopende kiezelstrand met naast hem de buggy waarin Theo ligt te slapen met een gebreide poes in zijn hand geklemd.

Als Lexie het water uit komt, voorzichtig lopend vanwege de scherpe kiezels, en Robert de handdoek om haar heen slaat, weet ze dat ze binnen een paar minuten met hem in bed moet liggen. Dat is een noodzakelijkheid voor haar en voor het leven zelf. Hij wrijft haar droog met de handdoek, zijn handen gaan op en neer over haar rug, haar armen en haar heupen.

'Het hotel,' zegt Lexie met lippen die van de kou vreemd en rubberig aanvoelen. 'Laten we gaan.'

En Robert zegt alleen: 'Ja.'

Ze houdt van hem om dat ja, om de manier waarop hij zich omdraait om hun tassen te pakken, om de manier waarop hij de kleren die ze heeft laten vallen een voor een over zijn arm legt, om de manier waarop hij de veters losmaakt van haar schoenen die ze in haar ongeduld om het water in te gaan heeft uitgeschopt en haar helpt ze aan te trekken zodat ze weg kan stormen terwijl hij de buggy en de slapende Theo de betonnen trap naar de boulevard op draagt, met hem over de boulevard loopt, de trap van het hotel op, langs de gechoqueerde hotelmanager, de vier trappen op, zij alleen in een bikini en een handdoek.

Om de manier waarop hij de buggy met de voorkant naar de muur zet. Om de manier waarop hij eerst het beddengoed, dan zijn overhemd en dan haar handdoek wegrukt. Ze houdt van die volgorde. Om de manier waarop zijn huid gloeiend heet aanvoelt tegen haar eigen koude huid. Om de manier waarop hij haar moeizaam probeert te bevrijden uit de stroeve, in elkaar gedraaide bandjes en haakjes van haar natte bikini, vloekend van ongeduld, tot zij het voor hem doet. Om de manier waarop hij de vochtige bundel uit haar handen grist en tegen de muur smijt. Voor de rest van hun verblijf en nog lang daarna blijft er een schaduw in de vorm van een kwal op de muur zitten, en gasten na hen zullen ernaar kijken en zich afvragen hoe die rare vlek daar is gekomen.

Ze houdt van hem om al die dingen, en om de paradox van zijn lichaam – de hardheid ervan onder de zachtheid van de huid – en om de streep haar die over zijn buik loopt en waarvan ze was vergeten dat die er was. Om de aandachtige, geconcentreerde manier waarop hij haar benadert, om de uitdrukking van opperste ernst op zijn gezicht, om het gevoel van hem in haar, eindelijk, na zo lang.

Na afloop valt hij in slaap. Lexie niet. Ze rekt zich uit, gaapt, stapt uit bed. Ze pakt haar jurk, trekt hem aan en knoopt hem dicht. Ze loopt naar Theo die nog steeds onderuitgezakt in zijn wagentje hangt, zijn ogen bewegen onder zijn oogleden heen en weer, zijn lippen zijn getuit in zijn slaap. Ze kijkt een tijdje naar hem. Ze kijkt naar hem en raakt zijn haar aan. Een van zijn handjes ligt losjes in zijn schoot en ze kijkt een poos naar de honderden kleine lijntjes die kriskras over zijn handpalm lopen.

Ze loopt naar het open raam. Beneden op de boulevard eten mensen ijsjes, leunen tegen de balustrade, lopen de steile helling naar het strand op en af. Sinds ze op het strand waren is het vloed geworden; de schuimende golven klotsen en likken aan de kademuur. Een oude man laat zijn hond tegen een standbeeld plassen. Een klein kind komt een winkel uit huppelen met een armvol sinaasappels. Lexie vindt het grappig dat iedereen doorgaat met zijn bezigheden terwijl zij, een vrouw in een jurk voor een raam, ongemerkt naar hen kan kijken.

Ze overpeinst waar ze straks kunnen gaan eten, wanneer Theo wakker zal worden, of Theo het leuk zou vinden om te vliegeren; ze heeft in een winkel een rode vlieger met een gele staart gezien die ze misschien voor hem zal kopen. Ze kijkt naar het grote, grijze havenhoofd, de Cobb, dat als een slapend serpent half de zee in steekt.

Een beweging in de buggy doet haar omdraaien. Ze loopt de kamer door. Theo wordt wakker en draait zijn hoofd van links naar rechts. Ze draait het wagentje om en knielt voor hem neer.

'Hallo,' fluistert ze.

Hij gaapt en zegt dan heel duidelijk, met zijn ogen nog dicht: 'Ik zei dat ik het niet wilde.'

'Is dat zo?'

'Ja.' Dan knippert hij met zijn ogen en kijkt nadenkend om zich heen. 'We zijn niet thuis.'

'Nee. We zijn in Lyme Regis, weet je nog? In een hotel. Je hebt een dutje gedaan.'

'Regis,' herhaalt Theo, en dan lijkt hij ingespannen bezig met een gedachte. 'Een… een emmer met steentjes.'

'Dat klopt. Hier staat hij, kijk maar.'

Hij rekt zich uit, duwt zich uit het wagentje en klemt zijn gebreide poes onder zijn arm. 'Alfie vindt het niet fijn in Regis,' verklaart hij als hij naar het emmertje loopt dat Lexie naast de deur heeft neergezet.

'O nee?'

Theo buigt zich over het emmertje en bestudeert het nauwkeurig. 'Nee,' zegt hij.

'Waarom niet?'

Theo moet even nadenken. 'Hij zegt dat het te vochtig is.'

Lexie, die op de rand van het bed zit, probeert een glimlach te onderdrukken. 'Nou ja, Alfie is een poes. En poezen hebben een hekel aan nattigheid.'

'Niet nat, vochtig.'

'Vochtig is nat, lieverd.'

'Nee, niet waar!'

'Goed dan.' Ze bijt op haar lip. 'Wil je iets drinken?'

Theo haalt de kiezels een voor een uit de emmer en legt ze op een rij. Ze ziet dat hij de grijze in de emmer laat liggen.

'Theo,' vraagt ze nog een keer. 'Iets drinken?'

Hij legt een glad, wit steentje naast een oranje. 'Ja,' zegt hij koel maar resoluut. 'Eigenlijk wel.'

Later gaan ze weer naar buiten. Lexie koopt de rode vlieger met de gele staart voor hem en ze lopen naar het strand buiten het dorp, voorbij de Cobb. Theo houdt het touw in zijn hand en Lexie slaat haar hand om die van hem. Robert kijkt naar hen vanaf een rots waar hij naar fossielen zoekt.

'Zo moet het,' mompelt ze tegen Theo. 'Nu heb je het onder de knie.'

De vlieger zweeft recht boven hen, een omgekeerde loodlijn, met zijn kronkelende, klapperende staart. Theo kijkt omhoog, opgetogen, vol ongeloof dat als hij een ruk geeft met zijn arm, dat ijle ding boven hem daarop reageert door te dansen.

'Het lijkt...' Hij probeert moeizaam te bedenken wat hij wil zeggen. '... Een hond.'

'Een hond?'

'Een... een zwevende hond.'

'O, aan een lijn, bedoel je?'

Hij richt zijn blauwe ogen op de hare, blij, verrukt dat ze hem heeft begrepen. 'Ja!'

Ze lacht en drukt zijn lijf tegen dat van haar en de vlieger boven hen duikt omlaag en zwiept heen en weer.

Na een tijdje lopen ze naar Robert toe en gaan ze samen op een rots zitten. Robert vindt een ammoniet, een opgerold, geribbeld wezen dat tot rots is versteend. Hij legt hem in Lexies hand en ze voelt dat hij langzaam warm wordt in haar hand. Theo legt weer steentjes op een rij, dit keer in volgorde van afnemende grootte.

Lexie staat op. 'Ik denk dat ik nog even ga zwemmen. Dan gaan we daarna kijken waar we gaan eten.'

Robert kijkt naar de lucht, naar de zee, die vol witgekuifde golven zit. 'Weet je het zeker?' vraagt hij. 'Het is koud aan het worden.'

'Het is goed.' Ze laat de ammoniet in de zak van haar jurk glijden.

'We hebben geen handdoek.'

'Ik droog wel op,' zegt ze lachend. 'Ik ben waterdicht. Ik ren wel rond tot ik het warm krijg.' Als ze in haar ondergoed staat, gaat ze op haar hurken zitten om Theo een kus op zijn hoofd te geven. 'Ik ben zo terug, lieverd.' En dan loopt ze over de kiezels naar beneden, over het zand, het water in. Robert kijkt hoe ze steeds verder in de zee verdwijnt – die slokt haar snel op. Haar enkels, haar knieën, haar dijen en haar middel. Dan gaat ze onder met een kreetje. Hij kijkt hoe ze een paar crawlslagen doet en hoe het water in haar kielzog schuimt, hij kijkt hoe ze onder duikt, ziet haar glimmende hoofd een eind verder door het wateroppervlak breken, en dan schakelt ze over op een gelijkmatige schoolslag.

Robert kijkt weer naar Theo. Hij duwt de stenen een voor een in het zand en roept bij iedere steen: 'Daar ga je, daar ga je, daar ga je.'

Later weet Robert niet meer precies hoeveel tijd er toen is verstreken. Hij weet dat hij weer op zoek ging naar fossielen, tevergeefs. Hij weet dat hij een paar stenen heeft gepakt en die tegen de rots heeft getikt om ze als eieren open te breken om te zien of hun binnenste iets prijsgaf. Hij weet dat hij minstens één keer naar de zee heeft gekeken en dat hij haar hoofd zag, dicht bij de bocht van de Cobb. Hij weet ook dat hij naar Theo zat te luisteren die zei: daar ga je, en zo nu en dan: ze rent rondjes tot ze het warm krijgt.

Nadat hij de derde steen heeft opengebroken, hoort hij Theo iets anders zeggen. Robert kijkt op. Theo zit niet meer boven zijn stenen gebogen. Hij staat rechtop, hij houdt zijn zanderige handjes van zich af, met de vingers gespreid, en kijkt naar de zee.

'Wat zei je, Theo?'

'Waar is mama?' vraagt het kind met zijn heldere, hoge stem.

Robert weegt een vierde steen in zijn hand, bekijkt hem, onderzoekt hem – zou die ook zo'n volmaakte ammoniet bevatten als die hij aan Lexie heeft gegeven? 'Ze is aan het zwemmen,' zegt hij, 'ze komt zo terug.'

'Waar is mama,' zegt Theo weer.

Robert kijkt uit over de zee. Hij kijkt naar links, in de richting van de Cobb, hij kijkt naar rechts. Hij gaat rechtop staan. Hij volgt de houtskoollijn van de horizon. Niets. Hij schermt zijn ogen af tegen de flauwe schittering van de ondergaande zon. 'Ze is…' begint hij. Dan loopt hij naar de waterlijn. Golven rijzen en slaan tegen het zand. Hij zoekt de zee af die zich voor hem uitstrekt.

Hij rent terug naar het strand, naar het kind dat daar nog steeds als aan de grond genageld staat met zijn handen onder het zand. Robert tilt hem op en loopt haastig over de kiezels.

'We gaan naar de Cobb en dan kijken we vandaaraf, oké?' zegt hij, en de woorden komen er niet uit zoals hij hoopt, geruststellend en kalm, maar slordig en paniekerig. 'Misschien is ze om de bocht heen gezwommen en komt ze nu aan de andere kant terug.'

Robert beklimt de trap naar de hoge muur van de Cobb. Hij rent over de schuin aflopende stenen met Theo in zijn armen geklemd. Halverwege blijft hij staan.

'Waar is mama?' vraagt Theo opnieuw.

'Ze is…' Robert kijkt. Hij kijkt en hij kijkt. Zijn ogen doen pijn van het kijken. Hij kan zich niet herinneren dat toen hij daar stond te turen, hij iets anders dan zee heeft gezien, eindeloze zee, onafgebroken rimpelend water. Om de paar seconden slaat zijn hart over omdat hij iets meent te zien, een boei, een golf met een hoge kuif. Maar er is niets. Ze is nergens te zien.

Hij klautert van de muur naar beneden, naar het lagere deel van de Cobb en rent naar het eind. Het water is hier diep, onheilspellend groen, ruw, en grijpt naar de muur. Theo begint te huilen.

'Ik vind het niet leuk,' zegt hij. 'Die zee is te dichtbij. Die zee daar.' Hij wijst ernaar voor het geval dat Robert het niet heeft begrepen.

Robert draait zich om, rent zo voorzichtig als hij kan terug over de natte Cobb, waar verscheidene vissersboten liggen aangemeerd. In één ervan staat een man met zijn armen vol geknoopte netten.

'Help alstublieft,' roept Robert naar hem. 'Alstublieft. We hebben hulp nodig.'

Dan zit Robert een hele tijd op een bankje op de Cobb, met Theo in zijn armen. Lichtbundels van de kotters, de reddingsboten en de kustwacht glijden af en toe over hen heen. Hij heeft het kind in zijn jas gewikkeld. Alleen zijn haar is zichtbaar. Theo huivert ritmisch, zachtjes, als een motor in een lage versnelling. Robert wiegt hem heen en weer, zingt met gebroken, hese stem een liedje dat hij lang geleden altijd voor zijn eigen kinderen zong. Iemand – hij ziet niet wie het is, een van de politieagenten misschien – brengt hem een gevlochten tas en zet die naast hem neer. Hij herkent hem eerst niet. Boven in de tas ligt een lap losjes opgevouwen stof. Dan ziet hij dat het Lexies jurk is, Lexies tas, dat iemand die heeft meegenomen van de plek waar ze op het strand hebben gezeten. Zonder Theo los te laten, pakt hij de jurk op. Hij ontvouwt zich in zijn vingers als iets wat een bewustzijn heeft, iets wat leeft. Hij laat hem bijna vallen, maar dan wordt hij in verwarring gebracht door het gewicht van de stof. Hoe kan iets van dunne katoen zo zwaar zijn? De jurk zwaait als een pendule heen en weer in de straffe bries. Dan herinnert hij zich de ammoniet. Die had ze in haar zak gestopt, net voordat ze…

Hij legt de jurk snel neer en propt hem weer in de tas. En dan ziet hij de knuffel waar Theo zo dol op is, de poes, tussen een wirwar van bekers, een extra korte broek, emmertjes en schepjes, een groen harkje. Hij haalt hem eruit en houdt zijn verbijsterde snuit voor het gat aan de bovenkant van zijn jas, waar Theo's lichte, goudkleurige haar zichtbaar is. Even gebeurt er niets. Dan komen er vingertjes tevoorschijn die de poes beetpakken en hem naar beneden trekken, de grot van de jas in.

En dan rennen er twee politieagenten over de bovenkant van de Cobb in de richting van de kade. Als ze hen zien, komen de andere agenten ook in beweging. Robert gaat staan en tilt Theo op. Hij hoort iemand mompelen: 'Ze hebben haar.'

En hij loopt naar voren. Een boot rondt het uiteinde van de Cobb, een kleine trawler met felle lichten, een man aan het stuurrad en een andere die met een touw op de achtersteven staat. Robert spant zijn ogen in en ziet, ongelooflijk, een in elkaar gefrommelde vorm op het dek van de boot liggen, half afgedekt met een stuk zeil, en hij wil schreeuwen, hij wil haar toeroepen, maar dan verspert een politieagent hem de weg naar de aanmerende boot en zegt: Achteruit meneer; ga alstublieft terug, neem het kind mee, breng hem weg.

Zo eindigt het. Die woorden schoten door haar hoofd. Dus zo eindigt het. Ze wist wat er zou gebeuren. Voorbij de bocht van de Cobb heeft ze nog een paar minuten lang wild met haar armen gemaaid tegen de koude, gespierde greep van de stroming. En toen zag ze het. Ze zag het aankomen. Ze wist dat het gevecht was begonnen en dat ze zou verliezen.

Op dat moment dacht ze niet aan zichzelf, aan haar ouders, haar broers en zussen, aan Innes of aan het leven dat ze achterliet toen ze de golven in ging, het moment waarop ze alles had kunnen veranderen, waarop ze de zee de rug had kunnen toekeren en op het strand had kunnen blijven. Ze dacht zelfs niet aan Robert, die daar met haar kleren zat te wachten, die algauw haar naam in de rusteloze wind zou roepen.

Toen de golven haar naar beneden trokken, kon ze alleen maar aan Theo denken.

Ze duwden haar naar boven en ze trokken haar naar beneden, en af en toe kon ze zich naar de oppervlakte vechten, kon ze het water uiteen doen wijken zodat ze adem kon halen, maar ze wist, ze wist dat het niet lang kon duren, en ze wilde zeggen: alsjeblieft. Ze wilde zeggen: nee. Ze wilde zeggen: ik heb een zoon, een kind, dit mag niet gebeuren. Omdat je weet dat niemand ooit van hem zal houden zoals jij. Je weet dat niemand ooit voor hem zal zorgen zoals jij. Je weet dat het onmogelijk is, ondenkbaar, dat je wordt weggerukt, dat je hem achter moet laten.

Toch wist ze dat ze hem niet meer zou zien. Ze zou hem vanavond niet helpen zijn eten klein te snijden. Ze zou de vlieger niet opvouwen of zijn natte kleren uithangen of voor het slapen gaan een bad voor hem laten vollopen of zijn pyjama onder het kussen vandaan halen. Ze zou midden in de nacht zijn poes niet van de vloer redden. Ze zou hem op zijn eerste schooldag niet bij het hek kunnen opwachten. Of zijn hand sturen als hij zijn naam leerde schrijven, de naam die zij hem had gegeven. Of het zadel van zijn fietsje vasthouden wanneer hij voor het eerst zonder zijwieltjes reed. Ze zou niet voor hem zorgen wanneer hij de waterpokken en de mazelen had, zij zou niet degene zijn die hem zijn medicijn toediende of de thermometer afsloeg. Ze zou er niet zijn om hem te leren bij het oversteken eerst naar rechts te kijken, dan naar links en dan nog een keer naar rechts, of zijn schoenveters te strikken, zijn tanden te poetsen, de rits van zijn parka open en dicht te doen, zijn sokken bij elkaar te zoeken na de was, een telefoon te gebruiken, boter te smeren of wat hij moest doen als hij haar in een winkel kwijtraakte, of melk in een kopje te schenken of hoe je de bus naar huis moest nemen. Ze zou niet meemaken dat hij net zo lang werd als zij en daarna nog langer. Ze zou er niet zijn wanneer iemand zijn hart voor het eerst brak of wanneer hij voor het eerst in een auto zou rijden of wanneer hij voor het eerst alleen de wereld in trok, of wanneer hij voor het eerst in de gaten kreeg wat hij later wilde doen, hoe hij zou wonen en waar en met wie. Ze zou er niet zijn om zijn schoenen uit te kloppen als hij van het strand kwam. Ze zou hem niet meer zien.

Ze vocht als een bezetene. Ze vocht voor haar leven, ze vocht om terug te komen. Dat heeft ze hem op een of andere manier altijd willen vertellen. Dat ze het heeft geprobeerd. Ze zou tegen hem willen zeggen: Theo, ik heb het geprobeerd. Ik heb geknokt omdat ik niet inzag hoe ik je alleen zou kunnen laten. Maar ik heb verloren.

Wat zou ze gegeven hebben om te winnen? Ze kon het niet zeggen.

De avond valt tegen de tijd dat ze in Londen aankomen. Elina zit achterin met haar handen tussen haar knieën geklemd. Jonah slaapt in zijn kinderzitje. Ted heeft de hele tijd recht voor zich uit zitten staren. Als ze op de Westway rijden, zegt hij: 'Breng me naar Myddleton Square.'

Simmy werpt een blik op Ted en dan kruist zijn blik die van Elina in de binnenspiegel. 'Ted,' zegt hij, 'denk je niet dat je beter…'

'Breng me naar Myddleton Square, Sim, ik meen het.'

Elina buigt zich naar voren. 'Waarom wil je daar naartoe, Ted?'

'Waarom?' snauwt hij. 'Om met mijn ouders te praten, natuurlijk.'

'Het is al vrij laat,' probeert Elina. 'Zouden ze al niet in bed liggen? Waarom wachten we niet tot…'

'Breng me erheen,' zegt Ted, en Elina is ontsteld als ze aan zijn stem hoort dat hij bijna in tranen is, 'of zet me hier af, dan pak ik de ondergrondse wel.'

'Goed,' zegt Simmy op geruststellende toon. 'Goed. Wat je wilt. Maar zal ik Elina en Jonah niet eerst thuisbrengen en dan…'

'Ik ga met Ted mee,' onderbreekt Elina hem. 'Het is goed. Jonah slaapt. Ik ga met je mee,' zegt ze en ze legt haar hand op Teds schouder.

Als Simmy op Myddleton Square stopt, is Ted de auto al uit en rent naar de voordeur van zijn ouders voordat Elina of Simmy hun veiligheidsgordels hebben losgemaakt. Elina maakt de sluiting van Jonahs kinderzitje los en doet het portier open.

'Ga je mee?' vraagt ze aan Simmy.

Simmy draait zich om en ze kijken elkaar even aan. 'Wat denk je?' zegt hij zachtjes.

'Misschien is het beter,' zegt ze snel.

Simmy neemt het kinderzitje van Elina over en ze lopen naar de deur die nu opengaat, er verschijnt een streep licht die op het trottoir valt, en daar is Teds vader, die met een glas whisky in zijn hand zegt: 'Goeie hemel. Hallo, ouwe jongen. Ik wist niet dat je zou komen.'

'Ik moet met je praten,' zegt Ted, en hij wringt zich langs hem heen naar binnen.

Beneden in de keuken zit Elina aan tafel met Simmy en Teds vader. Ted beent naar de achterdeur, naar het raam, naar de tafel en naar het fornuis.

'Wat is er aan de hand?' vraagt Teds vader, hen een voor een aankijkend.

Elina kucht en vraagt zich af wat ze moet zeggen. 'Nou,' begint ze, 'we waren in Ly…'

'Zeg me eens,' schreeuwt Ted door de keuken, en Elina draait zich snel om en kijkt naar hem. Hij heeft zijn portemonnee in zijn handen en probeert er iets – geld, een creditcard? – uit te halen. Ze staart hem onthutst aan als hij op hen af stormt. Hij smijt iets, iets wits, een stuk papier of een kaart voor zijn vader op tafel. 'Wie is dat?'

Er valt een lange stilte. Teds vader werpt een blik op het stuk papier en kijkt dan snel weg. Zijn hand gaat naar zijn borstzak om zijn sigaretten te pakken. Hij neemt er een uit het pakje, doet die in zijn mond en leunt dan opzij om een aansteker uit zijn achterzak te pakken. Elina merkt dat zijn handen trillen. Hij pakt de aansteker en zet die midden op tafel. In plaats van zijn sigaret aan te steken pakt hij het stukje kaart, een ansichtkaart, en houdt die voor zijn gezicht. Elina buigt zich opzij en kijkt er ook naar. Het is een zwart-witfoto van een man en een vrouw die tegen een muur leunen. Ze gelooft dat ze die nooit eerder heeft gezien, maar dan denkt ze dat dat misschien toch wel het geval is, en vervolgens realiseert ze zich dat het een van de foto's van John Deakin is die op de tentoonstelling hing waar ze heen zijn geweest. Hij is gevouwen en gekreukt doordat hij in Teds portemonnee heeft gezeten. Ze doet haar mond open om iets te zeggen, maar bedenkt zich.

Teds vader legt de foto neer. Hij zet hem heel voorzichtig rechtop tegen een zoutvaatje. Pas dan steekt hij zijn sigaret aan. Hij inhaleert, blaast de rook uit, en neemt nog een trek.

En dan spreekt hij de ongelooflijke woorden uit: 'Dat is je moeder.'

'Mijn moeder?'

'Je echte moeder. Lexie Sinclair heette ze.' Hij wrijft met zijn wijsvinger over zijn wenkbrauw.

Ted steunt met beide handen tot vuisten gebald op de rand van de tafel. Hij heeft zijn hoofd gebogen als een smekeling, als iemand die op het punt staat zijn communie te ontvangen. 'Zou je me dan willen vertellen,' vraagt hij, 'wie daar boven ligt te slapen?'

Felix neemt een lange haal van zijn sigaret. 'De vrouw die jou heeft grootgebracht. Vanaf dat je drie was.'

'En jij?' vraagt Ted. 'Ben jij mijn vader?'

'Ja. Zonder enige twijfel.'

'En er is iets met haar gebeurd. Met mijn moeder. In Lyme Regis.'

Felix knikt. 'Ze is verdronken.' Hij zwaait zijn sigaret boven zijn hoofd rond. 'Een ongeluk bij het zwemmen. Jij was erbij. Het was ongeveer een week na je derde verjaardag.'

'Was het… Was jij erbij?'

'Nee. Er was… een vriend van haar bij jullie. Ik ben je die nacht komen ophalen. Ik heb je hierheen gebracht en… en Margot heeft voor je gezorgd.'

Ted pakt de ansichtkaart. Hij kijkt naar zijn vader, wiens gezicht vochtig is, en hij kijkt naar Elina. Of liever gezegd, hij laat zijn ogen over haar heen glijden terwijl hij zich omdraait naar de ramen die op de tuin uitkijken.

'Luister, ouwe jongen,' zegt Felix, die opstaat. 'Ik besef dat het er niet goed uitziet. Misschien hebben we er geen goed aan gedaan om het voor je geheim te houden, bedoel ik, maar het spijt ons…'

'Het spijt je?' herhaalt Ted tegen zijn vader. 'Het spíjt je? Dat je mijn hele leven lang tegen me gelogen hebt? Dat je iemand anders voor mijn moeder hebt laten doorgaan? Dat je net hebt gedaan of dit allemaal nooit is gebeurd? Het is… het is onmenselijk,' brengt hij met hese fluisterstem uit. 'Besef je dat? Ik bedoel, hoe heb je het voor elkaar gekregen? Ik was verdomme drie. Hoe kon je dat doen?'

'We…' Felix laat zijn schouders hangen. 'Het punt is, dat je het eigenlijk… vergeten bent.'

'Ik ben het vergeten?' sist Ted. 'Hoe bedoel je, ik ben het vergeten? Dat is niet iets wat je vergeet – dat je je moeder ziet verdrinken. Waar heb je het over?'

'Het klinkt raar, dat weet ik. Maar je kwam hier en je…'

'Wat is er aan de hand?' kweelt een stem uit de deuropening. Iedereen draait zich om, en daar staat Margot, haar haar aan één kant plat, een kamerjas strak om haar middel gesnoerd en een verwarde glimlach op haar gezicht. 'Ted, ik had geen idee dat je hier was. En Simmy en die lieve Jonah! Wat doen jullie allemaal…' Haar stem sterft weg. Ze kijkt ze een voor een aan. Haar uitdrukking verandert in onzekerheid, en daarna in wantrouwen. 'Wat is er aan de hand? Waarom is iedereen…' Ze loopt behoedzaam de kamer in. 'Felix?'

Felix pakt de ansichtkaart uit Teds vingers. Hij geeft hem aan Margot. 'Hij weet het,' zegt hij, en hij gaat naast haar staan, een eindje van haar af, trekkend aan zijn sigaret, alsof hij met haar in de rij staat, voor een bus misschien, alsof ze niet meer voor hem is dan een onbekende die toevallig dezelfde kant op gaat.

Felix, Margot en Gloria zitten in de keuken van Myddleton Square aan tafel. Tegenover hen zit het jongetje. Hij zit volkomen stil, op elke knie rust een hand met de palm naar boven, zijn hoofd houdt hij licht gebogen. Onder zijn ene arm heeft hij een versleten knuffel geklemd, een poes. Hij lijkt niet eens met zijn ogen te knipperen. Hij staart naar het bord met worst voor hem. Of misschien staart hij erlangs, naar iets wat hij op het tafelkleed ziet. Hij lijkt wel een wassen beeld van een jongetje, een beeltenis, een beeldhouwwerk. Jongetje, Aan Tafel.

'Heb je geen honger?' vraagt Margot met heldere stem.

Hij geeft geen antwoord.

'Je moet wel je bord leeg eten,' valt Gloria haar bij, 'dan word je groot en sterk.'

De worsten zijn afgekoeld en liggen nu in plasjes gestold vet. De gekookte aardappelen ernaast zien er bloemig en droog uit. Margot frunnikt zenuwachtig aan haar haar om het aan de zijkant wat meer volume te geven; haar moeder zegt altijd dat ze een smal gezicht krijgt als haar haar plat zit.

'Luister, ouwe jongen,' zegt Felix, 'ik ga zo naar de tuin, en weet je wat ik ga doen?' Hij zwijgt even om te kijken of de jongen antwoordt, maar dat doet hij niet, dus Felix gaat verder. 'Ik ga fikkie stoken. Daar wil je me vast wel mee komen helpen, hè? Een groot vuur maken?'

Margot heeft sinds vanmorgen niet direct tegen Felix gesproken. Ze heeft hem niet vergeven dat hij het jongetje de afgelopen nacht in de kinderkamer heeft laten slapen. De kinderkamer die ooit van haar is geweest en die ze twee jaar geleden heeft ingericht en versierd met een strook met hobbelpaarden en duveltjes-uit-een-doosje en een bijpassend sleutelbloemgeel dekentje.

'Waar had ik hem anders moeten laten slapen?' had Felix gezegd toen ze bezwaar maakte.

'Weet ik veel,' had ze gegild. 'In de logeerkamer.'

'De logeerkamer?' Hij had haar aangestaard alsof ze een vreemde voor hem was. Hij had zich krachteloos tegen de muur van de overloop aan laten vallen, met zijn regenjas en autohandschoenen nog aan, zijn gezicht krijtwit en half zichtbaar in het schemerige licht. Iets zei haar dat ze dit gesprek moest afkappen; dat ze hem moest meenemen naar de zitkamer, hem een whisky moest inschenken en zijn jas moest aannemen. Maar dat kon ze niet. Hij had dat jongetje daar te slapen gelegd, onder haar sleutelbloemdekentje.

'Het is míjn kinderkamer,' had ze geprobeerd uit te leggen, maar ze hoorde het geblèr in haar stem en ze zag de vonk van woede in zijn ogen. Hij had zich van de muur af geduwd en was heel dicht bij haar komen staan, en een ogenblik dacht ze dat hij haar zou slaan. 'Dat kind,' zei hij op een zachte, angstaanjagende toon, 'heeft zijn moeder net verloren. Begrijp je dat? Hij heeft zijn moeder zien verdrinken. En jij kan alleen maar aan jezelf denken. Ik…' hij aarzelde, zoekend naar de juiste woorden, zoals hij soms ook deed als ze hem op tv zag, als hij werd geconfronteerd met iets aangrijpends, een overstroming, een zware hongersnood, het instorten van een beroemd gebouw, '… ik walg van je.' Toen had hij zich omgedraaid en was hij de trap af gelopen. En ze had geweten dat ze het daarbij had moeten laten, dat ze niets meer had moeten zeggen, maar op een of andere manier had ze zichzelf niet in de hand en schreeuwde ze hem na: 'Je bent overstuur omdat zíj het is, hè? Je kunt het niet verdragen dat ze dood is. Je houdt van haar. Je houdt van háár en je… je veracht mij. Je denkt dat ik dat niet weet, maar ik weet het wél. Ik wéét het!'

Onder aan de trap had hij zich omgedraaid en haar aangekeken. In het licht van de lamp in de hal zag ze opeens dat hij had gehuild. 'Je hebt gelijk,' zei hij zachtjes. 'Op alle punten.' Toen was hij zijn werkkamer binnen gegaan en had de deur achter zich gesloten.

In de keuken staat Felix op en gaat naar de gootsteen. Hij drinkt een glas water, laat zijn glas staan en loopt op zijn zoon af. Hij legt zijn hand op diens hoofd. 'Zullen we beginnen, ouwe jongen?'

Het kind verroert zich niet. Margot is er niet eens zeker van dat hij weet dat Felix er is. Naast zich hoort ze haar moeder zuchten.

'Met het vuur?' dringt Felix aan. 'Wat denk je ervan?'

Het kind zegt niets. Felix blijft nog even bij hem staan, duidelijk ten einde raad.

Margot schraapt haar keel. 'Waarom begint papa niet vast,' zegt ze tegen het kind met een hoge, broze stem die ze deze lange ochtend al de hele tijd lijkt te bezigen, 'en dan ga je naar hem toe als je zover bent. Wat vind je daarvan?'

Hij knippert met de ogen en Margot en Felix buigen zich naar voren en luisteren ingespannen om elk geluid op te vangen waarvan hij hun deelgenoot wenst te maken. Maar er komt niets.

'Nou,' zegt Felix op dezelfde toon als Margot – het schijnt besmettelijk te zijn. 'Dat ga ik doen. Ga jij maar voor het raam staan kijken.' Hij doet bij de achterdeur zijn laarzen aan en loopt over het pad de tuin in. Gloria mompelt iets over een dutje en verdwijnt naar haar kamers.

Zo blijft Margot alleen achter met het jongetje. Ze observeert hem. Zijn haar dat in het zonlicht glanst en er heel sluik en glad uitziet. De schoudertjes onder het overhemd dat, ziet ze, bij de kraag is versteld. Hij heeft dezelfde vastberaden kin als zijn moeder, ziet ze, dezelfde neuslijn en haar lichte overbeet. Margot kijkt weg. Ze slaat haar benen over elkaar, plukt een stofje van haar trui en duwt haar kapsel wat omhoog om het meer volume te geven.

Als ze weer naar hem kijkt, ziet ze dat het kind haar recht aankijkt, en de donkere, openhartige ogen brengen haar zo van haar stuk, brengen haar zo in verlegenheid dat ze bijna een schrikbeweging maakt.

'O,' lacht ze even, en ze staat op uit haar stoel. Ze moet die starende blik zien te ontwijken die zo verdomd veel op die van zijn moeder lijkt. Om zichzelf een houding te geven pakt ze het bord met worst. 'Zullen we deze dan maar weghalen?' en loopt ermee naar het aanrecht, waar ze het eten van het bord in de vuilnisbak schraapt en het bord in de gootsteen zet zodat de schoonmaakster het later kan afwassen. Dan krijgt ze een idee.

Ze loopt naar de tafel, waar ze zich vooroverbuigt zodat ze op gelijke hoogte met de jongen is.

'Theodoor,' zegt ze, en ze slikt, probeert voor zichzelf te ontkennen dat ze ondertussen weet dat zijn tweede naam Innes is, en ze betrapt zich erop dat ze denkt: hoe durft ze, dat vervloekte mens, laat haar naar de hel lopen, maar dan schaamt ze zich voor die gedachte, 'heb je zin in ijs? Hm? We hebben vanille en…'

'Ik ben Theodoor niet,' zegt hij op heldere toon, en zijn stemgeluid verrast haar. Heser dan ze had gedacht, lager. Hij zegt 'f' in plaats van 't': Feodoor.

'O nee?'

'Nee.' Hij schudt zijn hoofd heen en weer.

'Wie ben je dan wel?'

'Ik ben een hele scherpe schaar.'

Margot knippert met haar ogen. Ze denkt erover na. Ze denkt daar heel serieus over na, maar ze weet niet hoe ze moet reageren. 'Nou,' zegt ze uiteindelijk. 'Wel heb ik ooit.' Ze lacht even. 'En hoe zit het nou met dat ijs?'

'Ik lust geen ijs.'

'Lust je geen ijs? Natuurlijk wel! Alle kinderen houden van ijs!'

'Ik niet.'

'Vast wel.'

'Nee, ik lust het niet.'

Margot komt overeind. Ze is hier niet goed in. Ze weet niet veel van kinderen af. Ze slaat de handen ineen voor haar schort. Ze gaat niet huilen, dat gaat ze niet doen, dat gaat ze niet doen. Maar ze kan niet voorkomen dat ze zich die onheilspellende, hete stortvloed daar beneden herinnert, op die plaats die je niet graag bij de naam noemt, de ontstellende edelsteenroodheid ervan, en hoeveel er altijd van is, zoveel, een ongelooflijke hoeveelheid, meer dan ze ooit had gedacht dat haar lichaam zou kunnen bevatten.

Ze loopt naar het raam en kijkt naar Felix die achter in de tuin bladeren op een sloom smeulend vuurtje schept. Je hebt gelijk, had hij gezegd, op alle punten. Je hebt gelijk. De tranen voelen heet aan op haar wangen. Ze volgen de lijn van haar hals en verdwijnen in de kraag van haar trui.

Vanuit haar ooghoek ziet ze iets bewegen door de lucht, iets laags, iets goudgeels, en ze schrikt. Het is het kind. Het is ongelooflijk, maar ze was hem even vergeten. Hij is naast haar bij de openslaande deuren komen staan. Ze veegt haar gezicht snel af en lacht naar hem. Maar hij kijkt aandachtig de tuin rond.

'Kijk,' probeert ze opnieuw, 'daar is papa. Hij heeft een vuurtje gemaakt, zie je wel? Zoals hij had beloofd.' Ze hoort hoe hol haar woorden klinken. Ze zal hier nooit goed in worden, ze heeft het gewoon niet. Misschien gebeurt het daarom telkens weer. Ze kan niet goed met kinderen omgaan, heeft er geen gevoel voor, geen talent, of hoe je het ook wilt noemen. Ze klinkt als een actrice die speelt dat ze een ouder is.

'Is dat mijn papa?' vraagt het jongetje.

'Ja, schatje, natuurlijk,' zegt Margot met een helder lachje terwijl ze nog een traan wegveegt en het haar aan de rechterkant van haar hoofd nog eens omhoog duwt.

De jongen kijkt nadenkend. Hij tilt zijn hand op en legt hem tegen het glas. 'Is dit...' begint hij, maar zwijgt vervolgens.

Margot wacht.

'Is dit mijn tuin?' vraagt hij, en hij draait zich naar haar om en raakt haar hand met de zijne aan, waardoor ze bijna naar lucht moet happen.

'Ja, Theodoor, dat is jouw tuin. Je mag erin spelen wanneer je wilt, en…'

'Ik heet geen Theodoor,' zegt hij weer. Feodoor.

'Ik snap het,' zegt Margot. Ze gaat op haar hurken zitten en houdt zich tegen de deur in evenwicht zodat ze met hem op gelijke hoogte is. 'Dat is een hele mond vol, hè? Ik kende vroeger ook iemand die Theodoor heette, maar iedereen noemde hem Ted.'

'Ted,' herhaalt de jongen, nog steeds naar buiten starend. 'Waar is de schommel?'

'Wil je een schommel? Daar kunnen we wel voor zorgen.'

'De oranje.'

'Natuurlijk. Een oranje schommel. Wat je maar wilt.'

En dan zegt hij zonder haar aan te kijken: 'Ben jij mijn moeder?'

Het woord heeft een buitengewoon effect op Margot. Het lijkt van boven naar beneden door haar heen te vallen, als een munt in een automaat. Het lijkt de knoop te ontwarren die al heel lang in haar binnenste zit. Ze kijkt naar het kind naast haar en kijkt dan over haar schouder. Ze komt overeind en haalt haar tong over haar lippen, die opeens droog aanvoelen. De kamer is leeg. Rozen in de knop staan stijfjes in een porseleinen vaas, hun getuite mondjes dicht. De wijzerplaat van de klok op de schoorsteenmantel tikt rustig voort, onwetend, omringd door houten engeltjes met geverniste armen en benen. De porseleinen herderinnetjes in de nis buigen zich bezorgd naar elkaar toe met hun door glazuur verstopte oortjes. Er klinkt een geluid uit de keuken, het zou kunnen dat er iets van een plank is gevallen, of dat twee borden in de gootsteen zijn verschoven. Margot kijkt weer naar de jongen. Hij heeft zijn gezicht naar haar opgeheven, onzeker en angstig, houdt zijn hoofd schuin alsof hij een geluid probeert op te vangen. Het gordijn naast hem beweegt lichtjes op een tocht-vlaag uit de tuin.

Margot slikt. Weer laat ze haar tong over haar lippen glijden. Ze neemt zijn hand in de hare. 'Ja,' zegt ze snel. 'Ik ben je moeder.'

Elina rent de trap af en doet de voordeur open. Simmy staat op de stoep onder een enorme paraplu.

'Hoi,' zegt hij, 'hoe is het?'

'Heel blij je te zien,' weet ze uit te brengen. 'Zo is het met me.'

Hij komt de hal binnen en schudt zijn paraplu uit. Water spat van hem af, en Elina moet denken aan een hond die uit een meer komt. 'Pokkenweer,' zegt hij. Dan buigt hij zich naar haar toe en kust haar lichtjes op de wang.

'Bedankt dat je gekomen bent,' mompelt ze terwijl ze hem bij de elleboog grijpt. 'Ik weet het niet… ik wist niet wat ik anders kon… ik bedoel, ik wil hem niet alleen laten… snap je… helemaal alleen… ik kon niet gewoon de deur uitgaan en…'

Simmy knikt en geeft een troostend klopje op haar hand. 'Natuurlijk, natuurlijk. Ik doe het graag. Wanneer je maar wilt. Ik meen het.'

Er klinkt een hoog gegil uit de zitkamer. Elina veegt een traan van haar wang. 'Ik moet even…'

'Ga je gang,' zegt Simmy.

Jonah ligt op zijn speelkleed op de vloer van de zitkamer. Hij rolt op zijn buik, en dan weer terug. Hij steekt zijn beentjes in de lucht, laat ze opzij vallen en wurmt zich dan weer op zijn buik. Dan weer op zijn rug. Dat blijft hij maar doen. Hij hijgt en gromt van de inspanning.

'Fascinerend,' mompelt Simmy terwijl hij hem gadeslaat. 'Wat moet dat een moeite kosten.'

'Ja, hè?' zegt Elina. 'Gisteren heeft hij het de hele dag gedaan, en vandaag weer. Hij is bijna zover dat hij gaat kruipen. Maar nog niet helemaal.'

'Het is bijna pijnlijk om aan te zien,' zegt Simmy. 'Je zou hem eigenlijk willen helpen.' Hij houdt zijn hoofd schuin. 'Het lijkt wel een paardensprong, vind je niet? Bij schaken. Opzij en dan naar voren, opzij en dan naar voren.' Dan slaat hij de handen in elkaar en kijkt Elina aan. 'Nou, vertel eens. Wat is er gebeurd?'

Elina zucht en gaat zitten. Dan laat ze zich op de grond zakken en knielt naast Jonah neer. 'Hij wil niet uit bed komen,' zegt ze op zachte toon. 'Hij wil niet praten, hij zegt helemaal niks. Hij wil niet eten. Ik krijg hem met de grootste moeite zover dat hij iets drinkt. Hij slaapt niet de hele tijd, maar hij lijkt het grootste deel van de dag te slapen, en 's nachts ook. Ik weet niet wat ik moet doen, Sim.' Ze kan hem niet aankijken, en daarom pakt ze maar een speeltje van Jonah, een rammelaar met een belletje, en schudt ermee. 'Ik weet niet of ik een dokter moet bellen of... of... maar ik weet niet wat ik dan moet zeggen.'

'Hm. En hebben Felix en... heeft Felix al iets van zich laten horen?'

'Hij is langsgekomen. Hij belt elke dag. Soms twee keer.'

'En Ted wil niet met hem praten?'

Elina schudt haar hoofd. 'Zij is ook langs geweest,' fluistert ze. 'Toen heeft Ted...'

'Het raam kapotgeslagen?'

Ze knikt en slikt moeizaam. 'Het was vreselijk, Sim. Ik dacht dat hij...'

Simmy schudt zijn hoofd. 'Arme Kleine Mie,' mompelt hij.

'Nee hoor,' zegt ze snel. 'Het is arme Ted.'

'Nou, arme allebei dan.'

Elina neemt Jonah op haar heup. 'Laten we maar naar boven gaan,' zegt ze. Terwijl ze de trap op lopen, fluistert ze tegen Simmy: 'Ik blijf niet lang weg. Niet meer dan een uur, denk ik. Ik weet niet eens of ik er wel goed aan doe. Maar als het helpt... snap je?'

'Natuurlijk,' zegt Simmy. 'Het is de moeite van het proberen waard. Hoe klein de kans ook is.' Hij rommelt even in zijn zakken en geeft haar zijn autosleutels. 'Hoor eens, neem mijn auto maar.'

Ze kijkt naar de sleutels in haar hand. 'Sim, dat hoeft niet. Ik kan een taxi nemen.'

'Nee, neem hem nou maar. Hij staat voor de deur.' Hij vouwt haar vingers om de sleutels. 'Toe nou maar.'

Ze knikt en laat de sleutels in haar zak glijden. 'Dank je,' zegt ze.

'Geen dank.'

Ze zijn op de overloop aangekomen.

'Ted?' zegt Elina. Ze aarzelt bij de openstaande deur van hun slaapkamer. Er valt een trapeziumvormige lichtvlek op het kleed; een enkele blauwe sok ligt in het midden ervan, als een acteur in een spotlight.

'Ted?' zegt ze weer.

Ted ligt op bed, onder het dekbed. Hij ligt opgerold, met zijn gezicht naar de muur.

'Ted, Simmy is er.'

De ineengedoken vorm in het bed verroert zich niet.

'Hoor je me?' vraagt Elina. 'Simmy is je komen opzoeken. Ted? Hoe voel je je?'

Over haar schouder werpt ze Simmy een blik toe. Hij loopt naar voren.

'Ted,' zegt hij, 'ik ben het. Luister, Elina gaat even weg, en daarom kom ik je gezelschap houden. Ik heb tijdschriften, ik heb kranten en ik heb iets te snacken bij me. Ik heb zelfs een roman van zeshonderd pagina's over gedetineerden achter de hand, dus we hoeven ons niet te vervelen.' Simmy laat zijn zware lijf in een stoel zakken. 'Zullen we met de bajesklanten beginnen? Of wil je liever wat lichtere kost over de stand van de economie?' Zonder het antwoord af te wachten slaat hij de roman open en begint hardop te lezen met een sonoor, nep-Australisch accent.

Elina blijft nog even wachten, dan buigt ze zich over Ted heen en kust hem op de wang. Hij heeft zijn ogen dicht, en de stoppels op zijn gezicht prikken tegen haar lippen. 'Dag,' fluistert ze. 'Ik blijf niet lang weg.'

De vloer in de hal van het huis op Myddleton Square is betegeld met blauwe en witte achthoeken. Ze lopen vanaf de voordeur, vanaf de deurmat helemaal tot voorbij de trap: een geometrisch vlak, een kubistische impressie van licht op water.

Aan de voet van de trap loopt een dunne, kronkelige barst door een paar tegels. Margot ergert zich daar vaak aan. Ze heeft het erover gehad om ze te laten vervangen, maar ze is er nooit aan toegekomen. Achter in de jaren zestig zijn ze onder toezicht van Gloria een keer gerepareerd met lijm en poetsmiddel, maar in de loop der tijd zijn de tegels weer losgekomen en ze klepperen nu als je erop stapt.

Op diezelfde tegels of in ieder geval daar vlakbij, stond Innes toen hij uit Duitsland terugkeerde van zijn gevangenschap en boven aan de trap een man in zijn vaders kamerjas zag staan. De man vroeg: 'Wie ben jij verdomme?' En terwijl hij daar stond, op die losliggende, gebarsten tegels, besefte Innes dat zijn huwelijk voorbij was, dat zijn leven opnieuw een onverwachte wending zou nemen.

Het was Innes die de tegels had beschadigd, hoewel geen van de huidige bewoners dat weet. Op een regenachtige dag aan het eind van de jaren twintig had de zevenjarige Innes een metalen dienblad uit de keuken gepikt en het helemaal naar boven gesjouwd, en vervolgens was hij over het tapijt van de ene overloop naar de andere overloop naar beneden gesleed, over de heuvels en dalen van de trap, tot hij met een daverende dreun in de hal neerkwam. De kracht waarmee de rand van het dienblad tegen de victoriaanse tegels sloeg, veroorzaakte een langgerekte, kronkelige barst; Innes werd naar voren geslingerd en klapte tegen de scherpe rand van een kapstok aan. Op zijn geschreeuw kwam Consuela de keuken uit rennen en kwam zijn moeder uit de zitkamer op de bovenverdieping gesneld. Er lag die dag een hoop bloed op de tegels, rood op het blauw en wit. Hij kreeg twee hechtingen op zijn voorhoofd en zou daar de rest van zijn leven een klein verticaal litteken hebben.

De achthoekige tegels lopen door tot voorbij de vroegere garderobe, waar Margot een toilet in heeft laten maken, waar Elina onlangs dat gedoe met Jonah had, en eindigen bij de kelderdeur. De keldertrap loopt in een bocht naar beneden, de treden zijn smal en het is er donker – een van de lampen is vorige week doorgebrand en Felix, weer typisch Felix, is er nog niet aan toegekomen om hem te vervangen; eerlijk gezegd heeft hij niet eens opgemerkt dat hij kapot was.

Met een zacht geluid valt er een druppel in de porseleinen gootsteen. Plets, klinkt het onophoudelijk en regelmatig, plets. Het geluid is hard genoeg om de gedachten van de persoon die in de kamer zit af te leiden.

Gloria is in haar rolstoel bij de openslaande deuren naar de patio geparkeerd. Elke ochtend komt er een thuishulp van de gemeente om haar aan te kleden en haar ontbijt klaar te maken; daarna rijdt ze haar hierheen om 'in het zonnetje te zitten'. Gloria zit met gebogen hoofd, haar ogen gericht op het glimmende metaal van de armleuningen van haar rolstoel. Ze zit op de plek waar haar dochter lang geleden op een ochtend met Theo stond te kijken hoe Felix achter in de tuin een vuurtje maakte. De thuishulp heeft Gloria's haar vanmorgen geborsteld en haar hoofdhuid tintelt nog na van de borstelharen, en het geluid van de druppende kraan brengt haar in verwarring, verstoort haar gedachten. Ze denkt aan een telegram dat wordt bezorgd, de jongen die aan de deur komt en zegt: een telegram voor u mevrouw – plets – ze denkt aan de theepot die ze van haar moeder heeft gekregen, hoe mooi die was, met een vergulde rand. En natuurlijk sleet het verguldsel eraf omdat de werkster erop stond hem met een pannenspons schoon te maken – plets – ze denkt aan een dagtochtje naar Clacton, voordat hij de oorlog in ging, de lucht zag eruit alsof er regen op komst was, en hij noemde het, terwijl hij haar hand vasthield – wat was het ook alweer? – een chiaroscurolucht, later had ze het moeten opzoeken.

Gloria zit hier al een hele tijd alleen beneden. Niet dat ze tegenwoordig nog veel besef van tijd heeft. Maar waar zijn de andere bewoners van het huis vandaag? De tuin is verlaten. De schommel zwaait wezenloos heen en weer. Het oppervlak van de vijver weerspiegelt een stuk lucht. De bomen strekken hun takken stijf uit en aan het eind daarvan beginnen de bladeren te kleuren en te krullen.

Boven slaat een klok het middaguur; een paar seconden later beantwoordt een andere klok de eerste met een hogere toon.

Margot zit in een stoel bij het raam van de zitkamer. Ze weet het niet, maar het is de stoel waar Ferdinanda altijd graag in zat als ze met haar borduurwerk bezig was: een *Georgian* bakerstoel zonder armleuningen, met een lage zitting en sierlijke, gegroefde poten. Sindsdien heeft Gloria hem laten overtrekken met een nogal lelijke, tomaatrode fluwelen stof. Bij toeval staat hij dicht bij de plaats waar Ferdinanda hem altijd had staan – schuin naar het raam toe gekeerd, naar het licht.

Margot heeft op verschillende plaatsen in het huis de hele ochtend af en aan zitten huilen. Nu zit ze hier, omringd door papieren zakdoekjes, met haar hoofd op haar arm. Ze huilt nog steeds, nu hortend en met het opgezwollen gezicht van iemand die uitgeput is van verdriet.

Boven haar, twee verdiepingen boven haar, voorbij de slaapkamers, helemaal op zolder, is iemand bezig zware dozen en meubilair te verschuiven. Iemand is iets aan het zoeken. Een klap, een bons, gevloek, stilte, en dan weer een bons.

Margot snikt, trekt nog een zakdoekje uit de doos, snuit haar neus, snikt weer, stopt dan en haalt plotseling diep adem. Felix staat in de deuropening. Hij heeft een oude, stoffige typemachine in zijn handen.

'Felix,' zegt Margot op onvaste toon, 'die is van mij.'

'Niet waar.'

'Die is van mijn vader geweest. Dat heeft moeder nog gezegd en…'

'Hij is van Lexie geweest. Dat weet ik.'

'Ja maar, kijk…'

'En alle andere spullen?' zegt Felix zo zacht dat Margot zich moet inspannen om hem te verstaan, en ze kent die stem. Het is de stem die hij vroeger gebruikte in interviews met aalgladde politici – ijzig kalm en bedrieglijk beleefd. Het is de stem waarmee hij tegen hen en tegen de kijkers zei: ik heb je beet en ik laat je niet ontsnappen. Het is de stem waarmee hij lang geleden beroemd is geworden.

En nu gebruikt hij die toon tegen haar. Margot slikt, er wellen weer tranen op in haar ogen. 'Wat bedoel je?' vraagt ze en ze probeert zichzelf weer onder controle te krijgen.

'Je weet best wat ik bedoel,' zegt hij op dezelfde kille, beleefde toon. 'Lexies spullen. Waar zijn die?'

'Welke spullen?' schreeuwt ze tegen hem, maar ze weet dat hij haar te pakken heeft, en ze weet dat hij dat weet.

'Haar kleren, haar boeken, haar spullen uit het appartement. De brieven die Laurence aan Ted heeft geschreven.' Hij noemt die dingen met een eindeloos geduld op. 'Al die spullen die ik uit haar appartement heb gehaald en op zolder heb gezet.'

Margot haalt haar schouders op en schudt tegelijkertijd haar hoofd. Ze pakt nog een zakdoekje.

Felix zet de typemachine neer. Hij loopt op haar af. 'Wil je me vertellen,' zegt hij, 'dat het allemaal weg is?'

Margot houdt het zakdoekje tegen haar gezicht. 'Ik… ik weet het niet.'

'Dit is ongelooflijk,' zegt hij, nu op veel luidere toon. Ze was vergeten dat de stem vervolgens snerpend gaat klinken, bazig, bloeddorstig. 'Ongelooflijk. Het is weg, hè? Jij en die teef van een moeder van je hebben het allemaal weggedaan. Achter mijn rug.'

'Niet schreeuwen,' jammert ze, hoewel ze weet dat hij niet schreeuwt, dat Felix nooit schreeuwt, dat hij dat nooit hoeft te doen.

'Voor de draad ermee,' zegt hij over haar heen gebogen. 'Heb je alles weggegooid?'

'Felix, ik vind werkelijk…'

'Geef nou maar gewoon antwoord. Ja of nee. Hebben jullie alles weggegooid?'

'Ik laat me niet zo intimideren…'

'Ja of nee, Margot.'

'Hou alsjeblieft op.'

'Kom op. Als je zo flink bent om het te doen, ben je ook flink genoeg om het te zeggen. Zeg: ja, ik heb het allemaal weggegooid, alles.'

Er valt een stilte in de kamer. Margot pulkt aan de huid om haar nagels en gooit een zakdoekje op de grond.

Felix draait zich om en loopt naar het raam. 'Je beseft toch,' zegt hij tegen het glas, 'dat Elina zo komt? Dat ik haar heb gevraagd te komen? Ik heb haar gezegd dat we Lexies spullen op zolder hadden. Dat we ze aan Ted zouden geven en dat hij ze dan kon bekijken. Dat is het minste wat we kunnen doen, heb ik tegen haar gezegd. Snap je dat ze die straks komt halen, en dat jij,' hij richt zich tot haar, 'ze allemaal hebt weggegooid.'

Margot krijgt een nieuwe huilbui. 'Het spijt me,' jammert ze, 'het was niet mijn bedoeling om…'

'Het spijt je. Het was niet je bedoeling,' herhaalt Felix langzaam en sarcastisch. 'Zal ik dat dan maar tegen Ted zeggen? Het was niet de bedoeling van Margot om de spullen van je overleden moeder weg te gooien, maar ze heeft het toch gedaan. Bij God,' sist hij, 'Elina kan hier elk moment zijn. Jij mag haar vertellen dat we alleen nog maar een oude typemachine en een paar stoffige schilderijen hebben en je mag haar ook uitleggen waarom…'

Margot komt half uit haar stoel overeind. 'Die schilderijen zijn van mij, Felix,' begint ze. 'Ze zijn nooit van Lexie geweest. Ze zijn altijd van mij geweest. Ik heb genomen wat van mij was en…'

'Bespaar me je kleinzielige, inhalige…' Felix zwijgt. Beneden gaat de deurbel.

Felix doet de voordeur open. Elina staat op de stoep. Ze is zoals gewoonlijk gehuld in een wonderlijk ensemble: een lang, wijd geval waarvan de zoom gescheurd en gerafeld is. Paarse panty. Gympen met verfvlekken. Jonah ligt als een buideldiertje in een draagdoek tegen haar borst. Hij is wakker, zijn ogen zijn groot van verbazing, en als hij Felix ziet, glimlacht hij verrukt. Van zijn moeder kan dat niet worden gezegd.

'Elina,' zegt Felix, en hij stapt opzij om haar binnen te laten. 'Hoe is het met je, lieverd?'

'Het is…' zegt ze schouderophalend, zijn blik ontwijkend, 'je weet het wel.'

'Ontzettend bedankt dat je bent gekomen.'

Weer haalt ze haar schouders op. 'Ik heb niet veel tijd. Ik moet weer terug.'

Op dat moment realiseert Felix zich dat hij Teds vriendin, de moeder van zijn kleinzoon, meestal begroet met een kus op de wang, maar daarvoor lijkt het nu te laat.

'Ja, natuurlijk.' Felix balt zijn vuist en ontspant die weer. Hij heeft ontdekt dat hij dan beter kan nadenken. 'Hoe is het nu met hem?'

'Niet goed.'

'Ligt hij nog steeds in bed?'

'Ja.'

Felix vloekt, heel zachtjes, en zegt dan: 'Dat spijt me.'

'Het geeft niet.'

'Zou je… zou je hem een boodschap van mij willen overbrengen?'

'Natuurlijk.'

'Zeg hem…' Hij aarzelt. Hij is zich scherp bewust van de aanwezigheid van Margot, een verdieping hoger, en van die van Gloria, een verdieping lager. 'Zeg hem dat het me spijt,' zegt hij. 'Ik heb er echt spijt van. Van alles. Zeg hem… zeg hem dat het niet mijn idee was. En dat ik het er nooit mee eens ben geweest.' Hij zucht. 'Zij hebben het samen bekokstoofd, en ik… Het klinkt zwak, dat weet ik. Ik had destijds mijn poot stijf moeten houden. Maar dat heb ik niet gedaan en daar moet ik de verantwoordelijkheid voor nemen. Het was een afschuwelijke, tragische vergissing. En… en zeg hem dat ik hem graag wil spreken. Als hij er klaar voor is. Zeg tegen hem dat hij me belt. Alsjeblieft.'

Ze buigt haar hoofd. 'Dat zal ik doen.'

Felix gaat door. Nu hij eenmaal is begonnen, kan hij niet ophouden. Hij hoort zichzelf dingen over Lexie vertellen, over hoe ze elkaar hebben ontmoet, over die avond dat hij Theo in Lyme Regis heeft opgehaald, dat hij op het politiebureau ruzie had staan maken met Robert Lowe en dat een agent hun moest zeggen dat ze zachter moesten doen, of de heren aan de jongen wilden denken. Op een gegeven moment merkt hij dat hij Elina's arm vast heeft en haar vertelt dat hij van Lexie heeft gehouden zoals hij nog nooit van iemand heeft gehouden, dat hij fouten heeft gemaakt, ja, maar dat zij de liefde van zijn leven was, luistert ze naar hem, begrijpt ze dat? Elina luistert met sceptische aandacht. Ze kijkt omlaag naar de tegelvloer van de hal. Met de teen van haar gymschoen die onder de rode verf zit, volgt ze de barsten. En dan vertelt Felix haar dat alle spullen zijn verdwenen. Weggegooid. Dat er niets over is. Niets voor Ted.

Elina kijkt Felix recht aan en schudt haar pony uit haar gezicht. Een ogenblik lang zegt ze niets. Dan vraagt ze: 'Niks?'

Jonah kiest dit moment om te gaan gillen. Hij spartelt en

schreeuwt in zijn draagdoek, kromt zijn rug en zijn gezichtje wordt rood. Elina schommelt hem op en neer. Ze maakt troostende klakkende geluidjes tegen hem. Ze haalt hem uit de draagdoek en legt hem tegen haar schouder aan.

'Er is een typemachine. En een paar schilderijen.'

Elina wrijft over Jonahs rug. Ze staat met haar rug naar Felix en schommelt Jonah op en neer zoals moeders dat met baby's doen. Jonahs gehuil bedaart. Hij kijkt over de schouder van zijn moeder naar Felix met een uitdrukking van verongelijkte woede op zijn gezicht. Het spijt me, wil Felix zeggen, het spijt me. Hij voelt een sterke behoefte om zich tegen hen allemaal te verontschuldigen, een voor een.

'Ik zal ze je laten zien,' zegt hij in plaats daarvan. 'Loop maar mee naar boven.'

Ze lopen de trap op naar de eerste verdieping. Daar staat de typemachine op de overloop. Hij zit onder het stof, het lint is broos en uitgedroogd. Als Felix ernaar kijkt, krijgt hij een gevoel dat sterk op hoogtevrees lijkt. Hij kan zich nog precies voor de geest halen welk geluid de typemachine maakte. Het klak-klak-klak van de metalen hamertjes die tegen het papier slaan, het lint dat bij elke aanslag omhoog komt om de afdruk te maken. Het mitrailleurachtige geluid ervan als het werk vlotte. De aarzelingen en pauzes als dat niet zo was, om even te zuchten of een trek van een sigaret te nemen. De bel die elke keer klonk als de wagen zijn grens bijna had bereikt. Het zoevende geluid van het vel papier dat eruit werd getrokken, en dan het geratel als er een nieuw vel in werd gedraaid.

Hij kijkt ervan weg. Hij schraapt zijn keel. 'En dit zijn de schilderijen. Ik denk dat ik ze allemaal heb gevonden. Misschien zijn er nog een paar, maar die kan ik altijd…'

Elina doet hem versteld staan door hem de baby te geven.

'O,' zegt Felix. Jonah bungelt daar, bij zijn oksels omhooggehouden door Felix' handen. Zijn voetjes beschrijven cirkels, alsof hij op een denkbeeldige fiets zit. Hij kijkt naar een punt boven Felix' haar, naar Felix' oor, naar de grond, en dan legt hij zijn hoofd in zijn nek om naar het plafond te kijken.

'Joeba joeba wie,' zegt Jonah.

'Goed zo, ouwe jongen,' zegt Felix.

Elina veegt haar handen af aan haar jurk. Ze gaat op haar hurken naast de stapel schilderijen zitten die tegen de muur is gezet. Ze kijkt naar de voorste – een wirwar van driehoeken in sombere kleuren, Felix heeft het nooit erg mooi gevonden – laat die voorzichtig naar voren hellen en kijkt dan naar de volgende, en de daaropvolgende en de daaropvolgende. Ze kijkt de hele tijd bedenkelijk, alsof ze haar niet aanstaan. Misschien, denkt Felix, wil ze die ouwe stoffige dingen niet in haar huis hebben, maar aan de andere kant had hij gedacht dat ze toch wel enige belangstelling zou tonen omdat schilderen tenslotte haar leven is, en…

Ze verbaast hem weer als ze zegt: 'Ik kan ze niet meenemen.'

'Maar lieverd, dat moet je echt doen,' zegt Felix resoluut. 'Ze zijn het rechtmatige eigendom van Ted. Ze waren van Lexie, weet je, ze hingen in het appartement waar hij woonde toen…'

'Nee,' onderbreekt Elina hem. 'Ik bedoel dat ík ze niet kan meenemen.'

Felix kijkt haar verbluft aan. Hij heeft altijd gevonden dat ze opvallend grote ogen heeft die omlijst worden door dat bleke pierrotgezicht van haar. In het zachte licht op de overloop lijken ze groter dan ooit. 'Lieverd, ik ben bang dat ik je niet begrijp. Het waren Lexies schilderijen. Nu zijn ze van Ted. Misschien wil hij ze hebben.'

'Heb je enig idee…' zegt ze en zwijgt dan. Ze legt een hand op haar voorhoofd. 'Felix, deze schilderijen zijn heel veel geld waard.'

'Is dat zo?'

'Van onschatbare waarde. Ik heb geen idee wat ze werkelijk waard zijn, maar ze horen eigenlijk… ik weet het niet, ergens anders thuis. In de Tate Gallery. In een museum.'

'Nee,' zegt Felix. 'Ik wil dat Ted ze krijgt. Ze zijn van hem.'

Ze wrijft met haar hand over haar gezicht en lijkt even na te denken. 'Ik begrijp het,' zegt ze. 'Ik begrijp waarom je dat wilt. Maar… het punt is… we kunnen ze echt niet…' Even mompelt ze iets in een vreemde taal, Fins, vermoedt hij, draait zich weer om naar de schilderijen en kijkt dan weer weg. 'Ik kan ze nu in ieder geval niet meenemen,' zegt ze weer.

'Maar…'

'Felix, ik kan ze niet zomaar in de achterbak van Simmy's auto gooien. Begrijp dat alsjeblieft. Dit zijn… ze moeten in kratten worden verpakt, zoals het hoort. Verzekerd worden. We hebben een erkend vervoerder nodig.'

'Is dat zo?'

'Ja. Ik kan wel iemand voor je vinden als je wilt. Ik weet alleen niet…' Ze steekt haar armen uit en neemt de baby van hem over. '… Ik weet niet wat Ted ervan vindt.' Ze kijkt haar zoon aan. Ze trekt zijn mutsje recht. 'Ik moet gaan,' mompelt ze.

Felix loopt met haar de trap af, de voordeur uit, de felle zonneschijn in. Terwijl zij de baby vastgespt in zijn zitje, zet Felix de typemachine op de passagiersstoel.

Ze staan tegenover elkaar op de stoep.

'Zeg het tegen hem,' zegt Felix. 'Zeg het hem.'

Ze knikt. 'Dat zal ik doen.'

'En krijg ik van jou het nummer van een vervoerder?'

Ze knikt opnieuw.

Felix buigt zich naar haar toe en kust haar eerst op de ene, en dan op de andere wang. 'Dank je,' zegt hij zachtjes.

In reactie slaat ze haar armen om zijn nek en omhelst hem met een innigheid die hem verbaast. Hij is er zo door van slag dat hij plotseling tranen voelt opkomen. Hij moet zich daar in de vroege herfstzon vasthouden aan Elina's fragiele lijf, hij moet zijn ogen sluiten tegen het felle licht.

Nog lang nadat ze is ingestapt en al de hoek om is, voelt hij haar aanraking om zijn schouders en in zijn nek. Felix staat op de stoep en staart naar de plaats waar haar achterlichten zijn verdwenen, alsof hij wacht tot ze terugkomt, alsof hij de betovering niet wil verbreken.

Elina staat vast in het verkeer op Pentonville Road. De auto's voor haar strekken zich als een gletsjer van chroom en glas uit. Op kruispunten wachten verkeersstromen om in te voegen. Ze kijkt achterom naar Jonah, die in slaap is gevallen met zijn duim losjes in zijn mond. Ze doet de radio aan, maar het enige geluid dat eruit komt is een eenzaam stemmend oorverdovend geruis. Ze speelt een poosje met de verschillende knoppen en af en toe vindt ze een onduidelijke stem die zich in de storm van gekraak verstaanbaar tracht te maken. Maar verder niets. Ze zet hem uit. Ze kijkt naar de typemachine. Ze laat met haar ene hand het stuur los en raakt de metalen behuizing aan. Ze laat haar vingertoppen over de toetsen glijden, langs de rol, en in de holte waar de hamertjes op instructies liggen te wachten. Ze kijkt weer naar de weg, waar stoplichten zinloos van rood naar oranje en groen verspringen en weer terug. Ze kijkt weer naar de typemachine en kijkt dan weer achterom naar Jonah. Ze ziet hoe de takken van een plataan door de wind van hun bladeren worden ontdaan, die boven op de auto's vallen. Eentje valt er op haar voorruit, vlak voor haar gezicht, en ze staart ernaar, naar de webvormige nerven, de wasachtige groenheid, het stijve steeltje. Als ze ernaar kijkt, krijgt ze een ingeving.

Elina kijkt op haar horloge. Ze rommelt in haar tas en haalt haar mobiel tevoorschijn. Ze belt Simmy. Hoe gaat het, vraagt ze, kun je nog wat langer blijven? Dan zet ze de richtingaanwijzer aan, keert om en rijdt de lege straat uit.

Ze blijft urenlang weg. Ze is zo opgegaan in haar bezigheden dat ze een parkeerbon heeft gekregen, die ze in haar tas propt. Als ze thuiskomt, is het stil in huis. Het lijkt alsof ze dagen of weken weg is geweest in plaats van uren. Met haar tas nog om haar schouder loopt ze de trap op.

'Hallo?' roept ze. 'Ik ben er weer.'

Simmy wacht boven aan de trap.

'Hoe gaat het?' fluistert ze tegen hem.

'Goed. Hij heeft geslapen, maar ik geloof dat hij nu wakker is. Ik was net van plan om beneden een kop thee te zetten. Ga jij maar naar binnen.'

Elina komt de slaapkamer binnen. Ted ligt op bed, vrijwel net zoals ze hem heeft achtergelaten, onder het dekbed. Hij ligt opgerold, met zijn gezicht naar de muur.

'Ted,' zegt ze, 'ik ben het. Sorry, het heeft langer geduurd dan ik had gedacht. Hoe is het met je? Het is prachtig weer buiten.'

Ze gaat op het bed zitten. Ze legt Jonah op de vloer met zijn favoriete houten rammelaar.

'Ted,' zegt ze. Ze weet dat hij niet slaapt, dat hoort ze aan zijn oppervlakkige ademhaling. Maar hij verroert zich niet.

Ze gaat wat verder op het bed zitten en trekt haar tas met zich mee.

'Moet je 's horen,' zegt ze, en ze legt haar hand op zijn heup. 'Ik ben erachter gekomen dat Ted niet je echte naam is. Zij noemde je anders.'

Ze wacht. Hij geeft geen antwoord, maar ze merkt dat hij luistert. Ze duikt haar tas in en haalt een stapel papieren tevoorschijn.

'Ik ben bij het archief van de krant geweest. Het was fantastisch, ze waren zo behulpzaam. Ik heb allerlei dingen ontdekt,' zegt ze terwijl ze de papieren op het bed uitspreidt en ze snel doorbladert. 'Lexie was kunstcritica. Ze schreef artikelen over Picasso, Hopper, Jasper Johns en Giacometti. Ze heeft Francis Bacon en Lucian Freud gekend. En John Deakin, die hele kunstenaarsgroep. Ze heeft Yves Klein, Eugene Fitzgerald en Salvador Dali geïnterviewd. Ze heeft met Andy Warhol in New York gegeten. Heb je dat gehoord? Andy Warhol. En...' Elina bladert verder, op zoek naar een bepaald artikel, '... ze is ooit in Vietnam geweest. Dat is toch ongelooflijk? Er zit ook een artikel tussen over het leven in Saigon tijdens de oorlog. Ik kan het nu even niet vinden. Misschien heeft ze je vader zo ontmoet. Dat kun je wel aan hem vragen, denk ik. Hoe dan ook, ze heeft honderden artikelen geschreven. En ik heb er een paar voor je meegenomen. Voor jou. Ted? Wil je ze zien? Kijk.' Ze pakt een stapeltje op, buigt zich over zijn languit liggende gestalte heen en houdt ze voor zijn neus. Zijn ogen zijn dicht, ziet ze. Zijn lippen zien er droog en gebarsten uit, alsof hij in lange tijd niets heeft gedronken. Van beneden komt het geluid van Simmy die in de keuken rondloopt, een waterketel die wordt gevuld, water dat door de leidingen stroomt.

'Ted?' zegt ze nog eens, en ze hoort aan haar stem dat ze misschien moet huilen, dus ze haalt diep adem. 'Hier is een foto van haar, op een balkon. Zie je het? In Florence, staat eronder. Kijk. Hier ziet ze er ouder uit dan op die andere foto. Ted, kijk nou alsjeblieft.' Elina legt haar wang tegen zijn arm. 'Toe nou.'

Ze gaat overeind zitten en bladert weer door de papieren. 'En weet je wat nog meer?' De tranen vallen nu van haar gezicht en maken donkere, transparante cirkels op de fotokopieën. Ze veegt ze haastig weg en boent met haar mouw over haar wangen. 'Ze heeft over jou geschreven.'

Elina vindt de bladzijden waarnaar ze op zoek is; ze herinnert zich nu dat ze ze in het archief speciaal aan elkaar heeft geniet. 'Ze schreef een column die "Van de frontlinie van het moederschap" heette.' Ze haalt diep adem. 'Het gaat over jou. Wil je het horen?'

Ze ziet een trilling door zijn arm gaan en ze kijkt met ingehouden adem toe. Zal hij bewegen? Zal hij iets zeggen? Zijn hand komt omhoog en krabt op zijn achterhoofd. Maar hij zegt niets.

'Dit is de eerste,' zegt Elina. 'Ik heb ze op volgorde gelegd. Luister.

Terwijl ik hier zit te schrijven, ligt mijn zoon aan de andere kant van de kamer te slapen. Hij is nu tweehonderdvijftien dagen oud. Hij en ik wonen in dezelfde kamer. Hij heeft drie tanden en twee namen: Theodoor, zoals de wijkverpleegkundigen hem noemen, en Theo, zoals ik hem noem.

Heb je dat gehoord?' Elina legt de papieren neer. Ze pakt zijn hand. 'Ze noemde je Theo.'

Zijn lijf verroert zich onder het dekbed. Hij draait zijn hoofd van de ene kant naar de andere. Zijn ogen zijn open, ziet ze. Dan voelt ze een aanraking op haar hand en zegt hij zijn eerste woorden sinds een week. 'Ga door, El,' zegt hij, 'ga door.'

En dat doet ze.

Dankbetuiging

Ik had dit boek niet kunnen schrijven zonder de hulp en aanmoediging van een aantal mensen. Mijn welgemeende dank aan:

William Sutcliffe
Victoria Hobbs
Mary-Anne Harrington
Jenna Johnston
Françoise Triffaux
Susan O'Farrell
Daisy Donovan
Bridget O'Farrell
Ruth Metzstein

Ik ben ook schatplichtig aan de volgende boeken: *Soho in the Fifties and Sixties* van Jonathan Fryer (National Portrait Gallery publications, 1998), *Never Had it So Good: A History of Britain From Suez to the Beatles* van Dominic Sandbrook (Abacus, 2005).